# NIET ALLEEN, MAAR SAMEN

Julia Burgers-Drost
&
Marjolein van Diest

# *Niet alleen, maar samen*

Uitgeverij Zomer & Keuning

ISBN 978 94 0190 263 2
ISBN e-book 978 94 0190 264 9
ISBN Grote Letter 978 94 0190 265 6
NUR 344



Omslagontwerp Liesbeth Thomas, t4design

www.romanserie.nl

# *Voorwoord*

Voor mijn lieve moeder

Toen we klein waren vertelde je ons vaak verhalen, urenlang. Verhalen waar we nu nog weleens zinnen uit citeren. *'We wouden – en we zouden'* was er zo eentje, iets wat een paar kinderen in een verhaal telkens zeiden. We smulden van je verzinsels.

Wij 'wouden en zouden' samen nog een keer een boek schrijven, jij en ik. Een roman, of een thriller. Jij was ervan overtuigd dat ik ook zou gaan schrijven en moedigde me regelmatig aan. *'Je moet gewoon beginnen*!' zei je dan stellig.

Je was weer aan een boek begonnen, je schreef elke winter zo'n twee romans. Maar voor het eerst in al die jaren – en na bijna honderd romans – had je moeite om er doorheen te komen. *'Het wil niet lukken, Marjolein moet het maar afmaken!'* verzuchtte je tegen papa. Net alsof je voorvoelde, dat je het zelf niet meer zou doen.

En opeens, opeens was je er niet meer. Twee dagen na je zus ben je – heel plotseling – overleden.

Na een tijdje kwam het pijnlijke besef: 'We wouden en we zouden' samen een boek schrijven, maar dat zou nu nooit meer gebeuren!

Tenzij ik zou doen wat je had gezegd: jouw boek afmaken.

Toen ik de eerste hoofdstukken die je al had geschreven doorlas op m'n laptop, proefde ik de moeite die je dit keer had gehad met schrijven. Net alsof het verhaal niet van de grond wilde komen, niet tot leven kwam.

Zo kon het toch niet eindigen?

Papa was er ten stelligste van overtuigd dat ik het moest doen. *'Mama heeft het toch zelf gezegd*?' Maar durfde ik het wel aan?

Toen weerklonken jouw woorden in mijn gedachten: *'Je moet gewoon beginnen*!' Met de voorgaande twee delen bij de hand ben ik toen aan de slag gegaan, *gewoon begonnen.*

En een jaar na je overlijden, in januari 2014 had ik het boek af. Ik heb gelachen en gehuild tijdens het schrijfproces, maar al die tijd voelde ik dat jij – vanuit die wolk van getuigen in de hemel –

naar me keek en me aanmoedigde.

*We wouden en we zouden*... Het liep anders dan we hadden gedacht, maar we hebben een boek geschreven, mam: *Niet alleen, maar samen*!

Ik hoop dat ik je eer aandoe.

Liefs,

je dochter Marjolein

# *1*

'Dag mevrouw Voordewind, hoe gaat het met u? Ik heb u zo lang niet gezien dat ik dacht: ik ga eens even bij u langs.'

Geertje Voordewind houdt zich vast aan een deurpost en bekijkt wantrouwig de jonge vrouw die bij haar op de stoep staat. Haar blik glijdt over het halflange, donkere haar, het regelmatige gezicht en de grote, groene ogen.

Marloes ziet haar bijna denken: ik heb geen idee wie dit is! Om de oudere vrouw te helpen, vervolgt ze: 'Ik sprak vanochtend uw kleindochter nog. Ik was tegelijk met Jasmijn op het consultatiebureau.'

Het kwartje valt.

'Ach ja! Kom toch gauw binnen, het is veel te koud om de deur open te laten staan. Jij bent de vriendin die gelijk zwanger was. Jij hebt toch ook een dochter? En je heet toch...'

Marloes doet haar dikke jas uit en hangt hem aan de overvolle kapstok.

'Ik heb een zoon, Silas. En ik heet Marloes.'

'Silas. Jaja, hoe kom je erop. En die van Jasmijn – ach, hoe heet die ook weer...'

Marloes loopt achter Geertje Voordewind aan de woonkamer in waar het ontzettend warm is. De kamer in de aanleunwoning is bepaald niet groot, maar staat ook erg vol met grote meubels.

'Het dochtertje van Jasmijn heet Willemien. Die twee schelen niet veel in leeftijd.'

Geertje haalt haar schouders op en wijst naar een leunstoel. 'Ga maar lekker zitten, meid. Ja, Willemien. En ik dacht nog wel: als Jasmijn een dochter krijgt, noemt ze haar naar haar oma Geertje. Maar nee. Het was een teleurstelling!'

Marloes voelt zich geroepen om voor haar vriendin op te komen. 'U weet toch wel dat ze de namen van haar ouders samengetrokken hebben? Willem en Minie, daar hebben ze Willemien van gemaakt. Ik vond het juist wel aardig. Want tegenwoordig worden kinderen niet vaak meer naar de ouders of de grootouders vernoemd.'

Geertje trekt een lelijk gezicht. 'Maar bij Jasmijn zit het anders, geloof me. Ze noemen haar geen Willemien! Toen ik laatst bij haar was, zat ze met het kind op schoot te tutten en het was Willemieke voor en Willemieke na. En je weet vast wel wie die Mieke was!'

Geertje zwijgt een ogenblik en zegt dan triomfantelijk: 'Zo heette Jasmijns andere oma. Bij Mieke gingen de kleinkinderen wél logeren, en als er wat bijzonders was, kreeg Mieke het als eerste te horen. En toen ze kwam te sterven, dacht ik nog: nou ben ik aan de beurt. Maar niks van dat alles!'

Marloes schrikt een beetje van het venijn in de stem van Geertje Voordewind. Daar zit een hoop oud zeer, zo te horen.

Nee, Geertje is nog niet uitgesproken, er komt nog meer. 'Wat vond iedereen het zielig voor Bertram dat hij weduwnaar werd. Het scheelde niet veel of meester De Groot ging zijn Mieke achterna. Wie troostte hem? Niemand anders dan ik. En wat was mijn dank? Hij liet me zitten voor dat mens... die met haar kleindochter hier kwam...'

Ze kan niet meer op de naam komen, balt haar beide vuisten en kan niet verhinderen dat er tranen in haar ogen springen.

Marloes kent de fantasieverhalen van Geertje, ze krijgt ze regelmatig van Jasmijn te horen.

'U bedoelt Marijke Marwijk, en haar kleindochter Aniek. Aniek is een vriendin van mij. Marijke was toch een schoolvriendinnetje van u? Via de computer hebben jullie weer contact gekregen. Ik vond het meteen een geweldig verhaal, twee dames op leeftijd die achter de computer kruipen en elkaar op schoolbank.nl weer terugvinden.'

Geertje veegt steels langs haar ogen. Jaja, geweldig verhaal, maar wat heeft ze een spijt gehad van het feit dat ze Marijke Marwijk en haar kleindochter over liet komen om de bruiloft van Jasmijn en haar aanstaande bij te wonen!

'Gebruikt u de computer nog weleens?' vist Marloes, waarop Geertje heftig nee schudt met haar hoofd. Ze wil voor geen goud bekennen dat ze vergeten is hoe ze het ding moet aanzetten. En dat niet alleen. Ze heeft er geen plezier meer in, het is veel te ingewikkeld.

Maar dat zal ze nooit toegeven.

'Eerlijk gezegd, Marloes, kom ik er niet meer aan toe. Ik ben slecht ter been, zonder mijn scootmobiel kan ik de straat niet meer op. En in huis sukkel ik maar wat rond. Nee, een hulp heb ik niet, omdat ik dat niet wil. Een ander die aan mijn spullen zit... Maar het zou wat anders zijn als ik bij Jasmijn kon wonen. Weet je dat haar man,

Simon, dat voorstelde? Een beste man, Simon Kerkemijer. Architect is hij. Veel te zacht voor Jasmijn! Maar denk je dat Jasmijn het met hem eens was? Nee, mevrouw is veel te druk in haar nieuwe, grote huis met de baby, en heeft geen tijd over voor haar oude oma. Alsof ze op haar leeftijd, amper twintig, niet veel meer aan zou moeten kunnen. In mijn tijd was dat wel anders. En weet je wat ze ook nog zei? Dat ze vaak naar Oop gaat, zo noemt ze Bertram, om een handje in de bed and breakfast te helpen. Terwijl zij daar loopt te poetsen, zit Marijke daar met mijn kleindochter op schoot! En hoe zij Bertram zover gekregen heeft met haar te trouwen, daar wil ik niet eens aan denken. Mieke was amper een jaar overleden, nota bene!'

Geertje heeft een propje van haar zakdoek gemaakt en huilt nu zonder gêne.

Marloes heeft medelijden, maar besluit van onderwerp te veranderen voordat er nog meer waanideeën te berde worden gebracht. 'Ik weet zeker, oma Geertje, dat ze veel van u houden. Weet u waarom ik eigenlijk ben gekomen? Om te vragen of u vindt dat het alleen wonen nog goed gaat, of dat u wel wat hulp kunt gebruiken.'

Door de verhalen van Jasmijn heeft Marloes de indruk gekregen dat haar oma al een tijdje aan het dementeren is. Marloes had beloofd eens een kijkje te nemen bij haar oma, om zodoende haar professionele mening als verpleegkundige te kunnen geven op de situatie. De ouders van Jasmijn kregen de laatste tijd ook al het idee dat de vergeetachtigheid toeneemt bij oma Geertje. Al babbelend werkt ze naar het doel van haar komst toe, intussen de reacties van de bejaarde vrouw peilend om te zien hoeveel ze begrijpt.

'Ik hoorde ruim een jaar geleden van dokter Ouderaa dat er hier in het dorp steeds meer behoefte is aan zorg aan huis voor de wat oudere mensen, zoals van de thuiszorg. Vaak wonen kinderen te ver weg om regelmatig bij te kunnen springen, of hebben ze daar geen tijd voor. Daarom ben ik hiernaartoe verhuisd en aan de slag gegaan om in het dorp een nieuwe vorm van thuiszorg op te zetten. Dokter Wout Ouderaa, die kent u toch wel?'

Geertje Voordewind knikt afwezig. Jaja, die kent ze wel, dat was de nieuwe dokter.

Marloes kan er uren over vertellen, maar besluit het verhaal zo kort mogelijk te houden.

'Ik wil u graag wat vertellen over Buurtzorg. Zo heet de nieuwe thuiszorg hier in het dorp. Heeft u daar al van gehoord?'

Geertje blijft echter hangen bij wat Marloes zegt over kinderen die te ver weg wonen. Wist Marloes wel dat haar zoon Willem en schoondochter Minie in het dichtstbijzijnde stadje wonen, op fietsafstand van het dorp? Maar in de praktijk ziet ze hen amper. 'De mensen uit het dorp zullen wel denken, hoe durven ze hun oude moeder zo te verwaarlozen!'

Marloes ziet dat Geertje op het punt staat om het volgende stokpaardje te beklimmen en probeert haar af te leiden.

'Zal ik dan uitleggen wat Buurtzorg voor u zou...'

Helemaal niet nodig. Geertje heeft toch zeker geen behoefte aan hulp van een vreemde? Ze doet opnieuw uitgebreid haar beklag. Vooral over Jasmijn, die niet wil dat haar oma bij haar in huis komt wonen.

Marloes begrijpt dat ze vandaag niets meer kan bereiken. Er zal een moment komen dat Geertje niet meer om adequate hulpverlening heen kan. Maar op dit moment lijkt ze het, in elk geval op het gebied van het huishouden en persoonlijke verzorging, allemaal nog wel te kunnen redden. Hoe het met haar geestelijke gesteldheid is, kan Marloes als buitenstaander niet goed inschatten.

Buiten begint het te schemeren. De dagen, zo eind december, zijn kort, en menig oudere wordt er somber van. Maar of dat de oorzaak is van Geertjes gemopper, betwijfelt Marloes.

Ze onderbreekt de klachtenstroom en vraagt of ze voor Geertje een kopje thee zal zetten.

'Wat denk je wel, dat ik dat zelf niet meer kan?'

Marloes haast zich te zeggen dat ze dit geen moment heeft gedacht.

'Ik mag dan niet meer zo best kunnen lopen, maar een ketel op het vuur zetten, dat kan toch iedereen!'

'Maar dan help ik u wel een handje,' komt Marloes resoluut.

Terwijl Geertje naar de keuken stommelt, rechts en links steun zoekend aan meubels en de wand in de gang, knipt Marloes hier en daar een schemerlampje aan. Geertje zet de fluitketel op het gasfornuis, en terwijl zij de theepot en kopjes klaarzet, neemt Marloes plaats op een van de twee stoelen die bij het keukentafeltje staan.

Marloes praat met Geertje verder alleen nog over neutrale onderwerpen, ervoor wakend om Jasmijn of haar ouders te noemen. Het tweede kopje thee slaat ze af. 'Ik moet mijn zoon gaan ophalen bij zijn oppas. Maar ik hoop voor de kerst nog een keertje bij u langs te komen, mevrouw Voordewind.'

Geertje loopt met haar mee naar de gang. 'Daar doe je goed aan, kind. Als ik denk aan mijn eigen zoon...'

Marloes schiet in haar gewatteerde jas en ritst hem tot bovenaan dicht. De koude wind doet de brievenbus in de voordeur klepperen.

'Gaat u maar gauw weer naar binnen, in de woonkamer is het lekker warm. Ik kom er zelf wel uit.'

In een rustig tempo rijdt Marloes in haar auto door het dorp dat haar ondertussen zo vertrouwd is geworden. Ze mindert wat vaart als ze De Oude School passeert. De bed and breakfast. Ze meent de figuur van opa Bertram de Groot achter het raam te zien. Hoofdschuddend denkt ze aan de woorden van Geertje Voordewind, die de oma van Aniek – Marijke – ervan beschuldigde het voormalige hoofd van de dorpsschool voor haar neus weggekaapt te hebben.

Ze slaat af en rijdt naar de rand van het dorp, waar Jasmijn en Simon wonen. Silas is vandaag bij Jasmijn geweest, die graag op hem past. 'Met alle liefde,' roept ze regelmatig. 'Ik ben dol op dat joch!' Ook buurvrouw Monsma, Marloes' andere oppas, dweept met hem. Omdat ze weet dat haar zoon goed wordt verzorgd, gaat Marloes altijd met een gerust hart naar haar werk.

Er staan op het terrein nog maar een paar woningen. De emeritus predikant, dominee Laponder, en zijn vrouw wonen tegenover Marloes' vriendin Aniek en haar kersverse echtgenoot Huub. De woningen waren in een mum van tijd uit de grond gestampt, dankzij de luwte in de bouwwereld. Aniek is nog bezig met de afwerking en de aankleding van het huis, maar het wordt prachtig, vindt Marloes.

Ze parkeert de auto op de brede oprit voor het huis van Jasmijn en Simon. Achter alle ramen branden de lampen, zo lijkt het.

Huiverend loopt ze naar de voordeur, waar een prachtige kerstkrans aan is bevestigd. Het geluid van de bel galmt door het huis en overstemt het luide gehuil van een baby. Marloes luistert met scheefgehouden hoofd. Nee, dat is niet het huiltje van Silas. Hij laat zich weinig horen en als hij al huilt, is het met kalme uithalen.

De deur gaat met een ruk open. Marloes ziet een geagiteerde Jasmijn staan met een ontroostbare dochter op haar arm. Ze blaast een verdwaalde, blonde haarlok uit haar verhitte gezicht en begroet Marloes met stemverheffing. 'Kom erin! Willemieke heeft het niet zo naar haar zin vandaag. Koud hè?'

Marloes veegt haar voeten en ontdoet zich intussen van haar jas. 'Nou, winters weer, echt zoals het in december hoort te zijn. Alles goed gegaan?'

Jasmijn verplaatst haar dochter naar haar schouder. 'Met jouw zoon wel. Wat is dat een schat. Je hoort hem niet, hij is tevreden. Heel wat anders dan dat kind van ons!'

Marloes hangt haar jas aan de kapstok en haast zich naar de woonkamer, waar Silas in de box zit te spelen. Zijn grote, bruine ogen beginnen te stralen als hij zijn moeder ziet binnenkomen. Marloes hurkt bij de box neer en met een brede glimlach kietelt ze hem door de spijlen heen.

'Dag mama's grote jongen!'

Een giecheltje is haar beloning, waarna hij lekker verder speelt met zijn boekje.

'Ga zitten, dan krijg je koffie met wat lekkers. Houd jij haar even vast?'

Marloes zinkt weg in een diepe fauteuil en pakt Willemieke van Jasmijn aan.

Op de ronde wangetjes van het meisje glinsteren nog een paar tranen, die Marloes met een vinger zacht wegveegt. 'Heb je dan zo'n verdriet? Vertel het me maar, wat is er dan aan de hand?'

De kalmerende invloed die Marloes op veel mensen heeft, mist ook bij de kleine hummel zijn uitwerking niet.

'Koffie met kerstbanket. Je gelooft het niet: geen supermarkt-exemplaar, maar zelfgebakken! Door mijn schoonmoeder dan, niet door mij, hoor. Ik wist niet eens dat je zoiets ook zelf kunt bakken. Zal ik het kind nemen?'

Marloes schudt van nee, glimlachend om de achteloze benaming die de getergde jonge moeder haar dochter geeft. 'Laat mij "het kind" maar vasthouden, dan kun jij even bijkomen.'

Jasmijn steekt mopperend van wal. Over Willemieke, die de hele middag al dreint. 'Tandjes, zeiden ze op het consultatiebureau. Ja, ze is er vroeg bij met vierenhalve maand. Maar dat kwaaltje heeft jouw zoon ook en die hoor je niet. Er komt niets uit mijn handen, het kind is echt een lastpakje. Gelukkig is ze nu even stil.'

Marloes streelt het kleintje over de vlasblonde haartjes. Willemieke leunt met een haperende zucht tegen haar zachte trui aan.

'De koffie is een echte opkikker,' verzucht Marloes. 'Weet je bij wie ik vanmiddag nog langs ben geweest?' Ze lacht naar de baby op haar schoot. 'Bij jouw overgrootmoeder, ja!'

Jasmijn fronst haar wenkbrauwen. 'Da's waar, daar hadden we het pas over. Lief dat je bij haar langs bent gegaan. Wat vond je van haar?'

'Het lijkt zo op het oog allemaal wel goed te gaan, ze klaagt alleen over van alles en nog wat...'

Jasmijn valt haar in de rede, terwijl ze met haar ogen rolt. 'Klagen heeft ze altijd al gedaan. Moet je mijn moeder maar eens vragen. Vroeger ging ik met Bonnie vaak bij ons beider oma, oma Mieke, logeren. Bonnies moeder en mijn moeder zijn zussen, dat weet je, hè? Alles kon en mocht daar. Maar bij oma Geertje mocht ik niks. Dus ik wilde niet meer bij haar logeren. Best wel sneu, natuurlijk. Maar oma Geertje klaagt er nog steeds over. En dan te bedenken dat Simon vindt dat wij oma Geertje in huis moeten nemen, omdat wij de ruimte hebben. Nou vraag ik je! Het is toch geen leven, als je haar onder je dak hebt? Ik zeg dan weer: "Simon, ze kan toch beter bij mijn ouders intrekken, het is immers mijn vaders moeder!" Maar dat vindt hij niks, want dan moet ze van woonplaats veranderen, en ga zo maar door.'

Marloes laat haar uitrazen, en als er een pauze valt, merkt ze op dat het in vroeger tijden inderdaad de gewoonte was om een ouder familielid in huis te nemen. 'Kijk maar eens naar de schilderijen van de oude meesters. Spelende kinderen, een oma op een stoel met een kind of een bak te schillen appeltjes. Maar de tijden zijn veranderd, en ik geloof ook niet dat het wijs zou zijn. Jullie zijn nog maar zo kort getrouwd, net ouders geworden. Daar kun je geen dementerende oma bij gebruiken. Als je het mij vraagt, is oma Geertje op den duur beter af in een geschikt verzorgingstehuis.'

De deur gaat open en Simon stapt naar binnen. Hij heeft de laatste zin opgevangen. ‘Goedenavond, wat gezellig is het hier, dames! Vind jij dat oma Geertje uit huis moet, Marloes, of redt ze het nog? Ik vraag me alleen af of ze in een tehuis gelukkig zou zijn, dan kan ze beter bij ons intrekken.’

Marloes lacht als Simon zijn dochter van haar schoot plukt en haar hoog in de lucht zwaait voor hij gaat zitten. Geen zoeter kind dan Willemientje Kerkemijer. Ze krijgt een dikke kus op haar wangetje van haar vader en probeert met een blij kreetje aan zijn blonde haren te trekken. Behendig ontwijkt hij haar grijpgrage handjes, waarna ze haar aandacht richt op zijn vuurrode stropdas.

Jasmijn kijkt Simon boos aan. ‘Werkelijk, Simon! Soms denk ik weleens…’

Simon zegt bedaard: ‘Niet doen, dat denken. Heb je nog een bakje koffie?’

Jasmijn stormt de kamer uit.

Marloes haast zich een neutraal onderwerp aan te snijden. ‘Hoe gaan de zaken, Simon? Geen last van de crisis?’

‘Ik zal niet zeggen dat het ons geheel voorbijgaat, maar klagen hoor je me niet. Ik heb veel werk aan verbouwingen, gelukkig. Zo vergaat het mijn vader ook met zijn bouwbedrijf. De mensen weten hem toch te vinden als er een aannemer nodig is. Ik kan hem ook af en toe de bal toespelen, zorgen dat hij een offerte uit mag brengen. En andersom weet hij mij soms weer ergens binnen te praten, een goede wisselwerking dus. En jij, Marloes, schieten de plannen van Buurtzorg al op?’

Marloes knikt vergenoegd. ‘Vanmiddag heb ik met Wout en mensen van het hoofdkantoor vergaderd. We zijn er nu aan toe om mensen te gaan aannemen. Maar het is al bekend geworden dat we hier met een Buurtzorg beginnen, en mensen uit de zorg weten ons inmiddels zelf te vinden.’

Simon kent de achtergrond van de stichting die Marloes bezighoudt. Géén dure directies, managers of leidinggevenden met allerlei afdelingen. In veel organisaties komen pas helemaal onderaan de mensen om wie het eigenlijk gaat: de mensen die zorg nodig hebben. Zo niet bij Buurtzorg.

Wout Ouderaa, de dorpsdokter, was direct enthousiast toen hij via een collega elders in het land hoorde over Buurtzorg. Zo enthousiast, dat hij iemand was gaan zoeken om ook in hun dorp een afdeling op te zetten, omdat hij dat als huisarts niet zelf kon doen. Toen hij via Aniek Marloes leerde kennen, wist hij dat hij de juiste persoon had gevonden. Marloes zag zijn plannen helemaal zitten en verhuisde naar hun dorp, tot groot genoegen van haar vriendin Aniek. Met Jasmijn had het ook meteen geklikt, weet hij nog.

De organisatie Buurtzorg is nog maar een paar jaar geleden begonnen, maar is inmiddels uitgegroeid tot een landelijk opererende organisatie. De verpleegkundigen werken niet alleen zelfstandig, maar hebben ook veel mogelijkheden als het op de manier van behandelen aankomt.

Simon knikt. 'Het systeem zou op veel terreinen voor verbeteringen kunnen zorgen. Om te beginnen bij de regering. Het onderwijs... ga zo maar door!'

Marloes merkt op dat de organisatie nog steeds groeit. 'Het is inderdaad een geweldig concept. Het zit verbluffend eenvoudig in elkaar. Ik kan enorm waarderen hoe slim de organisatie is opgezet qua structuur. Grappig, hoe dan mijn heao-achtergrond opeens weer naar boven komt.'

Simon kijkt verrast. 'Ik wist niet dat je ook nog de heao gedaan had. Heel wat anders dan de verpleging.'

Marloes veegt de kruimels van de kerstkrans van haar schoot en knikt. 'Om mijn ouders een plezier te doen. Die vonden het een "verstandige opleiding". Maar door omstandigheden wilde ik heel mijn leven omgooien, meer mijn hart volgen, dus ben ik een opleiding gaan doen die ik zelf graag wilde. Hoe dan ook, het loopt tot nu toe op rolletjes, de opstart van Buurtzorg. We zijn ook zo blij met de kantoorruimte die we hebben, in de nieuwe boerderij van Huub, jullie overbuurman. We hebben niet veel ruimte nodig, de hele administratie wordt namelijk bijgehouden via een iPad. Je kunt ter plekke de dossiers bijwerken. Maar om teamvergaderingen te kunnen houden is een eigen plek wel fijn. Nog even en we kunnen echt van start gaan.'

Simon legt Willemien op haar buik op de grond, waar ze gretig om zich heen begint te graaien. Een stuk speelgoed, de broekspijp van haar vader, zelfs de veters in zijn schoenen moeten het ontgelden.

'Ja, de boerderij is mooi geworden. En groter nog dan vóór de brand... Dat was wat, met oud en nieuw is het alweer een jaar geleden dat de boel in lichterlaaie stond. De plannen voor een bed and breakfast, die hij eerst had, waren in één keer van tafel. Huub had het er maar wat moeilijk mee. Logisch, want hij was bij een eerdere brand zijn gezin kwijtgeraakt. Gelukkig is er dit keer niemand omgekomen en heeft Huub maar een paar brandwonden opgelopen. Hij is blij dat zijn boerderij een goede bestemming heeft gekregen. En sinds hij Aniek heeft, is hij een ander mens geworden, een stuk socialer in elk geval.'

Silas is klaar met spelen. Hij gooit een kleine beer tussen de spijlen van de box door op de grond en besluit zijn stem te gebruiken. Een zwaar geluid voor een kind van zijn leeftijd. De tranen bewaart hij voor als er grover geschut nodig is.

'Ach, mannetje dan toch!'

Marloes drinkt haar kopje leeg en zet het terug op tafel voor ze Silas uit de box tilt. 'Wat is er dan met mama's grote jongen?'

Jasmijn opent de kamerdeur met een elleboog en komt binnen met een kopje in de ene hand en een koffiekan in de andere.

Ze blijft een moment in de deuropening staan en kijkt naar Marloes en haar zoon. Kind zonder vader, vrouw zonder man. Ooit is Marloes – zo heeft ze van Aniek gehoord – kort getrouwd geweest. De jonge bruid werd mishandeld door haar man en het huwelijk liep daardoor binnen een jaar al op de klippen. Marloes ging weer leren, volgde een opleiding tot verpleegkundige en kreeg al snel een baan in een ziekenhuis. Kort daarna kreeg ze opnieuw een verlies te verwerken, toen haar beide ouders kort na elkaar overleden. Toen Aniek in hetzelfde ziekenhuis als stagiaire binnenkwam, had Marloes net haar leven weer een beetje op de rit. En toen verscheen er een nieuwe, tijdelijke collega ten tonele in het ziekenhuis. De jonge, aantrekkelijke arts was half Nederlands, half Amerikaans. De mix van een blonde moeder met een zwarte vader had ervoor gezorgd dat zijn huid een prachtige, karamelkleurige tint had, en vooral zijn bruine ogen deden vele zusterharten sneller kloppen. Hij was ook nog eens erg charmant en zat vol grappen en kwinkslagen. Hij was klaar met zijn medische opleiding, maar voordat hij aan een specialisatie ging beginnen, wilde hij graag een tijdje in een Nederlands ziekenhuis werken. Hij zag het als een uitgelezen kans om het geboorteland van zijn moeder eindelijk te leren kennen.

Thomas Gates heette hij. Het fijne weet Jasmijn er niet van, maar op een avond, nadat onder hun handen twee jonge mensen waren overleden, was Marloes behoorlijk van slag geweest. De jongeman had aangeboden haar naar huis te brengen. Eenmaal daar aangekomen kwam van het een het ander, en ze belandden in de slaapkamer. Aanvankelijk had Marloes nog romantische ideeën gekoesterd over de wending die hun vriendschap had genomen. Maar toen ze de volgende dag op haar werk hoorde hoe een collega vertelde dat Thomas een verloofde in Amerika had, vielen haar dromen in duigen. Marloes durfde hem niet meer onder ogen te komen, zo schaamde ze zich voor het gebeurde. Het was helemaal niets voor haar, om zomaar met iemand het bed in te duiken, en dan ook nog iemand die al een relatie had.

Hoe dan ook, de man was uit beeld verdwenen en Marloes bleek zwanger te zijn.

Ze had besloten hem niet in te lichten en haar kind alleen groot te brengen. Ze wilde een nieuwe start maken, dus nam ze ontslag in het ziekenhuis en accepteerde een tijdelijke baan elders. Niemand in het ziekenhuis wist van haar zwangerschap. Toen het verzoek van Wout kwam om Buurtzorg op te starten, zag ze de noodzakelijke verhuizing naar het kleine dorp als een gebedsverhoring.

Ze had in de korte tijd dat ze hier woonde echte vrienden gemaakt en werk gekregen dat haar hart had. Daarbij kreeg ze een prachtige, gezonde zoon. Wat wilde een mens nog meer? Jasmijn kijkt vol genegenheid naar de knuffelpartij tussen moeder en zoon, en schenkt ongevraagd nog een keer koffie in voor Marloes.

'Een halfje graag, Jasmijn.'

Simon trekt haar naar zich toe. 'Lach eens tegen me, Mijntje.'

Marloes kust Silas op zijn stugge haartjes en kijkt over zijn hoofdje heen naar Simon, die nu in plaats van zijn dochter zijn vrouw op schoot heeft. Tja, dat mist Marloes natuurlijk. Zulke momenten die voor Jasmijn gewoon zijn. Een knuffel, een blik van verstandhouding. Elkaar begrijpen zonder een woord te zeggen.

Jasmijn boft maar, met een man als Simon.

Silas begint op een knoop van Marloes' vestje te sabbelen.

'Ik drink vlug mijn koffie op – mijn complimenten aan je schoonmoeder voor het banket, trouwens – en dan vlieg ik naar huis. Silas krijgt honger en echt, als hij vindt dat het zijn tijd is, heb je oordopjes nodig!'

Even later haalt Jasmijn behulpzaam de jassen van Marloes en Silas. 'Zie ik je van de week nog? Ik heb Oop gezegd dat ik een keer kom poetsten in de B&B. Voor de gezelligheid. Als je zin hebt...'

Zin wel, maar geen tijd, Marloes heeft ander werk te doen. 'Sollicitatiegesprekken voor Buurtzorg. Sommigen vinden de stap groot, van hun vaste baan – of veilige uitkering – naar zoiets nieuws. Maar dat komt goed, als mensen de achtergrond horen en ze zich realiseren hoeveel vrijheid ze krijgen, zijn zo meestal zo om. Dat horen we tenminste uit het hele land.'

Terwijl Simon zich bezighoudt met de opnieuw huilende Willemientje, loopt Jasmijn mee naar de auto.

'De lucht is kraakhelder, wat is het koud!'

Marloes huivert. 'Ga jij maar gauw naar binnen, zo zonder jas. Bedankt maar weer voor het oppassen.'

Jasmijn slaat haar armen om zich heen en blijft in het licht van de buitenlamp staan om haar vriendin uit te zwaaien.

Ze hoort Simon roepen. 'Kom binnen, Mijntje, we stoken niet voor de mussen!'

Jasmijn kijkt de verdwijnende achterlichten na en denkt: oma Geertje zou het gezegd kunnen hebben...

Ze sluit de zware deur met een klap die er zijn mag.

# 2

Silas vindt het heerlijk om in de auto vervoerd te worden, en meestal valt hij door het geluid van de motor als een blok in slaap. Maar omdat de rit naar huis maar kort is, probeert Marloes hem wakker te houden. Ze babbelt tegen hem over haar belevenissen.

'Morgen komen er sollicitanten, Silas. Dan gaat mama nieuwe mensen uitzoeken die goed bij Buurtzorg passen.'

Als ze de auto voor het huis parkeert, ziet ze hoe donker de woning oogt. Nergens brandt een lamp, zoals bij de buren. Ze neemt zich voor om binnenkort eens bij de bouwmarkt langs te gaan in de naburige stad, en zich te laten informeren over een tijdklok die op de buitenlamp aangesloten kan worden.

Silas begint in babytaal te mopperen.

'Jij bent eerst aan de beurt.' Ze maakt de gordels van zijn autostoeltje los en ondertussen kwebbelt ze tegen hem.

Hoe anders is haar eigen thuiskomen vergeleken met dat van iemand als Jasmijn, mijmert ze. Geen warm onthaal voor haar, zelfs geen simpele begroeting, of een kus. Maar dat het ook anders kan zijn, weet ze als geen ander. Ze schudt de gedachten aan haar eerste huwelijk snel van zich af. Beter alleen, dan in een relatie waar je kapot aan gaat, letterlijk en figuurlijk.

Het is binnen koud, en het eerste wat ze doet is de thermostaat van de verwarming hoger zetten. Silas parkeert ze met zijn jasje nog aan in de box, zodat ze een flesje voor hem klaar kan maken.

Ze wrijft haar handen warm en bedenkt hoe heerlijk het zou zijn om een klokthermostaat te hebben. Daar toch ook maar eens achteraan gaan, denkt ze, terwijl ze de kamer weer in loopt en Silas uit zijn jasje pelt. Als de magnetron met een ping-geluidje te kennen geeft dat het flesje klaar is, gaat Marloes met Silas in de orenstoel zitten, die nog uit haar ouderlijk huis stamt. De kleine jongen drinkt stevig door en de fles is in een mum van tijd leeg. Peinzend streelt ze het stugge, krullerige haar. Ze zoekt in zijn getinte gezichtje naar een gelijkenis. Op wie zou hij het meest gaan lijken?

Silas glimlacht tevreden naar zijn moeder en ze glimlacht automatisch terug. Net zo'n charmeur als...

Ze staat abrupt op en legt de kleine man tegen haar schouder aan, intussen op zijn rugje kloppend. De temperatuur in de kamer is gelukkig alweer wat opgelopen.

Etenstijd, dat vertelt haar maag haar. Meestal kookt ze voor twee dagen tegelijk, dus vandaag hoeft ze alleen de boerenkool nog maar even op te warmen.

Zodra de etensgeur zich verspreidt, begint Silas te mekkeren. Hij kijkt verlangend vanuit zijn kinderstoeltje naar het bord van zijn moeder, dat op de eettafel staat.

Marloes wijst belerend met haar vork naar haar zoon. 'Dat is nog geen voedsel voor jou, kleine man! Daarbij heb je bij tante Jasmijn al een lekker potje gekregen. Maar nog even en wij zitten samen aan tafel.'

Dat idee doet haar glimlachen.

Haar bordje is nog maar net leeg, of haar mobiel laat zich horen.

Ze ziet wie er belt: Aniek, haar vriendin en tevens de overbuurvrouw van Jasmijn.

'Hoe kun je, Marloes! Wel bij Jasmijn op bezoek gaan, maar ons gewoon voorbijrijden.'

Marloes glimlacht.

'Jasmijn heeft vanmiddag op Silas gepast. Dat weet je toch? Alles goed bij jullie?'

Aniek vertelt over het bezoek dat Huub vandaag aan de arts heeft gebracht, voor zijn brandwonden. 'Het kan Huub niet schelen, die littekens, maar ze zijn goed weg te werken. Kon hij ze ook maar zo gemakkelijk uit zijn ziel laten weghalen! Maar het gaat wel goed, hoor. Met hem, bedoel ik. En het huis is nu zo'n beetje klaar, het is nu wachten op de laatste dingen die besteld zijn, gordijnen en nog wat meubeltjes. Je moet gauw eens komen kijken, de woonkamer is nu helemaal af. Heb ik je al verteld dat ik weer in de bed and breakfast ga werken? Je weet wel, Bonnie en Jasmijn zijn daar indertijd samen mee begonnen, naar de plannen van hun oma. Maar sinds Bonnie met Maurits getrouwd is, ontbreekt het haar aan tijd. Voor Jasmijn is het ook allemaal wat te veel. Ik krijg het idee dat Jasmijn best gefrustreerd is, ze wil van alles, maar met een baby zit ze toch behoorlijk vast en ik heb niet veel omhanden.'

Nieuwe vriendinnen zijn een cadeautje, maar er gaat toch niets boven een oude en vertrouwde relatie, vindt Marloes. Met Aniek heeft ze indertijd heel wat meegemaakt in het ziekenhuis.

'Ze zijn vast blij met je hulp, want met Jasmijn op halve kracht zal de kerstdrukte straks voor je oma ook wat te veel zijn.'

Aniek zucht, ze zegt wat Marloes al verwachtte. 'Nou ja, ik wilde wel dat ik ook geen tijd had vanwege een baby. Ik gun Huub zo een nieuw gezinnetje, het is gewoon afschuwelijk hoe hij zijn vrouw, maar ook zijn twee kinderen bij die brand is kwijtgeraakt. Ik dacht vanochtend trouwens even dat het zover was. Maar nee, vanmiddag ben ik ongesteld geworden. Stel je voor dat ik onvruchtbaar ben. Dat kan toch? Huub was aanvankelijk nog niet zo aan kinderen toe, hij zei dat hij niet van plan was om vadertje en moedertje met me te spelen. Maar hij is al zo enorm vooruitgegaan de laatste tijd. Als het straks eenmaal zover is, praat hij wel anders. Dat weet ik zeker!'

Marloes leeft met haar mee en hoopt dat ze gelijk heeft.

'Ik zou het onderwerp nog maar eens ter sprake brengen, Aniek. Dan weet je zeker hoe hij erover denkt. Maar maak je er niet te druk over, je bent tenslotte nog maar net getrouwd. Geniet eerst maar eens van elkaar! Je huis is nu ook bijna klaar, waardoor je weer tijd voor andere dingen hebt. Zoals leuke dingen doen met vriendinnen, bijvoorbeeld.'

Aniek geeft haar lachend gelijk en ze maken gelijk een afspraak. Dan is het tijd om Silas naar bed te brengen.

Pas als het nieuws van acht uur op de tv begint, heeft Marloes even tijd voor zichzelf. Zittend in de orenstoel verdeelt ze haar aandacht tussen de nieuwslezer en de brieven van de sollicitanten. Hopelijk kan ze morgen aan het eind van de ochtend dokter Wout Ouderaa goed nieuws brengen!

Aan de buitenkant verschilt de uitgebouwde boerderij van Huub Looijenga niet zoveel van haar omliggende soortgenoten. Het is alleen wel duidelijk te zien dat het gebouw spiksplinternieuw is. Ook is het rode pannendak anders dan de rieten variant van de oudere boerderijen. Huub wilde onder geen beding dat er opnieuw een rieten dak op kwam, nadat het dak van de oude boerderij zo makkelijk vlam had gevat. Diverse medische instanties hebben inmiddels een plekje in het nieuwe gebouw gekregen.

Marloes remt af en parkeert even later haar auto. De parkeerplaats, die tussen de weilanden ligt, biedt voldoende ruimte voor zowel werknemers als bezoekers. Het sneeuwt licht en Marloes had die ochtend gelijk visioenen van Silas, zittend op een slee.

Binnen is het behaaglijk warm. Marloes loopt door de grote hal naar het kantoor van Buurtzorg. Op strategische plekken staan richtingaanwijzers, geen overbodige luxe.

De bewoners van het dorp en de dichtstbijzijnde stadswijk zijn tevreden: alle instanties zijn te vinden in hetzelfde gebouw. Er zit een praktijk voor fysiotherapie, een tandarts, een bureau voor kraamzorg en nog een paar andere instellingen. Wout Ouderaa heeft ervoor gekozen zijn praktijk in het dorp te handhaven. Al was het alleen maar voor de plaatselijke ouderen, zodat die lopend of per fiets naar de dokter kunnen.

Marloes loopt door een lange gang en belandt bij de deur waarop een blauw bordje bevestigd is met het logo van Buurtzorg.

Ze hangt haar jas in de garderobekast en kijkt het vertrek rond. Hoe zou het overkomen op de sollicitanten? De inrichting is sober, alleen het hoognodige staat er. Een groot bureau waarop een computer, een printer ernaast. Voor het raam een zitje met vier gemakkelijke stoeltjes, twee aan twee.

'Groen,' zegt ze hardop. Daar mankeert het nog aan. Een paar planten. En iets aan de wand. Misschien een mooi schilderij. Of zo'n enorme klok. Eens kijken op Marktplaats of ze iets geschikts kan vinden.

Ze loopt naar het bureau en pakt de map met sollicitatiebrieven uit haar tas.

Karen Atema, zo heet de eerste sollicitante, en na haar heeft ze een gesprek met Nettie Brinkman. Beiden zijn werkzaam in het dichtstbijzijnde stadje, in de thuiszorg.

Als er op de deur geklopt wordt, stappen er twee jonge vrouwen het kantoor binnen, in plaats van alleen de verwachte Karen Atema. Marloes groet de dames verrast en kijkt hen vragend aan.

'Goedemorgen! We hebben vanmorgen beiden een afspraak met u, dat weten we omdat we niet alleen collega's, maar ook vriendinnen van elkaar zijn. We spraken af om met elkaar mee te rijden voor de gezelligheid, en toen bedachten we: waarom komen we dan ook niet tegelijk op gesprek? Als u dat goedvindt, tenminste. Dan hoeft u alles in eerste instantie maar één keer te vertellen, en het persoonlijke gedeelte, waarin we wat over onszelf vertellen, zou dan apart kunnen, als dat wenselijk is.'

Marloes kan niet anders dan lachen om het initiatief van de twee vriendinnen. 'Dat scheelt inderdaad tijd. Laten we maar zien hoever we komen.'

Ze drukt handen, stelt zich voor. 'Zeg meteen maar Marloes. En doe je jas uit. Als jullie daar gaan zitten, zet ik koffie.'

Weggewerkt achter een deur is een piepklein keukenblokje waar een koffiezetapparaat en een waterkoker staan.

Ze voorziet de twee van koffie, met suiker en melk binnen handbereik, en ook het gebruikelijke koekje ontbreekt niet.

Karen is de oudste van de twee. Een aantrekkelijke meid van Surinaamse afkomst, maar geboren en getogen in Nederland. Nettie is het toonbeeld van Hollands welvaren, met kort, blond haar en blauwe ogen. Een groter contrast tussen beiden is bijna niet mogelijk. Marloes heeft in hun cv gelezen dat beiden begin dertig zijn, en niet getrouwd of samenwonend.

Karen neemt het woord. 'We vinden het eigenlijk best spannend, Marloes. Als we bij Buurtzorg zouden gaan werken – uiteraard afhankelijk van hoe dit gesprek verloopt – dan beginnen we weer helemaal opnieuw met een jaarcontract. We zijn nu in vaste dienst, we hebben zekerheid, voor zover je daar tegenwoordig nog van kunt spreken. Maar we horen goede berichten over Buurtzorg, zou je ons wat meer kunnen vertellen?'

Dat is Marloes wel toevertrouwd. Ze vertelt enthousiast over de eenvoudige opzet van de instantie en hoe het werkt in de praktijk.

De sollicitantes stellen op hun beurt veel vragen, die duiden op een ruime werkervaring. Marloes weet ze echter vlot te beantwoorden, en wat zij vertelt stelt hen meer dan gerust. Het lijkt erop dat de dames steeds meer warm gaan lopen voor deze nieuwe baan.

Nog een kopje koffie.

Het gesprek verloopt dermate ontspannen dat Marloes het wel aandurft om het tweede gedeelte ook met beide dames tegelijk te doen. Ze stelt de bekende vragen die bij een sollicitatie gebruikelijk zijn om kandidaten beter te leren kennen, zodat ze hen kan beoordelen op hun geschiktheid voor de betreffende functie. Naarmate het gesprek vordert, hoopt ze steeds meer de twee sollicitantes te kunnen strikken voor Buurtzorg. Ze zouden zo goed in hun team passen!

Marloes vraagt hun of ze willen terugkomen voor een tweede gesprek.

'Ik hoef er eigenlijk niet meer over na te denken,' roept de spontane Karen. 'Jij, Net? Ik durf het aan. Als je ons hebben wilt, wagen wij de sprong!'

Nettie knikt bevestigend.

Marloes is in haar sas. 'Goed zo. Jullie zullen er geen spijt van hebben.'

Ze legt hun in korte bewoordingen uit hoe de procedure verder zal verlopen.

De dames hebben nog de nodige vakantiedagen staan, waardoor ze al heel snel na het opzeggen bij hun huidige werkgever aan de slag kunnen gaan bij Buurtzorg.

Aan het eind van het gesprek zegt Nettie: 'Maar ik moet nog erg wennen aan hoe simpel de opzet is, we zijn het zo anders gewend. Even voor mijn goede begrip: zou je kunnen zeggen dat dokter Ouderaa en jij zo'n beetje de directie zijn? En in het team, is er dan een soort "eerste onder de gelijken", die de beslissingen neemt?'

Marloes haalt de jassen van Nettie en Karin. 'Ik begrijp je vraag, voor je gevoel kan het gewoon niet: er moet toch iemand de leiding hebben, of niet?' Ze zegt het geamuseerd. 'Het is erg wennen, maar nee, Wout en ik zijn geen directie. Wout kon als huisarts niet zelf een afdeling beginnen of werknemer zijn, maar hij kon het wel in gang zetten. Hij heeft de contacten gelegd met het hoofdkantoor. Zo kwam ik in beeld, om de plannen ten uitvoer te brengen. Maar straks draai ik gewoon mee in het team. We zijn samen "de baas", als team. We werken onze eigen administratie bij op de iPad en om beurten bemannen we de telefoon, een mobiele telefoon die gewoon meegaat op pad. En als we er niet uit komen, is er een coach die ons kan begeleiden.'

Het afscheid is hartelijk. Marloes loopt mee tot de voordeur. Als ze op haar horloge kijkt, ziet ze dat er tijd over is. Al snel zit ze weer achter het bureau met een lijstje namen voor zich van mensen die wachten op haar telefoontje.

Wout Ouderaa is net klaar met zijn spreekuur als Marloes de praktijk binnenkomt.

'Wat een timing,' grijnst hij en hij opent de deur van de spreekkamer. 'Hoe zijn de sollicitaties verlopen?'

Hij biedt koffie aan, maar Marloes bedankt. Ergens vanuit het woonhuis, waar de praktijkruimte aan verbonden is, klinkt een klaaglijk geblaf.

'Kom, dan gaan we in de woonkamer zitten, het alleen-zijn wordt Cornelis soms te veel.'

Marloes glimlacht. Wout is aandoenlijk gesteld op zijn teckel. Baas en hond begroeten elkaar alsof ze dagen gescheiden zijn geweest.

'Later neem ik ook een hond, voor Silas,' bedenkt ze hardop.

Wout heeft niet veel moeite gedaan wat betreft de inrichting van zijn huis. De wandafwerking is strak, evenals de stijl van de moderne meubels. Hij gaat op een leunstoel zitten en fatsoeneert zijn bijna witte haar. Niet voor het eerst bedenkt Marloes hoe opvallend zijn haarkleur is voor zijn leeftijd. Hij is niet ouder dan een jaar of vijfendertig, veertig, schat ze.

'Ga zitten, Marloes, en vertel. Heb je mensen enthousiast kunnen maken?'

Marloes ploft op een bank neer. Dan pas ontdekt ze dat ze haar jas nog aanheeft en al pratend ontdoet ze zich daarvan.

Ze haalt een stapel papieren uit haar tas. 'We hebben al een hele club sollicitanten bij elkaar gesprokkeld, Wout, en de dames van vanmorgen hebben de baan geaccepteerd. Nu de rest nog.'

Wout knikt. 'Goed bezig, Marloes! Wel lastig trouwens dat de boerderij nog steeds geen goede naam heeft. Ik heb patiënten die het Het Wijkgebouw noemen. Zo heette dat vroeger, het gebouw waar de wijkzusters hun domein hadden. Misschien wil Huub er wel een wedstrijd van maken. Ik zal weleens een balletje bij hem opgooien. Ik geloof wel dat hij tevreden is met de uiteindelijke bestemming.'

Marloes is het met hem eens.

'En de mensen uit De Oude School net zo. Hij zou immers aanvankelijk óók een bed and breakfast beginnen. Dat is nu een concurrent minder voor hen. Tja, verzin maar eens een naam die van toepassing is op een medisch centrum met zoveel disciplines. "Medisch Centrum" zou kunnen, maar dat is zo algemeen en saai... Je moet ook wel wat leuks kunnen winnen, als het een wedstrijd wordt. Wat vind je van een gratis sportmassage door de fysio?'

Wout grijnst. 'Dat loopt als een trein, denk ik. Of een gratis verdoving bij de tandarts?'

Uiteindelijk worden ze weer serieus en ze nemen nog wat gegevens door.

Als Marloes aanstalten maakt om naar huis te gaan, kaart ze het geval oma Geertje Voordewind nog even aan. 'Ze woont daar goed, in een aanleunwoning. Als er iets mocht gebeuren, is alle hulp voorhanden. Maar wat als ze doorschiet in de dementie? Konden we maar in de toekomst kijken. Ze wil zelf wel bij Jasmijn in huis...'

Wout schiet in de lach terwijl hij Marloes in haar jas helpt.

'Jaja, dat verhaal ken ik, Jasmijn vertelt het regelmatig. Maar als je het mij vraagt, doet Jasmijn het geweldig in de bed and breakfast, maar heel wat minder in de bejaardenzorg. En met een oma als Geertje Voordewind kan ik mij daar wel wat bij indenken, tussen ons gezegd en gezwegen.'

Marloes is het met hem eens. Ze knuffelt Cornelis, die achteruit deinst. 'Tot kijk, Wout.'

'Jij een goede dag verder.'

Wout loopt met haar mee tot aan de auto. 'Het sneeuwt weer, er wordt een witte kerst voorspeld, geloof ik. Was dat vorig jaar ook niet zo?'

Marloes knikt en rammelt ritmisch met haar sleutelbos. '*Jingle bells, jingle bells...*'

Ze stapt in haar auto en Wout geeft een mep op het dak ten afscheid. Marloes doet of ze ervan schrikt en kijkt hem vanachter het raampje met een quasiboze blik in haar groene ogen aan.

Wout kijkt berouwvol, hij legt een hand op zijn borst en buigt zwierig voor haar.

Met een grijns wuift Marloes naar hem terwijl ze wegrijdt. Zo fijn om thuis te zijn in het dorp. Om mensen te kennen, maar ook gekend te worden.

Een 'goede dag' wenste Wout haar toe. Haar dag is zeker goed. Dat is ook weleens anders geweest, maar met Silas zijn alle dagen goed. Geweldig zelfs!

Ze rijdt naar het huis van haar vriendin Aniek, die vandaag voor een keertje als oppas fungeert. Aniek, die niet kan wachten tot ze zelf een kindje heeft. Marloes hoopt maar dat ze wijs met haar kinderwens omgaat, gezien Huubs verleden.

Vandaag heeft Aniek in elk geval kunnen oefenen hoe het is om een kindje te hebben!

# 3

Marloes stoomt maar door en niets is haar te veel. De maand december vliegt voorbij met sollicitatiegesprekken, overleg met andere teams uit de regio, zorgen dat het kantoor voorzien is van alle kantoorbenodigdheden, noem maar op. Ze heeft zelfs voor een prikje een mooie teakhouten eettafel op de kop kunnen tikken met bijpassende stoelen, zodat ze straks tijdens een teamoverleg niet op de grond hoeven te zitten. Het eerste team is al van start en alles lijkt op rolletjes te lopen.

Maar als dan het meeste werk gedaan is, slaat de vermoeidheid toe. Wout kijkt naar haar witte gezichtje en beweert dat hij het aan zag komen.

'Probeer het nu met de kerst kalm aan te doen, je moet beter voor jezelf zorgen. Hier spreekt uw huisarts!'

Marloes heeft voor de kerstdagen de nodige uitnodigingen gekregen, maar ze heeft ze allemaal afgeslagen. Wout heeft meer dan gelijk, ze is aan rust toe.

De post heeft haar goed bedacht met kerstkaarten. Collega's en bekenden uit haar vorige woonplaats blijken haar niet vergeten te zijn. En op de dag voor kerst, als Silas in zijn ledikantje ligt voor zijn middagslaapje, neemt Marloes even de tijd om alle kaarten door te lezen.

Ze zet de fraaiste exemplaren geopend op het dressoir in de woonkamer en neemt zich voor om voor volgend jaar iets te kopen waaraan ze de kaarten op kan hangen. Zo'n deurhanger, zoals ze eens bij een cliënt zag, dat lijkt haar wel wat. Ze doet de lichtjes van de kerstboom aan en gaat achter haar computer zitten om haar digitale post te bekijken. Alle reclames en aanbiedingen klikt ze zonder te lezen weg, daar heeft ze nu even geen belangstelling voor.

Dan ziet ze een mail van Mariska van Echten, een voormalige collega uit het ziekenhuis. Apart, bedenkt Marloes, ze heeft sinds ze weg is uit het ziekenhuis geen contact meer met haar gehad.

Of wacht, ze was haar nog een keer tegengekomen in haar oude woonplaats, toen Silas net geboren was. Hoe kon ze dat vergeten? Marloes liep met Silas in de kinderwagen door het winkelcentrum en was zo in gedachten verzonken geweest, dat ze bijna tegen Mariska aangebotst was. Die had grote ogen opgezet toen ze Marloes met een kinderwagen had gezien. Niemand in het ziekenhuis had immers geweten dat ze zwanger was, Aniek wist het als enige.

'Meid, je was opeens van de aardbodem verdwenen! Hoe is het toch met jou? En wat zie ik nu dan toch?' Haar schelle stem had Silas wakker doen schrikken.

Mariska had in de kinderwagen gekeken, waar Silas' donkere kopje net boven het witte dekentje uit was gepiept. Ze had grote ogen opgezet en de blik van Marloes vermeden. Na een ongemakkelijke stilte riep ze toen iets als 'Schattig, hoor, maar ik moet er nu echt vandoor!' Geen vragen over de vader van het kind, of wat dan ook.

Marloes was doodsbenauwd geweest dat Mariska zich bij het zien van Silas' bruine huidje zou realiseren dat Thomas de vader weleens kon zijn. Ze herinnert zich nog hoe rood ze was geworden, rood van schaamte. Mariska was immers degene die de ochtend na de bewuste nacht met Thomas had verteld dat Thomas in Amerika een verloofde had die op hem wachtte.

Marloes weet het nog precies: toen ze wakker was geworden die ochtend had ze zich weliswaar beschaamd gevoeld over de plotselinge ommekeer in hun vriendschap – dit was tegen haar principes, ongetrouwd het bed delen met een man! – maar was ze er ook van overtuigd geweest dat Thomas net zo verliefd was als zij. En dat dit het begin was van een relatie, niet zomaar een eenmalig iets.

Ze had zich slapend gehouden toen hij zich zachtjes aankleedde, omdat ze zich geen houding wist te geven. Tot haar verrukking had hij haar naakte schouder gekust, voor hij de slaapkamer verliet. Later die ochtend, onderweg naar het ziekenhuis, had ze zitten dagdromen over hoe hij haar ten huwelijk zou vragen. Zou hij bij haar intrekken? Of misschien zouden ze wel in Amerika gaan wonen! Het duizelde haar als ze dacht aan de vele mogelijkheden die ze samen hadden. De toekomst lag voor hen open!

Eenmaal in de personeelskamer had ze een kop koffie voor zichzelf ingeschonken, terwijl ze zich afvroeg of haar collega's aan haar konden zien dat er iets bijzonders gebeurd was. Op dat moment begon Mariska te vertellen over het laatste nieuws dat ze 'uit betrouwbare bron' had vernomen. Ze vertelde toen niet alleen dat Thomas een vriendin had in Amerika, maar ook dat er trouwplannen waren en dat ze heel ruimdenkend hadden afgesproken dat ze elkaar tot de trouwdatum vrijlieten. 'Ja joh, Thomas vertelde me dat van de week nog, en dat gezicht van hem erbij… Je weet toch hoe hij je aan kan kijken, wat een flirt is het toch ook! In elk stadje een ander schatje,' had Mariska uitgeroepen.

Marloes wrijft over de mouwen van haar groene trui en huivert bij de herinnering. Een mail van Mariska, wat zou ze te melden hebben? En hoe kwam ze überhaupt aan haar mailadres?

Ze probeert zichzelf gerust te stellen. Het is vast zo'n digitale kerstkaart, die ze aan al haar vrienden en bekenden stuurt.

Met tegenzin opent ze de mail. Als ze ziet dat het geen kerstkaart is, aarzelt ze even, maar begint dan toch te lezen.

*Beste Marloes,*

*Via personeelszaken heb ik je adresgegevens en mailadres gekregen. Ik weet niet goed hoe ik je dit moet vertellen, dus ik doe het maar zonder inleiding: het gaat over de tijdelijke collega uit Amerika die we zo'n anderhalf jaar geleden hadden, Thomas Gates. Deze week hoorde ik vreselijk nieuws dat ook jou aangaat. Je zult ervan schrikken. Thomas Gates is begin dit jaar in Amerika dodelijk verongelukt tijdens de wintersport.*

Marloes snakt naar adem en wordt zo misselijk, dat ze zich van de computer afkeert en haar hoofd tussen haar knieën stopt. Thomas Gates… De vader van Silas!

Na een tijdje zo gezeten te hebben zakt het misselijke gevoel, maar ze trilt over heel haar lichaam.

Ze komt bevend overeind en strompelt naar de keuken voor een glas water. Met één hand leunend op de rand van het aanrecht drinkt ze het glas achterelkaar leeg. Als verdoofd staart ze voor zich uit, ze kan niet bevatten wat ze zojuist heeft gelezen. Thomas dood? Ze schudt haar hoofd en vult het glas opnieuw, waarna ze langzaam terugloopt naar de woonkamer.

Ze leunt tegen de deurpost aan en staart naar de computer alsof het een giftige slang is. Het kan toch niet waar zijn? Gedachten malen door haar hoofd, zonder enige samenhang. Pas als er langzamerhand vragen in haar op beginnen te komen over het hoe en wat, dwingt ze zichzelf weer te gaan zitten en verder te lezen. Ze zet het waterglas zorgvuldig naast het computerscherm neer en beweegt de muis even zodat het beeld weer helder oplicht. Ze rilt als ze de woorden 'dodelijk verongelukt' weer ziet staan.

*Vreselijk gewoon! Maar ik voel me zo schuldig ergens over. Ik durf je niet onder ogen te komen, vandaar dat ik je mail.*

Marloes fronst haar wenkbrauwen verward. Wat bedoelt Mariska?

*Ik weet dat jij iets speciaals had met Thomas. Maar je moet weten dat je niet de enige was die een oogje had op Thomas. Meerdere collegaatjes vielen voor hem. En ik ook.*

Dat is niet echt een nieuwtje. Marloes was verbaasd geweest dat Thomas zo veel met haar, Marloes, was opgetrokken, terwijl hij kon kiezen uit veel jongere en knappere dames. Maar misschien was ze hem opgevallen omdat ze de enige was die aanvankelijk niet met hem flirtte?

Ze leunt op het tafelblad en staart nietsziend voor zich uit. Thomas dood! Zijn olijke, knappe gezicht danst op haar netvlies.

Ze richt zich weer op de mail.

*Een paar dagen voordat hij wegging, had ik tegelijk met jullie dienst. Herinner je je die twee sterfgevallen nog? Vreselijk. We waren allemaal van de kaart. Maar toen ik jullie samen weg zag gaan, werd ik verschrikkelijk jaloers. Ik ben jullie zelfs gevolgd, en toen ik zag dat hij je huis binnenging en niet meer naar buiten kwam, raakte ik buiten mezelf van boosheid,*

Marloes schudt verbijsterd haar hoofd. Extreem, zoiets doe je toch niet? Haar keel doet pijn en ze neemt een slok water om de brok in haar keel weg te slikken.

*Nou ja... toen kwam jij de volgende ochtend de personeelskamer binnen en... je straalde helemaal. Het was overduidelijk dat er iets gebeurd was tussen jullie. En op dat moment... Ik ben niet trots op mezelf, maar op dat moment besloot ik dat ik jullie uit elkaar moest krijgen. Als ik hem niet kon krijgen, dan jij ook niet!*

Marloes lacht ongelovig. Dit kan toch niet waar zijn?

*Dus verzon ik dat hij een vriendin had, nou ja, dat hele verhaal. Waardoor jij zou denken dat je niets bijzonders voor hem was. Ik kende je aardig goed, altijd juffertje fatsoenlijk, je zou het vreselijk vinden dat je de nacht met hem had doorgebracht. Waardoor je hem hopelijk nooit meer zou willen zien.*

Marloes staart naar de woorden op het scherm en voelt een vreselijke boosheid in zich opwellen. En of dat gelukt was! Ze herinnert zich nog hoe ze destijds haar koffiemok uit haar krachteloze handen had laten vallen. Als in slow motion had ze toegekeken hoe de mok de grond raakte en hoe – met de beker – ook haar dromen in stukken uiteenvielen. De hitte van de koffie die op haar benen spatte had haar naar adem doen snakken. De uitroepen van haar collega's varieerden van 'Gaat het, Marloes?' tot 'Scherven brengen geluk'.

Onder het mom van zich niet lekker voelen had ze zich toen ziek gemeld. Ze voelde zich ook letterlijk ziek. Maar al te goed herinnert ze zich hoe ze zich die dag had voorgenomen om nooit meer een man te vertrouwen. Haar vermogen om een betrouwbare man uit te kiezen faalde jammerlijk, en dat al voor de tweede keer! Voor haar hoefde het niet meer, ze zou voor altijd alleen blijven.

Ze gooit in haar haast om op te staan haar stoel omver en ijsbeert door de kamer, haar armen om zichzelf heen geslagen.

De wanhoop, de diepe wanhoop die ze had gevoeld toen ze ontdekte dat ze zwanger was, en helemaal alleen...

Dan stopt ze abrupt. Wacht eens even... Als het niet waar was geweest, van die vriendin, waarom was Thomas dan niet naar haar toe gekomen, waarom was hij weggegaan zonder afscheid te nemen? Waarom had hij nooit meer contact opgenomen? Of was Thomas echt een flirt geweest, had het voor hem niets betekend?

Ze haast zich terug naar het scherm, zet de omgevallen stoel overeind en scant met haar ogen de regels tot ze bij de laatst gelezen zin aankomt.

*Maar mijn jaloezie was zo groot, dat ik daar niet stopte. Geloof me, Marloes, ik huil terwijl ik dit typ. Ik weet ook niet of ik deze mail durf te versturen. Ik schaam me zo diep! Maar ik moet je dit vertellen omdat ik al in geen maanden meer goed geslapen heb, sinds ik hoorde dat hij verongelukt is.*

*Hoe dan ook: jij was 'ziek' naar huis gegaan, en ik kwam Thomas tegen in de gang. Hij keek net zoals jij... stralend, helemaal gelukkig. Het slechtste in mij kwam naar boven toen hij vroeg waar jij was. Ik heb de meelevende vriendin uitgehangen, en heb hem verteld dat je niet de moeite waard was om te zoeken. Ik vroeg hem of zijn naam nog niet aan jouw lijstje was toegevoegd. Dat jij een lijstje bijhield van alle artsen met wie je geslapen had, en dat je soms tijdens de koffiepauze smeuïge verhalen vertelde over je veroveringen. En dat hij maar op moest passen omdat het leek alsof jij je zinnen nu op hem gezet had.*

*De blik in zijn ogen stelde me destijds tevreden, maar nu?*

De letters dansen voor haar ogen, en verbijsterd zakt Marloes achterover op haar stoel. Ze ziet het tafereel voor zich, hoe Thomas gekeken moet hebben, een scenario dat in een ordinaire soap niet zou misstaan. Ze kijkt uit het raam en registreert dat het buiten alweer bijna donker is. Ze zou wat lampen aan moeten doen, maar ze kan zich niet verroeren.

Naarmate het buiten langzaam steeds donkerder wordt, ziet ze zichzelf duidelijker weerspiegeld in het vensterglas, haar gezicht zacht belicht door het schijnsel van het computerscherm. Ze knippert even om haar ogen scherp te stellen en ziet de blekere versie van zichzelf in de ruit. Een jonge vrouw in een groene lamswollen trui. Ze kan in de ruit bijna haar donkere kapsel niet zien, omdat het dezelfde kleur heeft als de nacht daarbuiten. Haar rechte neus is ook bijna onzichtbaar, maar ze registreert dat haar mond strak staat. Als ze zichzelf dan eindelijk in de ogen kijkt, die wijd opengesperd zijn door de schok, wordt ze teruggevoerd in de tijd.

Zo had ze destijds immers ook in de badkamerspiegel gekeken, toen ze niet ongesteld was geworden en een zwangerschapstest had gedaan. Toen deze tot haar ontzetting positief bleek te zijn, had ze zichzelf binnen een paar seconden weer weten te vermannen. Dit was geen moment om in paniek te raken, had ze zichzelf streng voorgehouden, ze had wel voor hetere vuren gestaan. Ze was niet de eerste ongetrouwde vrouw die een kind zou krijgen, zonder dat er een vader in beeld was.

Maar dit...

Ze knippert met haar ogen waardoor er warme tranen over haar wangen rollen. Ze staat abrupt op. 'O... O Heer, dit is te veel!'

Ze loopt naar de keuken en probeert een stuk keukenrol af te scheuren. Als dat niet lukt, laat ze zich snikkend op de vloer zakken, de keukenrol in haar armen geklemd. Ze huilt om haar verliefdheid op Thomas, die zo wreed verstoord werd. Om haar eigen domheid, dat ze niet heeft gezien dat Mariska zo jaloers was. Om de diepe eenzaamheid die ze voelde toen ze zich realiseerde dat ze zwanger was. Om haar belofte aan zichzelf om nooit meer een man te vertrouwen. En om Thomas – lieve, grappige Thomas – die ze gehaat had. Ze had zich gebruikt gevoeld, vies, vernederd. Ze was bang geweest dat hij ooit bij haar op de stoep zou staan om zijn zoon op te eisen. Deze man, in wie ze zo teleurgesteld was geweest.

En nu blijkt dat toen zij bevallen was van Silas, hij al niet eens meer had geleefd.

Ze huilt tot ze niet meer kan.

Een paar uur later kijkt Marloes als verdoofd haar woonkamer rond. Ze heeft een hele poos op de keukenvloer gezeten nadat haar tranen waren opgedroogd. Toen Silas met een boze kreet te kennen gaf dat hij uit zijn bedje gehaald wilde worden, had ze zichzelf bij elkaar geraapt. Ze had de lichten aangedaan en zich op de automatische piloot om Silas bekommerd. Nu is zijn maagje gevuld en heeft Marloes hem in de box gezet, waar hij tevreden met een speeltje in de weer is. Het vertrek, dat daarstraks niets anders was dan een bron van gezelligheid, komt haar nu vreemd voor. Gesloten gordijnen, een kerstboompje vol lampjes, waarvan het licht in de glimmende kerstballen wordt weerkaatst. Op tafel een rode kerstster in een bloempot die nog van haar moeder is geweest, ernaast haar lege mok en het bekertje van Silas. Vrolijke kerstkaarten op het dressoir.

Ze heeft totaal geen trek en schenkt alleen een glas sap voor zichzelf in. Ze loopt terug naar de woonkamer en bedenkt dat ze de mail nog niet heeft uitgelezen.

Een blik op haar kleine mannetje in de box doet haar bijna weer in tranen uitbarsten. Marloes kruipt weer achter haar computer en klikt de mail tevoorschijn.

*Afijn, hij ging weg, jij nam ontslag en daarmee was voor mij de zaak afgerond. Ik had geprobeerd met hem in contact te blijven, maar hij reageerde nergens op, jammer genoeg. Ik had toch nog stiekem gehoopt... nou ja. Maar toen ik jou in mei tegenkwam en jij opeens een klein, donker kindje bleek te hebben, vielen de puzzelstukjes op hun plek. Het is van Thomas, of niet? Ik heb zitten rekenen en het klopt volgens mij.*

*Ik kreeg toen al last van wroeging, maar durfde niets te zeggen op dat moment. Ik liep met het idee rond je te vertellen hoe het gegaan was, maar durfde niet. Toen hoorde ik in augustus, via via, dat hij in Amerika dodelijk was verongelukt! Mijn wereld stortte in. De afgelopen maanden ben ik door een hel gegaan, omdat ik me steeds schuldiger ging voelen. Een vriend van mij heeft me nu aangeraden om het allemaal op te biechten. Marloes... wat ik gedaan heb, is beneden alle peil. Maar ik zou je toch willen vragen of je het mij kunt vergeven. Vanuit het diepste van mijn hart bied ik je mijn verontschuldigingen aan.*

Marloes schudt onwillekeurig haar hoofd. Vergeven? Mariska heeft heel haar leven op z'n kop gezet. Haar kans op een gelukkige relatie geruïneerd. Silas zijn vader ontnomen. Ze maakt een minachtend geluid. Ze is nu zo boos, dat ze maar beter niet kan reageren op de mail.

Misschien antwoordt ze wel helemaal niet. Laat Mariska maar eens voelen wat ze gedaan heeft! Háár wereld ingestort? 'Wat dacht je van de mijne?' mompelt ze bitter.

Het ene moment kabbelt het leven voort, en een volgend ogenblik kan de bliksem inslaan, zo ervaart Marloes het althans.

Als Silas weer in zijn bedje ligt, rommelt ze nog wat in huis om wat afleiding te hebben. Als ze niets meer omhanden heeft, besluit ze om maar vroeg te gaan slapen. Maar de gedachten komen weer los als ze in haar bed ligt te woelen. Kerstavond, luidende kerkklokken, die mensen naar de nachtdienst lokken. Een besneeuwde wereld, een kraakheldere sterrenhemel. Kan het idyllischer?

Ze denkt aan Thomas, hoe teleurgesteld hij moet zijn geweest in haar. Aan zijn moeder die in het verre Amerika woont en – na haar man – ook haar kind heeft verloren. Hij had nog een broer, herinnert ze zich, een paar jaar oudere broer. Gelukkig dat zijn moeder niet helemaal alleen is achtergebleven. Ze weet zo goed als niets van de vrouw, alleen dat ze een Nederlandse is die verliefd werd op een Amerikaan, die ze tijdens een vakantie in Seattle ontmoette. Op jonge leeftijd is ze met hem getrouwd.

Maar het betekent voor Silas dat hij buiten haar, Marloes, nog meer familie heeft, een gegeven dat ze al die tijd weggestopt heeft. Een oma, een oom, misschien ook wel neven en nichten.

Marloes rolt zich onder haar dekbed op in de foetushouding.

Ze slaapt die nacht slecht. Ze heeft verwarrende dromen en wordt wakker van een boos huilend kind dat zich in zijn vuile luier, en ook nog eens met een rammelend maagje, ronduit ongelukkig voelt.

'Ook gezegend kerstfeest!' mompelt ze als ze haar beide benen uit bed zwaait. Twee heel lange, lege dagen heeft ze in het vooruitzicht, met geen andere plannen dan een wandeling door de sneeuw maken met de nieuwe slee, die ze bij de bouwmarkt gekocht heeft. O wacht! Ze kon ook nog het tijdklokje voor de buitenlamp, eveneens van de bouwmarkt, installeren. Hoeveel tijd zou dat kosten, vijf minuten?

Somber blijft ze even op de rand van haar bed zitten. De emoties van de dag ervoor komen in alle hevigheid terug. Resoluut staat ze op. Ze is geen huilebalk. Net als alle andere stormen in haar leven zal ook deze weer voorbijgaan.

Een blik naar buiten zorgt dat ze heel even haar bedrukte stemming vergeet: er is een dik pak sneeuw gevallen. Dat betekent dat de geplande wandeling door kan gaan en ze niet met een vergrootglas hoeft te zoeken naar plekjes die nog een beetje wit zijn.

Nadat Silas gewassen en gevoed is, is het te laat om naar de kerstdienst te gaan. In plaats daarvan zet Marloes de tv aan, en ze zoekt net zo lang tot ze een zender heeft gevonden die muziek uitzendt. Koren, kinderstemmen, kwartetten en blaasmuziek, Silas is er verrukt van. Dat doet Marloes denken: wie weet wat hij van zijn vader heeft geërfd? Misschien was Thomas wel muzikaal. Voor het eerst durft ze zulke gedachten toe te laten. Thomas was dus geen hartenbreker, geen verachtelijk mens, zoals ze lange tijd gedacht heeft.

Waar ze voorheen bang was dat Silas op zijn vader zou lijken, is ze nu nieuwsgierig geworden. Wat weet ze van Thomas? Ze ziet hem nog zo staan, de eerste keer dat hij de personeelskamer binnenkwam. Zijn bruine huid contrasteerde scherp met de witte doktersjas, en zijn tanden blonken net zo wit op toen hij naar het groepje verpleegkundigen aan de teamtafel glimlachte. Zijn begroeting in het Nederlands, met een dik Amerikaans accent, deed de aanwezige dames opspringen om zich voor te stellen. Marloes was met opgetrokken wenkbrauwen en een spottend glimlachje om haar lippen blijven zitten, en ze had toegekeken hoe de metamorfose plaatsvond: haar kordate collega's veranderden in flirtende wezens die hoge lachjes en gilletjes lieten horen. Kom op, zeg! Marloes was na haar mislukte huwelijk totaal niet geïnteresseerd in een relatie, en een mooi exemplaar van het mannelijk geslacht liet haar volkomen koud.

Ze had haar koffiekop op het dienblad gezet en wilde de personeelskamer uit lopen, toen hij haar de weg had versperd. 'En wie ben jij?'

Een plichtmatige glimlach begeleidde haar uitgestoken hand. 'Marloes van Kessel. Welkom in het team.'

Hij stak een kop boven haar uit, dus ze moest omhoogkijken. Langzaam nam hij haar uitgestoken hand aan. Zonder hem te schudden bleef hij haar aankijken. 'Mijn naam is Thomas. Mijn moeder is Nederlandse en zij noemt mij weleens... hoe zegt zij dat? Ongelofelijke Thomas?'

'Ongelovige Thomas, bedoel je?'

Hun saamhorige lach verraste hen beiden. '*Wow... nice to meet you*, Marloes.'

Ze schudt de herinneringen van zich af.

Wat bitter allemaal. Opeens heeft ze er spijt van hem nooit op de hoogte te hebben gebracht van de zwangerschap. Vader 'onbekend'.

Dus niet. Vader 'een enthousiaste jonge arts'. Wat zou er gebeurd zijn tijdens de wintersport, hoe zou hij zijn overleden?

Silas slaat met een stuk speelgoed op de spijlen van de box. 'Jij trommelaar, we gaan eropuit, voordat je de box molt!'

# 4

Marloes kleedt Silas warm aan en even later is hij bijna klaar voor de sneeuw. 'Nu nog je wantjes aan... jawel, anders krijg je koude handjes.'

Niet-begrijpende oogjes worden naar haar opgeslagen.

Eenmaal buiten heft Silas zijn snuitje op, verbijsterd door die witte dingen die zomaar uit de lucht vallen. Hij knippert met zijn oogjes, wappert met een handje en schatert.

Marloes voelt even een vlaag van intens geluk, maar meteen schuift daar de herinnering aan Thomas voor.

'We gaan samen verder, jochie!' zegt ze hardop en ze geeft een ruk aan het touw.

Op straat is het stil, er zijn weinig sporen te zien in de verse sneeuwlaag. De slee met Silas in het kinderzitje laat zich gemakkelijk trekken, de last is zo licht.

Marloes besluit de kern van het dorp te mijden en ziet op een afstandje het medisch centrum waar ook Buurtzorg een plaatsje heeft veroverd.

Gedachten en herinneringen tuimelen door haar hoofd terwijl ze verder sjokt, de slee achter zich aan.

Ze kijkt om naar Silas en ziet meteen dat hij twee rode handjes heeft. De wantjes bengelen naast hem aan een koordje.

Hij kijkt Marloes verbaasd aan als ze met haar adem probeert de knuistjes warm te blazen. Een schaterlachje is haar beloning.

'Zo, nu niet weer uittrekken, jochie! Kom, dan wandelen we nog even door.'

Opeens liggen de feestdagen als zwarte gaten voor haar. Had ze nu toch maar een van de vele uitnodigingen geaccepteerd. Natuurlijk kan ze alsnog bij Aniek en Huub aanwippen, en bij Jasmijn is ze eveneens altijd welkom. Maar waarschijnlijk zal haar woonkamer vol zitten met familie. Jakkes, toch maar niet.

Het begint harder te sneeuwen en het is duidelijk dat voor Silas de aardigheid ervan af begint te raken. Op de terugweg moeten ze tegen de plotseling opgestoken wind in. Silas begint klaaglijk te huilen, wat Marloes aanspoort het tempo te verhogen.

Als ze de bebouwde kom nadert, klinken opnieuw de kerkklokken.

'Hoor je dat, Silas? Bimbam, bimbam!'

Het gebeier interesseert het kind niet. Hij zwaait met zijn armpjes en zet het op een gillen. Marloes voelt zich schuldig.

Er komt hun een auto achterop, die afremt en in plaats van te stoppen een stukje over de weg glijdt. Marloes kijkt geschrokken om, waardoor Silas stopt met huilen.

Het lachende gezicht van Wout Ouderaa verschijnt achter het geopende raampje.

'Vrolijk kerstfeest, Marloes en Silas! Waar gaat de reis naartoe?'

Marloes wijst naar haar zoon, die met betraande ogen naar haar opkijkt.

'Ik dacht Silas een plezier te doen, maar je ziet het resultaat. Foute keus!'

Wout stapt uit. Hij draagt geen jas, maar heeft een geruite sjaal nonchalant om zijn hals geknoopt.

'Kom op, dan geef ik jullie een lift. De slee kan in de achterbak. Ik ben nog even wezen kijken bij een patiënt, vandaar dat ik op pad ben.'

Al pratend heeft hij de achterklep van de auto geopend en hij kijkt toe hoe Marloes met haar verstijfde vingers het tuigje losgespt.

'Fijn, Wout, dat scheelt een heel stuk. Je bent mijn redding in bange dagen!' Ze gaat met Silas op de achterbank zitten met de gordel om hen beiden heen, en als Wout op de bestuurdersstoel schuift, kijkt hij lachend om.

'Zo ben ik! Heb je plannen voor vandaag?'

Marloes schudt haar hoofd. 'Helemaal blanco. Ik overwoog om alsnog bij Jasmijn langs te gaan, ze had me namelijk uitgenodigd, maar ik moet even niet denken aan een kamer vol visite.'

Wout rijdt in kalm tempo het dorp in.

'Dat is een teken dat je te intensief bezig bent geweest. Heb je wel zin om met mij samen een kop koffie te drinken?'

Maar al te graag, realiseert Marloes zich. Ze neemt de koude handjes van Silas in de hare en blaast er zachtjes op. 'Altijd!'

'We zijn er.'

Wout stapt met een soepele beweging uit en opent het portier van Marloes. Hij neemt Silas uit haar armen en loopt met hem het nietgeveegde tuinpaadje op.

Marloes vist de huissleutel uit haar jaszak, en als ze Wout bij haar huis ziet staan, wordt ze opeens overvallen door een soort verlegenheid. Ze is niet gewend aan mannenbezoek, maar Wout staat daar zo op zijn gemak, net alsof hij daar hoort.

Wout stampt op de mat de sneeuw van zijn schoenen en zet Silas op de grond.

'Dat wordt pellen,' lacht Marloes als ze bij hem neerhurkt.

Wout kijkt handenwrijvend toe. 'Heb je een sneeuwschep? Dan veeg ik de stoep en het paadje wel even voor je schoon.'

Marloes kijkt verrast naar hem op. 'Dat hoeft echt niet, Wout, ik banjer wel door de sneeuw. Gaat prima!'

Wout kijkt streng. 'O o, Marloes, je verzaakt je burgerplicht! Straks glijdt er een onschuldige dorpsbewoner onderuit en dan kan ik hem zeker weer oplappen in de praktijk.'

Daar heeft hij een punt, het is immers verplicht om de eigen stoep schoon te houden.

'Als je het echt niet erg vindt om te doen... Er staat een schep in het schuurtje. Maar je hebt niet eens een jas aan!' protesteert Marloes.

Wout grijnst. 'Een beetje sneeuwschepper is in een mum van tijd warm, let jij maar eens op.' Hij gaat naar buiten. Marloes zet de koffie aan voordat ze met Silas naar boven gaat om hem van een schone luier te voorzien. Als ze even later uit het slaapkamerraam van Silas kijkt, ziet ze dat Wout al klaar is met de stoep en het paadje.

'Dat heeft hij snel gedaan!' zegt ze verrast tegen Silas. Wout is echter in geen velden of wegen te bekennen, maar ze hoort gestommel in de gang en daarna het slaan van de achterdeur.

Als ze even later beneden komt, zweeft de geur van vers gezette koffie haar al tegemoet. Door het keukenraam heen ziet ze dat Wout ook het paadje van de keukendeur naar de schuur bijna af heeft.

'Kijk, Silas, oom Wout moet hard werken voor een kopje koffie!' zegt ze grijnzend tegen haar zoon, die zijn nekje uitrekt om te kunnen zien wat er buiten gebeurt. Ze steekt haar duim naar Wout op als hij rechtop gaat staan en zijn rug strekt. Hij buigt alsof hij een applaus in ontvangst neemt en bergt de sneeuwschep weer netjes op. Als hij de keuken binnenloopt, is zijn gezicht rozig van de kou.

'Zo. Tijd voor koffie,' zegt hij handenwrijvend.

Marloes draait zich lachend naar hem om. 'Dat heb je nu wel verdiend! Wil jij Silas even vasthouden? Dan neem ik de koffie mee naar de kamer.'

Wout loopt al pratend met Silas naar de woonkamer, en Marloes snijdt de kerstkrans aan die ze in de supermarkt heeft gekocht. 'Voor mij geen bakkende schoonmoeder,' zegt ze tegen zichzelf met een wrang glimlachje, denkend aan de moeder van Thomas in Amerika. Ze laat het mes rusten terwijl ze wrevelig naar buiten staart. Haar blik valt op het geveegde pad, dat het romantische plaatje van de besneeuwde achtertuin eigenlijk verstoort. Net als haar leven, bedenkt ze. Alles was keurig bedekt, maar opeens is er iemand die zomaar aan het sneeuwschuiven is gegaan. Hoofdschuddend legt ze de kerstkrans op schoteltjes en ze loopt met het dienblad naar de woonkamer.

Wout staat bij het dressoir, met Silas op zijn arm, naar de kerstkaarten te kijken.

'Mooie kaarten zitten erbij, hè? Ik was er helemaal mee in mijn sas, maar dankzij die mail was de aardigheid er opeens van af!' laat ze zich ontvallen.

Wout kijkt op. 'Hoezo, slecht nieuws?'

Marloes heeft al spijt van haar spontane reactie. 'Nee. Of eigenlijk wel. Misschien vertel ik het je nog wel. Ga lekker zitten. Zal ik Silas nemen?'

'Nee hoor, hij wil best bij mij op schoot, of niet, vriend?' vraagt Wout aan Silas, die alleen maar oog heeft voor het koekje dat zijn moeder voor hem uit de verpakking haalt.

'Nog geen kerstkrans voor jou, mannetje, maar een Nijntje-koekje is net zo feestelijk, of niet?'

Marloes zet Wouts kopje op een bijzettafeltje. Silas geeft een ruk aan de stropdas van Wout. Een afschuwelijk geval met rendieren erop.

Marloes voelt zich slecht op haar gemak. Wout is een collega. Ze kunnen prima met elkaar overweg, er zijn weinig woorden nodig om elkaar te begrijpen. Maar, zo realiseert ze zich, over hun privéleven delen ze weinig.

'Als je erover wilt praten, Marloes, schroom niet. Dat wil nog weleens helpen.'

Marloes slikt het laatste stukje van haar lekkernij door en vraagt zich af of haar ontreddering zichtbaar is.

'Ik weet niet… Het is nogal persoonlijk. Aniek is de enige die echt weet hoe alles zit. Jasmijn weet ook het een en ander. Maar nog niet van de mail, die heb ik gisteren pas gelezen. Het gaat om Silas. Om de man die… nou ja, die hem verwekt heeft. Jakkes, wat klinkt dat klinisch!'

'Je kunt mij zien als vertrouwenspersoon, Marloes. Bij mij zijn je geheimen veilig. Valt die persoon je lastig?'

Ze schudt haar hoofd.

'Niet bepaald, hij blijkt niet meer in leven te zijn. Dat stond in die mail, hij is verongelukt tijdens de wintersport – begin dit jaar al – maar details weet ik verder ook niet.'

Hoewel zijn vraag direct is, stelt hij hem voorzichtig: 'Had je nog hoop dat het weer goed zou komen tussen jullie?'

Ze schudt haar hoofd en zegt gehaast: 'Nee, niet echt. Hij was half Amerikaan, half Nederlander, een tijdelijke collega. Hij ging weer terug naar Amerika. Ik heb al die tijd gedacht… Weet je, ik heb me verschrikkelijk geschaamd en toen ik zwanger bleek te zijn…'

Silas stopt het uiteinde van de stropdas in zijn mondje en begint te sabbelen, waardoor de das onder de koekkruimels komt te zitten. Intussen hebben zijn handjes een pen in Wouts borstzakje gevonden. Wout heeft er geen erg in, zo aandachtig zit hij naar Marloes te luisteren.

'Iedereen maakt weleens een vergissing. Maar ik zou deze kleine man niet zo willen benoemen, Marloes. Vertel verder, als je wilt. Het is in elk geval goed om dingen niet op te kroppen.'

Marloes zegt met een moeizame grijns: 'Hier spreekt de dokter! Nou, als je belooft het voor je te houden… Een oud-collegaatje schreef me dat ze nogal een streek heeft uitgehaald.' In korte zinnen vertelt ze de inhoud van de mail.

Wout sluit zijn ogen en draait zijn hoofd even verbijsterd af. 'Onvoorstelbaar, hoe kan iemand zo slecht zijn?'

Marloes knikt somber. 'En nu blijf ik maar piekeren… Wat nu als ze dit niet gedaan had? Dan hadden we onze relatie verder uit kunnen bouwen. Dan had Silas een vader gehad. Omdat ik al die tijd dacht dat Thomas een soort losbol was, had ik hem afgeschreven. Ik haatte hem om wat hij gedaan had, voelde me gebruikt. Maar nu… nu realiseer ik me dat hij niet zo was. En ook dat hij familie in Amerika heeft, een Nederlandse moeder, een broer...'

Wout knikt begrijpend. 'En jij had hem uit je leven willen houden, omdat hij het niet waard was. Hij had afgedaan. Met familie en al. Maar nu blijkt dat hij wel integer was, dat hij waarschijnlijk net zulke romantische ideeën had als jij. Dat blijkt wel uit het feit dat je collega schrijft dat hij ontdaan was toen ze hem vertelde dat jij een soort... nymfomane was.'

Marloes schiet kort in de lach en pinkt een traan weg.

'Zo ongeveer. En nu vraagt ze mij om vergeving!'

Wout zwijgt. Hij houdt Silas stevig vast, het ventje is in slaap gevallen.

'Ik ben gewoon zo boos! Lekker gemakkelijk, iemands leven verpesten en dan vragen om vergeving. Vind jij dat ik moet reageren? Ik heb overwogen om de mail gewoon te negeren, haar in haar sop gaar te laten koken met haar schuldgevoel.'

Wout ziet haar opspringen en door de kamer ijsberen. Hij weet dat ze dat altijd doet als ze wil nadenken. Hij zegt bewust even niets, wil haar helemaal laten uiten wat ze denkt en voelt.

'Kijk, aan de ene kant ben ik blij dat Silas uit liefde – of verliefdheid, of hoe je het noemen wilt – van beide ouders ontstaan is. Ik hoef naar hem toe later niet te zeggen: "Het zit zo, jongen, je bent het resultaat van een vlaag van verstandsverbijstering. Je vader voelde niks voor je moeder, hij had in elk stadje een ander schatje – sorry!" Daar ben ik blij om. Aan de andere kant is er voor mijn gevoel meer veranderd. Iets wat ik nog niet helemaal kan overzien. Maar vertel me eens, hoe kan ik haar vergeven?'

Wout praat zacht, bang om de kleine jongen wakker te maken. 'Ik denk, Marloes, dat je de kwestie even moet laten rusten, het op je in laten werken, verwerken. Je hebt jezelf denk ik nooit toegestaan om verdriet te hebben over het verlies van een liefde, omdat je je zo schaamde voor die nacht. Je bent als het ware in de rouw nu.'

Marloes knikt, ze gaat met een plof zitten. 'Zo voelt het wel, ja.'

Wout denkt even diep na.

'Jou kennende, Marloes, denk ik dat je je op een gegeven moment zult realiseren dat je niet voor altijd boos op haar kunt blijven. Het is waar, ze heeft iets ontzettend laags met je uitgehaald, met jou en met

Thomas. Jullie leven heeft daardoor een andere wending genomen. Maar als jij blijft lopen met wrok en woede, heb je uiteindelijk jezelf ermee. Ik herinner me het verhaal van Corrie ten Boom, ken je het?'

Marloes schudt haar hoofd.

'Deze vrouw had haar zus zien sterven in het concentratiekamp, en na jaren kwam ze een bewaker uit het kamp tegen. Deze persoon vroeg haar om vergeving. Alle woede en haat kwam terug. Ze kon het niet. Toch wist ze dat God van haar vroeg om te vergeven. Ze stak haar hand naar hem uit, en op het moment dat die bewaker haar hand pakte, stroomde er zo'n liefde door haar heen, dat ze de man van harte kon vergeven.'

Marloes kijkt cynisch. 'En dat is echt gebeurd?'

Wout knikt. 'Ja, het verhaal klopt honderd procent. Alhoewel... ik weet niet meer zeker of het nou een man of een vrouw was, die bewaker.'

Marloes wil een kussen naar zijn hoofd gooien, maar bedenkt zich als ze Silas in Wouts armen ziet.

Wout grijnst, hij weet zich veilig achter de kleine jongen. Dan wordt hij weer ernstig. 'Is er ook nog een vader in beeld? De vader van Thomas?'

Marloes schudt haar hoofd. 'Nee, alleen een moeder. En een oudere broer.'

Silas wordt met een schokje wakker. Hij kijkt verwilderd om zich heen en zakt met een glimlachje om zijn beeldschone mondje weer in slaap.

Marloes slaakt een zucht. 'Ik wil hem wel van je overnemen, hij is denk ik moe van de buitenlucht.'

Ze staat al op als Wout zegt: 'Nee joh, ik vind het een hele ervaring. Maar misschien krijgt hij het koud?'

Een dekentje is snel gepakt. Zorgzaam doet Wout het dekentje om Silas heen. Marloes wil bijna zeggen dat Wout een goede vader zou zijn, maar dat slikt ze bijtijds in.

Ze vervallen in een zwijgen, zonder zich ongemakkelijk te voelen.

'Ik haal de koffiepot nog een keer. Zeg, Wout, heb je zin om te blijven eten? Niet dat er denderende dingen op het menu staan... ik dacht immers de kerst alleen met Silas door te brengen.'

Een scheve glimlach van Wout.

'Graag. Ik heb thuis een paar boeken liggen om te lezen, maar die lopen niet weg. En Cornelis is bij de buren. Ik heb de handen vrij.'

In de keuken gekomen blijft Marloes even stil bij het aanrecht staan. Ze kijkt door het raam naar buiten, en volgt de koolmezen die het goed gevulde vogelhuisje hebben ontdekt.

Was het dom om haar hart bij Wout uit te storten? Eigenlijk niets voor haar. Maar gebeurd is gebeurd.

Ze pakt met trage bewegingen de kan van het apparaat.

Als ze nu eens deed wat hij zei, de kwestie Mariska even laten rusten? Wat bleef er dan over aan emotie, als ze de woede over haar daden even op een laag pitje kon zetten?

Marloes realiseert zich opeens dat er tegelijkertijd ook een soort last van haar afgevallen is, als een mantel die ze heeft afgeschud. Het gaat verder dan wat ze tegen Wout zei, dat het voor Silas prettig is dat er wel degelijk sprake van liefde was tussen zijn ouders. Maar haar eigen gevoel van schaamte en vernedering, dat zij zo lang met zich meedroeg, dat ze misbruikt is door een soort Don Juan, is weg.

De nacht waar ze nooit over durfde praten met iemand, is niet langer een beschamend moment. Alhoewel ze dit natuurlijk liever voor binnen het huwelijk bewaard had, volgens de principes waarnaar ze leeft. Maar nu kan ze erop terugkijken als was het een romantische film, waarbij de beide geliefden uit elkaar gedreven zijn door de omstandigheden. Nou ja, omstandigheden... Ze fronst boos. In dit geval heten de 'omstandigheden' Mariska. Maar als ze eerlijk is, kan ze niet alleen boos op haar zijn. Ze is haar ook dankbaar, gek genoeg, dankbaar dat Mariska haar droom hersteld heeft. Het ontstaan van Silas is niet langer iets platvloers, zoals ze het lange tijd gezien heeft.

Ze recht haar schouders, klemt de koffiekan met een resoluut gebaar tussen haar beide handen en knikt strijdlustig naar de koolmezen. Ze kan niet in de toekomst kijken. Misschien dat ze mettertijd, met Gods hulp, een plekje in haar hart kan vinden om Mariska te vergeven.

Maar vandaag is vandaag, het is ook nog eens Kerstmis, en ze heeft onverwacht bezoek. Twee eenzame mensen die de dag een invulling geven. En dat is voor nu genoeg.

Als ze de kamer binnenkomt, kijkt Wout haar aan. 'Je kijkt alsof je een beslissing hebt genomen. Klopt dat?' vraagt hij vriendelijk.

Ze knikt. ‘Ik ben blij met je luisterend oor. Dank je wel, praten helpt inderdaad. Ik heb zojuist besloten het te doen zoals jij adviseert, het gewoon een poosje te laten rusten. Mariska kan best even wachten op antwoord.’

‘Mooi zo!’ zegt Wout, terwijl hij voorzichtig een hand vrijmaakt om zijn koffiekopje te pakken.

Uit gewoonte zou Marloes het gesprek nu over de Buurtzorg willen laten gaan, maar ze wil vandaag liever niet over het werk praten, zoals ze altijd doen. De vraag is wat voor onderwerp hem wel zou aanspreken?

Misschien komt ze daar vandaag wel achter.

# 5

De tweede dag van het nieuwe jaar vraagt Marloes zich af of zij als enige in het land blij is dat de feestdagen voorbij zijn.

Een nieuw jaar, wat zal het haar brengen? Vroeger stond ze nooit bij dat soort vragen stil, maar door haar teleurstellingen op het relationele vlak en het verlies van haar ouders is ze iets van haar onbevangenheid kwijtgeraakt.

Iemand die dit goed begrijpt, is Aniek.

'Ik begrijp het, want ik zie hetzelfde bij Huub, hij heeft zo veel meegemaakt. Jij weet ook hoe het soms vechten is tegen wat ik "de onzichtbare demonen" noem. Maar bij Huub zie ik dat het steeds beter gaat, gelukkig. Misschien komt het omdat we ouder worden, Marloes, dat we wat meer bezonnen zijn.'

Ze zitten samen in de knusse woonkamer van het nieuwe huis van Aniek en Huub. De ramen zijn groot, sommige tot op de grond. De tuin is nog één wildernis en wacht op de lente. Marloes heeft van Aniek een rondleiding gekregen door het huis, dat nu ook voorzien is van gordijnen.

'Huub heeft veel aan dominee Laponder. Een oudere, wijze man, hij staat altijd voor iedereen klaar, net als zijn vrouw. Daar hebben we goede buren aan! En ook natuurlijk aan Jasmijn en Simon, we boffen echt. Simon is het tegenovergestelde van dominee Laponder: jong, energiek, altijd vol moed. Net wat mijn Huub nodig heeft.'

Wat de vriendschap tussen Marloes en Aniek anders dan de andere maakt, zijn de herinneringen die ze delen. Vaak is het: 'Weet je nog...'

Zo heeft Aniek als enige ook de vader van Silas gekend. Al wist ze destijds niet dat haar vriendin iets met hem had. Dat heeft Marloes haar pas verteld toen ze uit het ziekenhuis wegging, en Thomas al lang en breed weer in Amerika zat.

Marloes is opgelucht dat ze nu alles verteld heeft.

Ze maakte Aniek deelgenoot van de nieuwe ontwikkelingen, zodra ze met hun koffie op de bank zaten. Aniek was vol verontwaardiging over het gedrag van hun voormalige collega. 'Het loeder!' zei ze op een gegeven moment hartgrondig.

Het doet Marloes goed dat haar vriendin zo met haar meeleeft. Ze bekijken nu de geschiedenis vanuit alle mogelijke invalshoeken. Hoe Thomas zich gevoeld moet hebben, wat de collega's gemerkt kunnen hebben, Marloes' vlucht uit het ziekenhuis, haar zwangerschap, alles komt aan de orde.

Anieks blauwe ogen schitteren van verontwaardiging en er piekt steeds meer haar uit het blonde staartje. Ongeduldig trekt ze het elastiekje los, en met energieke bewegingen fatsoeneert ze haar kapsel.

'Dit had je toch nooit verwacht. Maar je hebt gelijk, de hele situatie is hierdoor veranderd. Thomas was een persoon die je liever zou vergeten, en nu is hij opeens iemand om wie je mag rouwen. En iemand die je wel in je leven had willen hebben. Als Mariska de boel niet verstierd had, dan was jij misschien wel naar Amerika verhuisd met hem!'

Marloes trekt haar benen onder zich, de bank is er groot genoeg voor. Ze schurkt haar rug tegen de leuning en even is het alsof oude tijden herleven. 'Het is natuurlijk wel de vraag of de relatie blijvend was geweest... Hadden we bij nader inzien wel genoeg gemeen om bij elkaar te blijven? Wat kenden we elkaar nou eigenlijk, ten diepste?'

Aniek kijkt haar veelbetekenend aan. 'Maar hij was wel erg knap om te zien, Marloes, dat maakt veel goed!'

Marloes kijkt quasiontzet en mept naar haar vriendin met een kussen, wat Aniek lachend doet wegduiken. Marloes zakt met een zucht weer op haar plekje terug.

'Ja, dat was hij inderdaad. En we hadden dezelfde humor, dezelfde kerkelijke achtergrond, konden ook goed samenwerken... Eigenlijk is het net zo'n suffe doktersroman, welbeschouwd. En toen die nacht kwam...' Marloes' lach sterft weg. 'We waren helemaal geschokt door die sterfgevallen op de eerste hulp... Twee jonge mensen, nog maar zo kort geleefd... We waren uitgeput, en het besef dat wij nog wél leefden, deed op dat moment iets met ons. Zo van "pluk het moment, nu het nog kan"... Ach, we leken wel verliefde pubers. We hebben geen van beiden ook aan voorbehoedsmiddelen gedacht. Hadden we toen ooit kunnen bedenken dat Thomas zelf ook zo jong zou sterven? En nu is hij er niet meer, maar ik heb wel Silas. Weet je, Aniek, ik was nu net op het punt beland dat ik dacht: ik heb het voor elkaar.'

Ze telt op haar vingers af. 'Ik heb een kind, dat heb ik altijd graag gewild. Ik heb geen man, maar kan goed alleen zijn en het is beter dan een man die je slaat. Ik heb werk en een toekomst waar ik voor ga. En dan gebeurt dit opeens, alles staat opeens op z'n kop.'

Aniek moet lachen om de vergelijking. 'Je kunt beter zeggen dat je leven op z'n kop stond, maar dat het nu weer rechtgezet wordt.'

Marloes slaat haar armen om haar knieën.

'Zo kun je het ook zien. En wat steeds door mijn hoofd maalt, nu Thomas integer blijkt te zijn geweest... Hij had nog familie, moet ik daar iets mee doen? Ik bedoel, zijn moeder weet niet dat haar zoon een kind heeft verwekt.'

Opeens kijkt ze Aniek ongerust aan. 'Aniek, je praat er toch met niemand over? Ik heb het wel aan Wout Ouderaa verteld, trouwens. Dat liep gewoon zo. We waren met kerst allebei alleen, ik was met Silas aan de wandel in de sneeuw en hij pikte ons op, bracht me thuis en ik was in een loslippige bui... Hij raadde me aan het voorlopig te laten rusten.'

Aniek veert op.

'Wout Ouderaa... Ik heb al vaker gedacht dat jullie goed bij elkaar zouden passen. Hij is zo integer. Ik heb toen een tijdje als doktersassistente bij hem gewerkt, weet je nog? Dus ik ken hem van dichtbij. Hij heeft al wel grijze haren, of wit eigenlijk, maar zo oud is hij nog niet. Hij zou best eens wat voor je kunnen zijn.'

Marloes schrikt. 'Ben je mal! Begin niet te koppelen, Aniek. Je weet toch dat ik de mannen heb afgezworen?'

Energiek wuift Aniek haar bezwaar weg. 'Jawel, maar dat idee is ontstaan omdat je dacht dat Thomas een soort playboy was. De tweede man in je leven die niet deugde. Maar nu hij dat niet blijkt te zijn...'

Ze zouden nog uren door kunnen kwebbelen, ware het niet dat het tijd is om Silas bij Jasmijn op te halen. In de hal trekt Marloes haar jas aan, terwijl ze afscheid nemen.

'En doe Huub de groeten, Aniek. Mocht je het aan hem willen vertellen, dan is dat geen probleem, ik zou nooit van je vragen om iets voor je man geheim te houden.'

Aniek knuffelt haar vriendin. 'Dat is goed. En denk nog maar eens na over Wout Ouderaa. Jullie zouden goed bij elkaar passen. En dan kopen jullie een van de kavels hierachter en zetten er een leuk huis op, dan wordt het hier nog gezelliger!'

Marloes ademt de ijskoude winterlucht in. 'Dat klinkt ook als een romannetje, of als een soap, "Goede meiden, slechte meiden!" Nee, Aniek, laat mij maar rustig aan de Kastanjelaan zitten.'

Ze zwaait naar Aniek, die voor het raam staat, en loopt naar het huis van Jasmijn, waar ze zowel haar kind als haar auto geparkeerd heeft.

Net voor de vorst inviel, zijn de wegen in de nieuwe wijk bestraat. Voorheen was het tijdens regendagen één grote modderpoel.

Ja, het is inderdaad een leuke buurt om in te wonen.

Marloes houdt zich voor dat ze tevreden mag zijn met dat wat het leven haar tot nu toe heeft geboden. Silas, wie heeft er nu een kind als Silas? Hij straalt tevredenheid uit en zijn donkere ogen zijn poeltjes van plezier. Zijn hese lachje brengt haar dagelijks in verrukking. Net zo'n hese lach als... Ze spert haar ogen open en maakt haar gedachten af: net zo'n hese lach als zijn vader!

Marloes versnelt haar pas en loopt het pad op naar het huis van Jasmijn. Haar vriendin blijft maar zeggen dat Silas een positieve en kalmerende invloed op Willemieke heeft. Glimlachend bedenkt Marloes dat hij dat dan weer van zijn moeder geërfd heeft.

Ze kijkt op haar horloge. Vanavond ontvangt ze een groep mensen bij haar thuis, die zich als vrijwilliger voor Buurtzorg hebben aangemeld. Het duurt nog wel even voor ze Silas in bed heeft, dus ze moet niet te lang bij Jasmijn blijven plakken.

'Misschien is het goed om het nog even over de negatieve reacties te hebben die zijn losgekomen op Buurtzorg. Er was ons al verteld dat zoiets zou kunnen gebeuren,' zegt Wout die avond bedaard, als de bijeenkomst bijna ten einde is. 'Er zijn reacties binnengekomen van concurrerende organisaties, die ons ervan beschuldigen onder hun duiven te schieten. Maar we doen niets wat niet mag; de mensen die Buurtzorg bellen om naar ons over te stappen, komen uit zichzelf. Ik zeg trouwens voor het gemak maar even "ons" en "we", ook al ben ik geen werknemer van Buurtzorg, dat praat wat makkelijker.'

Marloes hangt – net als de rest van de aanwezigen – aan zijn lippen. Wout is op een prettige manier zelfverzekerd en weet problemen als geen ander te ontzenuwen.

Een van de aanwezigen, een gepensioneerd zakenman, zwaait met een foldertje. 'De voornaamste reden waardoor patiënten voor Buurtzorg kiezen, is dat we – mag ik ook al "we" zeggen? – gewoon goedkoper zijn dan andere organisaties. Voor dezelfde zorg, of soms zelfs betere, uitgebreidere zorg! Daar kunnen ze Buurtzorg toch moeilijk voor aanklagen?'

'Juist!' stemt Wout in. 'Weten jullie trouwens dat er ook belangstelling vanuit het buitenland is? Er zijn verzoeken om informatie binnengekomen bij het hoofdkantoor uit Zweden, België, en zelfs uit de Verenigde Staten! Ze staan daar in de startblokken om ook met een afdeling te beginnen.'

Verbaasd gemompel. Marloes krimpt ineen als ze 'Verenigde Staten' hoort.

'En er is bekend geworden dat Buurtzorg is uitgeroepen tot de beste werkgever van het jaar! Mooie resultaten. Maar goed, terug naar ons dorp: er komen verzoeken om informatie binnen. Mensen hebben de algemene website gezien en hebben vragen. Veelal dezelfde vragen, merken we. Het lijkt me goed die zo snel mogelijk te beantwoorden. Er is documentatie beschikbaar, maar het kan ook handig zijn om een informatieavond te organiseren, zodat we daarnaar kunnen verwijzen. Marloes, zie jij kans om dit op te pakken?'

Marloes zegt er even over na te willen denken. Ze gaat vanaf deze week meedraaien in het team, nu de opstartfase is afgerond. Daarmee maakt ze al de nodige uren, en deze informatieverstrekking – in wat voor vorm dan ook – gaat haar extra tijd kosten. Per slot van rekening heeft ze Silas om rekening mee te houden. Als ze niet oppast, is ze fulltime met Buurtzorg bezig en dat wordt haar wat te gortig. Misschien kan ze wat schuiven qua uren, waardoor zij wat meer tijd overhoudt om zich met dit soort organisatorische dingen bezig te houden. 'Ik laat het je zo snel mogelijk weten.'

Wat een zeldzaamheid is: Silas wordt wakker en zet het op een huilen. Marloes excuseert zich en haast zich naar boven. Silas voelt een beetje warm aan, hij poetst met een knuistje over een rood wangetje. 'Jij krijgt tandjes… Kom maar, schatje van mama.'

Een schone luier, een dekentje om hem heen en dan in mama's armen de trap af. In de kamer schrikt hij even van al die onbekende gezichten en stemmen en kruipt hij tegen zijn moeders schouder aan. Het bezoek is vertederd door het kleine mannetje.

Bij het afscheid vraagt een nog jonge vrouw: 'Misschien is het brutaal om te vragen, maar is hij van een donor? Ik wil zelf namelijk zo graag... Je snapt me wel. Ik ben helemaal weg van die donkere ogen en dat krullerige haar!'

Marloes is verbluft over de inderdaad nogal vrijpostige vraag, die tegelijkertijd op haar lachspieren werkt.

'Nee, dat is hij niet. Ik zou ook niet weten hoe dat in zijn werk gaat, of je het voor het uitkiezen hebt of niet. Misschien kun je wel in een catalogus een donor uitzoeken, wie weet.'

De vrouw giechelt. 'Jammer dat we die nog niet hebben bij Buurtzorg, hè? Maar je mag best weten dat ik je benijd!'

Marloes zwaait haar vriendelijk uit, terwijl ze denkt: je moest eens weten!

Wout is de laatste die vertrekt. 'We laten jou achter met vuile kopjes. Zal ik ze nog even voor je afwassen?' biedt hij aan.

Marloes wuift zijn voorstel weg en loopt met hem mee naar de voordeur.

Aniek heeft gelijk, bedenkt ze, Wout is geweldig. Als arts, als collega, maar ook als vriend. Hij streelt met de rug van zijn hand over het warme babywangetje, en Marloes kijkt heimelijk naar de meelevende uitdrukking op zijn gezicht. Heeft Aniek gelijk, zouden Wout en zij goed bij elkaar passen? Zou zij iets meer voor hem kunnen gaan voelen? En, niet onbelangrijk, hij voor haar? Ze schudt haar hoofd even. Het is bijna beangstigend om hierover na te denken, alsof een deur die heel lang gesloten is geweest, opeens op een kier staat.

'Lekker slapen, kleine kerel, en gezond weer wakker worden. Doktersadvies!'

Even later ligt Silas weer in zijn bedje en is het helemaal stil in huis. Marloes ordent haar papieren en leest na wat ze zoal heeft opgeschreven. Het was een vruchtbare avond geweest, concludeert ze tevreden. Als ze alles in een map heeft geborgen, bekijkt ze haar agenda. Over een week staat er een afspraak gepland met een journalist van de regionale krant, die haar komt interviewen over Buurtzorg. Ze tikt met een nagel op de betreffende bladzijde en glimlacht. Op deze manier groeit de bekendheid met grote sprongen!

De week vliegt voorbij, en als de mensen van de krant zich melden voor hun afspraak is Marloes er klaar voor. Ze ontvangt hen in het kantoor, en kan niet wachten met de uitleg over de organisatie.

Ze besluit met: 'We weten van andere teams in het land dat Buurtzorg goed werkt, dus daar hebben we alle vertrouwen in. We kunnen niet wachten om het ook in ons dorp waar te gaan maken.'

Er worden foto's gemaakt, Marloes heeft zo veel medewerkers opgetrommeld als ze kon.

Of er genoeg personeel is, wordt er gevraagd. Stel dat iemand het artikel leest, en ook wel bij Buurtzorg zou willen werken?

Marloes geeft aan dat er nog altijd mensen bij kunnen. 'Het zelfstandig bezig zijn zonder steeds op de vingers gekeken te worden, stemt de collega's tevreden. Vorige week hoorde ik dat Buurtzorg tot werkgever van het jaar is uitgeroepen, dus dat zegt genoeg. Ik zou zeggen: loop eens een dagje met iemand mee.'

Ook dat wordt gerealiseerd. Journalist en fotograaf volgen Karen Atema tijdens haar bezigheden. Het gevolg is dat er een bijzonder artikel in de weekendbijlage verschijnt, een dubbele pagina zelfs, en de reacties zijn er dan ook naar.

'Meer dan kousen aantrekken en ogen druppelen' is de kop. Op de bijgaande foto's is de olijke Surinaamse Karen het stralende middelpunt. Marloes is erg tevreden over het resultaat.

Een paar weken later kijkt ze met verwondering terug op hoe de organisatie geleidelijk aan goed is gaan functioneren. De medewerkers zijn op elkaar ingespeeld, weten wat hun te doen staat en het feit dat ze zelfstandig kunnen werken geeft het nodige werkplezier. Marloes heeft haar aantal uren in het team iets terug weten te draaien, zodat ze meer tijd heeft voor de organisatie en de uitvoering van de voorlichtingsavonden. Het liefst werkt ze hieraan op kantoor, waar ze zich beter kan concentreren dan thuis. Ze kan zo gelijk ook de telefoon aannemen, zodat haar collega's die niet mee hoeven te nemen tijdens hun dienst.

Silas gaat zo veel mogelijk mee, en wanneer dat niet mogelijk is brengt ze hem bij haar buurvrouw of haar vriendinnen onder, meestal bij Jasmijn. 'Of ik er nou eentje of twee heb rondkruipen, het gaat in één moeite door,' roept Jasmijn als Marloes vraagt of het echt niet te veel is voor haar.

Marloes gaat zo op in haar werk, dat er dagen voorbijgaan zonder dat ze aan de veranderde situatie rondom Thomas denkt. De mail van Mariska heeft ze nog steeds niet beantwoord.

Aniek had pas al gebeld om zich te beklagen: 'Je werkt maar en werkt maar, je verwaarloost je vrienden, dame!'

Marloes kan het niet ontkennen en vindt ook dat ze hier iets aan zou moeten doen. Op een middag, als ze even zomaar geen afspraken heeft, besluit ze onaangekondigd bij Aniek langs te gaan. Huub opent de deur en Marloes lacht naar de echtgenoot van haar vriendin.

'Hoi Huub, ik kom voor Aniek, is ze thuis?'

Huub kijkt wat ongemakkelijk en gebaart achter zich. 'Ze... ligt in bed.'

Marloes fronst bezorgd. 'Is ze ziek? Wat heeft ze, de arme stakker?'

'Tja, ziek... wat zal ik zeggen? Aniek ligt eigenlijk al een paar dagen in bed. En ik weet niet of ze in staat is je te ontvangen.'

Daar schrikt Marloes behoorlijk van. 'Wat is er aan de hand dan, is het iets ergs?'

Huub houdt zijn hoofd scheef en zoekt naar de juiste woorden. Hij wrijft in zijn nek om zich een houding te geven.

'Iets ergs? Eigenlijk niet, nee... Joh, eigenlijk zou Aniek het je zelf moeten vertellen, maar aangezien ze nu in bed ligt, en jij er zo naar vraagt, zal ik het maar doen... Ze is zwanger.'

Marloes kijkt Huub sprakeloos aan. Ze realiseert zich wat dit voor de man, die twee kinderen bij een brand heeft verloren, moet betekenen.

Huub knikt stijfjes en kucht wat. 'Ik hoef je niet uit te leggen dat ik het er nogal moeilijk mee heb. We... hebben nogal woorden gehad. Jou kan ik dat wel vertellen, als haar beste vriendin.'

Marloes slaat haar hand voor haar mond. Aniek was dus te optimistisch geweest over de denkwijze van haar man.

Huub troont haar mee naar de woonkamer en Marloes gaat zitten, met haar jas nog aan.

Het lijkt erop dat Huub blij is zijn hart te kunnen luchten. 'Ze was opeens misselijk en begon over de mogelijkheid dat ze zwanger was. Ik werd vreselijk boos, riep dat we het daar toch in het begin al over gehad hadden, dat ik het niet wilde. Maar Aniek was ervan uitgegaan dat ik zo'n beetje genezen was van mijn trauma en dus ook klaar was voor kinderen.' Hij zucht diep. 'Communicatie blijkt wat ingewikkelder te zijn dan we dachten. Ik dacht... zij dacht...'

Marloes legt meelevend een hand op zijn arm.

Huub kijkt haar met een gekwelde blik aan. 'Ik ben bang dat ik nogal tekeer ben gegaan, ik flipte een beetje... Maar Aniek liet het niet op zich zitten. Ze vond dat ik dan mijn taak als hoofd van het gezin had verwaarloosd en er dan maar voor had moeten zorgen dat ze niet zwanger werd. Terwijl ik dacht dat ze aan de pil was. Ik ging er gewoon van uit... mijn eerste vrouw was ook aan de pil toen we trouwden. Ik heb er gewoon niet bij stilgestaan dat Aniek dat niet was. En aangezien we er niet over praatten met elkaar, gingen we allebei van onze eigen gedachten uit.'

Marloes probeert tussen de regels door te lezen hoe het nu gaat. 'Hebben jullie het wel uitgepraat? Hoe sta je er nu tegenover? En hoe gaat het met Aniek?'

'Het gaat goed, maar ze is zo ziek van de misselijkheid dat het abnormaal is, volgens Wout. Hij is trouwens de enige die het weet, buiten de familie dan.'

Marloes concludeert dat Wout inderdaad een goede vertrouwenspersoon is. Hij heeft tegenover haar met geen woord over de zwangerschap van haar beste vriendin gerept.

'Ze kan alleen maar doodstil in bed liggen, gordijnen dicht. Als het zo doorgaat moet ze waarschijnlijk worden opgenomen omdat ze niet genoeg vocht binnenkrijgt. Ze had het je zelf willen vertellen, maar ze is bij vlagen te beroerd om zelfs maar na te kunnen denken. Maar we hebben het uit kunnen praten, gelukkig,' haast hij zich haar gerust te stellen. 'We zijn tot de conclusie gekomen dat we beter moeten communiceren met elkaar, niet denken dat we weten wat de ander vindt of denkt. Toen ze zo ziek werd, leek het meningsverschil opeens totaal onbetekenend. Aniek en haar gezondheid zijn nu nummer één. Maar het feit dat ik opnieuw vader word... daar moet ik nog mee om leren gaan.' Een bleek lachje is alles wat hij kan opbrengen.

Marloes kijkt hem bedachtzaam aan. De argeloosheid van Aniek heeft grote gevolgen, maar ze is blij om te zien dat Huub niet totaal is ingestort, zoals eerder gebeurde. Hij kijkt niet blij, maar hij lijkt het wel aan te kunnen.

'Ik schaam me diep, Huub. Ik heb het zo druk gehad dat ik Aniek zwaar verwaarloosd heb, vandaar dat ik nu zomaar even langskwam. Bel me in het vervolg alsjeblieft, als er iets is. Ik wil er graag voor Aniek en jou zijn als vriendin. Dit moet je toch niet alleen dragen!'

Huub knikt. Zijn bruine ogen kijken haar schuldbewust aan.

'Het is ook nog maar een paar dagen geleden dat we het ontdekten, en ik dacht dat ze wel weer snel zou opknappen. Maar zoals ze nu is...' Een bezorgde blik naar het plafond, waarboven hij zijn jonge vrouw weet.

Marloes staat op en Huub loopt met haar mee naar de hal.

'Laat haar maar veel slapen, Huub. En als er ook maar iets is wat je niet vertrouwt, gelijk Wout bellen, of mij. Al is het midden in de nacht, hoor! Wil je haar de groeten doen en haar een dikke knuffel van mij geven? En zodra het maar even kan, kom ik bij haar langs. Ik bel wel vooraf of het schikt.'

Het gesprekje lijkt Huub te hebben opgelucht.

'Daar kun je op rekenen. Ik heb trouwens een vraag voor je. Ik had je willen bellen, maar nu je er toch bent... Je kent de familie toch wel die woont in het kasteel dat geen kasteel is?'

Marloes knikt, wie kent hen nu niet? Ze vindt de benaming die de dorpelingen het landhuis hebben gegeven nog steeds ludiek; het landhuis lijkt op een kasteel, maar het is het eigenlijk niet, vandaar de toevoeging 'dat geen kasteel is'.

'Diederik, de oude baron, emigreert met zijn zoon en z'n gezin naar Zuid-Frankrijk. Ze hebben er allerlei persoonlijke redenen voor. Ooit is er een kind verdronken, geloof ik, en zijn schoondochter heeft er een miskraam gehad. Er kleven te veel nare herinneringen aan. Daarom wil de familie het kasteel gaan verkopen of verhuren, want het ziet er niet naar uit dat ze ooit terugkomen. De jonge baron, Boudewijn, kwam bij mij langs en vroeg of ik er geen oren naar had. Je weet dat ik niet onbemiddeld ben, maar een heel kasteel kopen is voor mij echt een brug te ver. Maar ik zou wel mee willen investeren in een rendabel project. We zijn daarom nu samen op zoek naar een medefinancierder om iets met het kasteel te gaan doen, het een nuttige bestemming te geven. De familie houdt er ook nog een aandeel in, als investering. Nu kom ik bij de kern van het verhaal: in het zoeken naar een bestemming hoorde ik van een kennis dat de eigenaar van een herenhuis in Limburg van zijn woning een zorghotel heeft gemaakt. Dit idee klikte bij ons beiden gelijk.'

Marloes spitst direct haar oren bij het woord 'zorg'.

'Waar moet ik aan denken bij een zorghotel? Kun je daarheen als je ziek en alleenstaand bent? Of voor langere termijn?'

Huub haalt z'n schouders op. 'Er blijken verschillende soorten zorghotels te zijn. Ik heb via internet wat onderzoek gedaan. Je kunt het zo aankleden als je zelf wilt. Zorg in de breedste zin van het woord.'

Allerlei gedachten springen door elkaar heen in Marloes' hoofd. 'Wat een goed idee! En wie gaat het dan opzetten, de baron, of jij?'

Huub slaat zijn armen over elkaar en leunt tegen de muur. 'Ik denk dat wij er beiden bij betrokken zullen zijn, ik meer dan de baron, omdat hij naar het buitenland vertrekt. Maar de uitwerking van het plan en de dagelijkse leiding zouden bij iemand anders moeten liggen. We gaan een stichting oprichten, een bestuur vormen en een denktank van deskundigen samenstellen om de organisatie op te tuigen. Ik had het er met Aniek over en die riep meteen dat we jou ook moesten vragen hiervoor, aangezien jij niet alleen deskundig bent op verpleegkundig gebied, maar ook de heao hebt gedaan en zeer recente ervaring hebt gekregen in het opzetten van een organisatie. Wout, die ik ook al heb benaderd, was het roerend met haar eens. Dat was vlak voor Aniek door de misselijkheid gevloerd werd.'

Marloes moet even omschakelen. Het gebeurt toch niet elke dag dat ze zomaar een baan aangeboden krijgt.

Huub glimlacht als hij haar verblufte gezichtsuitdrukking ziet. 'Het plan is nog pril, Marloes. Ik reik het je aan, denk er maar eens over of je het zou zien zitten. Wat ik zei, je kunt op internet allerlei informatie vinden over zorghotels, ik kan je zo een paar links doormailen. Je zou voor een of meerdere dagen, fulltime als je wilt, betrokken kunnen zijn. Als je het wat vindt, moeten we het maar eens over arbeidsvoorwaarden hebben.'

Marloes straalt en schudt in haar enthousiasme de arm van Huub heen en weer.

'Huub, wat een geweldig plan! Hoeveel tijd heb ik om hierover na te denken?'

Huub haalt zijn schouders op.

'Ik sta in nauw contact met de familie. Ze laten een groot deel aan mij over. Ze willen er ook niet iedereen in hebben, aanvankelijk werd er gedacht aan een tehuis voor welgestelde bejaarden. Maar een zorghotel is honderd keer beter. Denk bijvoorbeeld aan een plek waar mensen in alle rust kunnen revalideren wanneer dat thuis niet – of niet meer – gaat. Wellicht ook permanente plekken voor minderbedeelden, het kan nog alle kanten op. Ik ben met een mogelijke financierder daarover in gesprek, een heel sympathieke man. Hij wil vooral de armeren in de samenleving ondersteunen, en dat spreekt mij ook enorm aan. Maar dat contact kwam voor mij uit een heel onverwachte hoek, ik moet dat nog wat meer uitdiepen. Hij wil in elk geval anoniem blijven, dat is al wel duidelijk. De locatie van het kasteel is verder goed, het is een rustige omgeving, er zijn genoeg kamers voor gasten en personeel. Het geheel is kortgeleden gerenoveerd, dus wat dat betreft zijn er geen problemen.'

Marloes ziet gelijk allerlei mogelijkheden en roept: 'Ik kan je wel zoenen!'

Huub deinst onwillekeurig iets achteruit. Wat zoenen betreft, daar komt er maar één voor in aanmerking.

Marloes grijnst om zijn reactie. 'Niet echt, hoor, figuurlijk dan! Ik ga er gelijk over nadenken. Organiseren is het leukste wat er is! Maar ik moet vooral gaan bedenken of ik het naast Buurtzorg kan doen. Fijn dat Wout er ook bij betrokken is. Als team zijn we ook goed op elkaar ingespeeld, moet ik zeggen.'

Huub lacht om het enthousiasme van Marloes. 'Laten we binnenkort maar eens om de tafel gaan om de plannen uit te werken. We houden contact hierover.'

Hij loopt met Marloes mee naar de voordeur.

Ze werpt een blik op de trap. 'Wat naar dat Aniek er zo slecht aan toe is. Je laat het wel weten dat ik geweest ben, hè? En waar is de hond, Chips?'

Huub knikt richting bovenverdieping. 'Aan de voeten van Aniek. Aandoenlijk, alsof hij aanvoelt dat ze zich zo ziek voelt. Zodra ze niet langer plat hoeft te liggen, belt ze je wel. Ongelooflijk, een slokje water veroorzaakt nog braakneigingen. Dat komt niet zo vaak voor, volgens Wout. Sorry, ik ben vast wat minder gezellig dan Aniek.'

Marloes grinnikt. 'Je vist naar complimentjes.'

Huub grijnst, zijn door verdriet getekende gezicht lijkt opeens jaren jonger.

'Ondanks alles, hoe moeilijk dit ook voor je is, wil ik je toch feliciteren met de zwangerschap, Huub.'

Hij knikt en steekt zijn handen in zijn zakken. 'Ja. Bedankt.'

Ze haast zich nu de deur uit. 'Tot gauw, Huub, knuffel voor Aniek en sterkte!'

Marloes maakt meteen een plan voor de rest van de middag, nu het bezoek aan Aniek in het water gevallen is. Zeker weten dat ze bij Jasmijn welkom is. Silas is dit keer bij haar buurvrouw, die geniet van het oppassen. Ze kan het haar niet aandoen haar zoon eerder dan afgesproken op te halen.

Nu kan ze meteen samen met Jasmijn brainstormen over het nieuwe plan!

# 6

Het plan om Jasmijn met een bezoek te verrassen gaat niet door, de vogel is gevlogen.

Daarom rijdt Marloes, na even nagedacht te hebben, door naar de bed and breakfast De Oude School. Hopelijk is de oma van Aniek thuis, dan kan ze haar feliciteren met de aanstaande geboorte van een achterkleinkind. Ze mijmert erover hoe deze vrouw met haar kleindochter Aniek in het dorp terecht is gekomen, waar beiden hun bestemming vonden.

Marijke Marwijk en Bertram de Groot zijn al vrij snel na hun kennismaking getrouwd, ondanks – of misschien wel dankzij – hun gevorderde leeftijd.

Marijke vindt het heerlijk om ervoor te zorgen dat alles reilt en zeilt in de B&B. De kleindochters van Bertram, Jasmijn en Bonnie, zijn sinds hun trouwen te druk om zich daarmee bezig te houden.

Ze wordt door de oma van Aniek hartelijk ontvangen en deze straalt als Marloes haar feliciteert. 'Geweldig, hè? Kom je net bij Aniek vandaan? Hoe is het nu met haar? Ik dacht eerst nog: kom nou, bijna alle zwangere vrouwen hebben last van ochtendmisselijkheid. Maar bij Aniek schijnt het toch extreem te zijn.'

Marloes loopt met Marijke mee het schoolgebouw in.

'Vind je het erg als ik even doorga met bedden opmaken?' vraagt Marijke. 'Er komen gasten, ik verwacht hen vanavond al. Familie van mensen uit het dorp die thuis geen slaapplaatsen hebben. Je mag me helpen als je wilt.'

Dat doet Marloes met alle plezier, dan kunnen ze ondertussen gezellig kwebbelen.

Marloes begint over de familie uit het kasteel dat geen kasteel is en hun emigratieplannen.

'Ja, ik heb het gehoord, dat is me wat! Bertram moet zijn schaakvriend Diederik missen. Zuid-Frankrijk... En het kasteel komt weer leeg te staan. Maar ik hoorde dat ze erover nadenken om het een andere bestemming te geven.'

Marloes gooit haar jasje op een stoel en neemt een stapeltje handdoeken van Marijke over.

'Dat klopt, Huub vertelde me net hetzelfde.' In korte bewoordingen legt ze het plan van het zorghotel uit.

Marijke staakt voor een moment haar bezigheid. Ze kijkt Marloes over een tweepersoonsbed heen aan. 'Wat een geweldig idee! De familie zal gelukkig zijn met een doel voor het grote huis. Leegstand is funest en van verkopen komt vast niets terecht, in deze crisistijd.'

Drie opgemaakte bedden later lopen ze binnendoor naar het meestershuis.

'Bertram is op bezoek bij zijn kleindochter. Nee, niet Jasmijn, vandaag is Bonnie aan de beurt. Bonnie is hier zo goed op haar plek, ze begint een echte ouderwetse domineesvrouw te worden. Soep brengen aan een zieke, dat soort dingen. Hun huis staat altijd open voor wie in nood zit, bij wijze van spreken dag en nacht. Heb je nog tijd voor een kopje thee?'

De huiskamer in het meestershuis is gezellig ingericht, de meubels van Bertram en Marijke passen goed bij elkaar. Volgens de kleindochters van Bertram, Jasmijn en nicht Bonnie, lijkt de bejaarde heer sinds zijn tweede huwelijk een verjongingskuur ondergaan te hebben. En Omie, zoals Marijke genoemd wordt, is eindelijk haar wilde haren kwijt. Ze rijdt niet langer op haar motor, die heeft ze verkocht aan Axel Voogd, de zwager van Bonnie.

Het is gemakkelijk praten met Marijke, maar dat is voor Marloes niet nieuw. Onderwerpen genoeg. Onvoorstelbaar dat ze een leeftijdsgenoot van oma Geertje is.

'Vertel eens hoe het met jouw zoon gaat? Ik hoorde dat je buurvrouw nogal eens op hem past? En Geertje vertelde me dat je bij haar op bezoek bent geweest, ze prijst je de hemel in. Ze gaat wel wat achteruit, vind je niet?'

Als Marloes wil vertrekken na twee koppen thee, treft ze nog net Bertram aan die terugkomt van zijn bezoekje aan de pastorie.

Staande in de gang praten ze over het kasteel dat geen kasteel is, en de baan die Marloes aangeboden gekregen heeft.

'Het zou een heel goede bestemming zijn voor het kasteel. En jij zou daar prima in het team passen, Marloes, dat heeft Aniek goed gezien. Alle praktische zaken zullen wel via Huub lopen, neem ik aan, aangezien Boudewijn en zijn gezin binnenkort naar Zuid-Frankrijk vertrekken. Diederik, de oude baron, blijft nog iets langer om de lopende zaken af te ronden en afscheid te nemen van deze en gene. Zal ik hem eens vragen of hij je een rondleiding kan geven in het kasteel? Dat helpt je misschien in je besluitvorming of je het wilt gaan doen.'

Marloes vindt het gelijk een goed idee. 'Dan kan ik Wout Ouderaa misschien meenemen, hij gaat ook deel uitmaken van het team, vertelde Huub.'

Bertram is blij dat hij haar een plezier kan doen. 'Ik zal hem eens bellen en het aankaarten. Tjonge, wat zal ik hem missen straks!'

Marijke haakt een arm door de zijne. 'Gelukkig maar dat je mij nog hebt,' zegt ze stralend.

Lachend verlaat Marloes het meestershuis.

's Avonds belt Marloes met Wout Ouderaa. 'Wat houd jij veel dingen voor mij geheim,' zegt ze quasiverontwaardigd. 'Zwangerschappen, zorghotels.' Lachend luistert ze naar de verontschuldigingen aan de andere kant van de lijn. 'Houd maar op, ik plaag je maar. Maar wat een geweldige ontwikkelingen, allebei trouwens!'

Ze praten even over de aanstaande ouders, maar algauw brainstormen ze over het zorghotel.

'Het wordt een heel project, Marloes. Maar met het team dat Huub aan het samenstellen is, hebben we alle expertise in huis om het van de grond te trekken. Alleen de financiën zijn nog spannend. Maar ik begrijp dat er een financierder is die overweegt te investeren in het project.'

Marloes sluit af met het aanbod van Bertram om een rondleiding te regelen via de baron, waar Wout meteen voor te porren is.

'Laat maar weten wanneer, ik ben er graag bij.'

Marloes houdt haar mobiele telefoon peinzend in haar hand als ze opgehangen heeft. Wout als collega, Wout als vriend. Wout als...? Verward staat ze op. Aniek heeft wel wat teweeggebracht met haar opmerking. Denkend aan Aniek schiet haar te binnen dat ze Huub wil vertellen over de mogelijke rondleiding. Ze wil niet dat hij het idee krijgt dat ze achter zijn rug om zelf dingen aan het regelen is. Dan kan ze gelijk vragen hoe het met Aniek gaat.

Terwijl ze naar de keuken loopt om een glas fris te halen, toetst ze zijn nummer in.

Aniek blijkt wel wat opgeknapt te zijn, maar ligt al te slapen. Huub klinkt opgelucht als hij het heeft over de gezondheid van zijn vrouw. Als Marloes vertelt van het aanbod van Bertram, zegt hij het prima te vinden als Marloes met Wout bij de baron op bezoek gaat.

'Doe dat maar, dan kunnen jullie alvast vanuit zorgoogpunt kijken wat er volgens jullie nodig is en gedaan moet worden. Ik schat zo dat binnen een maand of twee de eerste vergadering zal plaatsvinden, dus je hebt nog even tijd om na te denken of je mijn aanbod accepteert. Of ben je er al uit?' plaagt hij.

Ze praten nog even over hoe Marloes beide banen zou kunnen combineren, zodat ze bij Buurtzorg betrokken kan blijven. In een later stadium zou ze tussen beide banen kunnen kiezen, of beide aanhouden.

Als Marloes heeft opgehangen, ijsbeert ze door de kamer. Kiezen uit twee banen, wat een luxe! Ze wil Buurtzorg niet zomaar aan de kant zetten, ze is zo bij de opstart betrokken geweest dat het voelt alsof het haar eigen bedrijf is. En daarbij geniet ze ook erg van de contacten met zowel de cliënten als haar nieuwe collega's. Tegelijkertijd ziet ze enorm uit naar deze nieuwe uitdaging. Ze staat stil en zucht, voelt hoe vanuit haar diepste zijn een dankgebed opwelt. Dankbaarheid omdat ze haar talenten mag gebruiken, en werk mag doen waar ze goed in is en plezier in heeft.

Opgewekt gaat ze aan de slag met wat huishoudelijke taken die zijn blijven liggen. Pas als ze klaar is met het wegvouwen van de laatste rompertjes van Silas, gunt ze zichzelf even rust.

Met een glas wijn en wat nootjes, om te vieren dat ze bijna twee banen heeft, kijkt ze naar het journaal. Met één oog kijkt ze intussen op haar mobiele telefoon of er nog nieuwe mailtjes binnengekomen zijn. In het gebruikelijke tempo scrolt ze erdoorheen, onnodige mailtjes gelijk wegklikkend.

Ze schrikt als ze ziet dat ze opnieuw een mail van Mariska, haar oud-collega uit het ziekenhuis, heeft ontvangen, net op het moment dat de nieuwslezer vertelt dat ergens in de wereld de noodtoestand is afgekondigd. Ze kijkt naar het televisiescherm, bijna verwachtend dat de man gaat vertellen dat een belangrijke e-mail ervoor gezorgd heeft dat er opnieuw een crisis in het leven van Marloes van Kessel is ontstaan. Met de afstandsbediening zet ze het geluid zacht en na een korte aarzeling opent ze de mail.

Vlug glijden haar ogen over de regels.

*Beste Marloes,*

*Je hebt nog niet gereageerd op mijn mail. Ik begrijp daaruit dat je nog steeds boos op me bent. Dat kan ik me goed voorstellen, ik ben ook nog boos op mezelf.*

*Maar ik heb iets bedacht waardoor ik het goed kan maken. Tenminste, een klein deel goed kan maken, want helemaal lukt natuurlijk nooit meer.*

Marloes gaat verontrust op het puntje van haar stoel zitten als ze leest dat Mariska contact heeft gezocht met de personeelsfunctionaris in het ziekenhuis, degene die haar verteld had dat Thomas was overleden.

*Je kent haar toch nog wel? Agnes, zij had iets per post naar Thomas opgestuurd en toen had zijn moeder laten weten dat hij was verongelukt. Zodoende kwam Agnes erachter dat hij niet meer leeft.*

*Afijn, hoe dan ook, je bent Thomas door mijn toedoen kwijtgeraakt, maar hij heeft nog familie. Dus ik heb Agnes met een smoesje gevraagd om het mailadres van zijn moeder. Ik heb heel leuk met haar heen en weer gemaild, en toen heb ik haar verteld over jou en Thomas.*

Marloes zakt van haar stoel af tot ze op de grond zit, terwijl ze ongelovig haar hoofd schudt. 'Nee, nee, nee! Heb je niet al genoeg aangericht?'

*Je hebt me nog niet verteld of je baby inderdaad van hem is, maar ik heb het vermoeden naar haar uitgesproken dat het zou kunnen zijn dat ze een kleinkind heeft. Ze heet trouwens Kathy, maar dat wist je misschien al wel.*

Kreunend leest Marloes hoe Kathy al plannen had om naar Nederland te komen met haar zoon Steve, en dat ze dat nu gaat combineren met een bezoek aan Marloes. Mariska heeft haar verteld in welk dorp

Marloes woont, en haar e-mailadres en telefoonnummer doorgegeven.

*Thomas' dood is inmiddels alweer ruim een jaar geleden en ze wil graag het leven weer oppakken, en op zoek gaan naar haar wortels en zo. Dit is natuurlijk een geweldige verrassing voor haar! Ik ben zo blij dat ik dit voor je heb kunnen doen. Ik heb haar ook mijn niet zo fraaie rol in het verhaal opgebiecht, dus dat bespaart jou de hele uitleg. Ze vond het natuurlijk niet netjes van me, maar doordat ik contact met haar had opgenomen, had ik het weer goedgemaakt. Zie je, zij heeft het mij kunnen vergeven; ik hoop jij nu ook. Ik wacht in spanning op je reactie.*

*Groetjes, Mariska*

Marloes stoot een vreugdeloze lach uit. Hoe dom kan iemand zijn? Hoe kan Mariska denken dat ze hiermee de door haar aangerichte chaos kan goedmaken? De chaos is hiermee alleen nog maar groter geworden.

Razendsnel probeert Marloes te bedenken wat de gevolgen kunnen zijn van deze stap. De moeder van Thomas weet nu dat haar zoon – waarschijnlijk – een kind heeft verwekt bij een Nederlandse vrouw. Die Kathy kan geen rechten doen gelden, want Thomas was niet met Marloes getrouwd. Maar het Marloes lastig maken kan ze natuurlijk wel.

Kreunend legt ze haar hoofd op haar opgetrokken knieën.

Terwijl zij nog druk bezig was te bedenken of het wijs was om de familie van Thomas te benaderen, en of zij hen überhaupt in haar leven en dat van Silas wilde, was die beslissing haar nu uit handen genomen.

Haar feestelijke stemming is tot het nulpunt gezakt. 'Wat is hier nou de bedoeling van, Heer?' fluistert ze. Ze vecht tegen een gevoel van opkomende paniek. 'Geef wijsheid, wat moet ik doen?'

Ze staat op, en opnieuw helpt het haar om heen en weer te lopen door haar woonkamer. Even alles rustig op een rijtje zetten nu.

Wat is het probleem?

Kathy Gates.

Wat moet ze doen? Haar wél of niet toelaten in hun leven? Ze kan nu nog kiezen. Hoewel... de vrouw heeft haar gegevens, weet in welke plaats ze woont. Veel valt er niet meer te kiezen. Wél kan ze beslissen wat voor rol deze Kathy in hun leven toebedeeld zal krijgen. Zij, Marloes, is per slot van rekening de moeder van Silas, zij bepaalt de grenzen.

Abrupt staat ze stil. Dat is het! Opgelucht laat ze zich weer op de orenstoel neerzakken. Ze neemt een slokje wijn en staart zonder echt te kijken naar de beelden op het televisiescherm.

En hoe Kathy zich op zal stellen is van doorslaggevend belang.

Marloes stelt zich een Amerikaanse voor zoals ze die vaak in films heeft gezien. Een knauwende, luide stem, geblondeerd haar en wulpse vormen. De natuur hier en daar een handje geholpen door een plastisch chirurg. '*Hello sweetheart*!' roepen, al kauwgom kauwend. Ze huivert even. Misschien vergist ze zich.

Ze pakt haar mobiele telefoon en verwijdert de mail zonder hem te hebben beantwoord. 'Dag Mariska, je kunt voor mijn part wachten tot je een ons weegt. Voorlopig krijg je van mij geen antwoord!' zegt ze hardop en met een klap belandt de telefoon op de salontafel. Als schuldgevoel in haar opkomt, zucht ze berustend. 'Oké, ik zal haar binnenkort antwoorden. Maar nu nog even niet!'

De vorige keer was Wout er geweest om haar op te vangen. Zijn woorden over vergeving echoën nog na in haar hoofd. Ze aarzelt. Zal ze toch Wout bellen en vragen wat ze volgens hem zou moeten doen met deze nieuwe ontwikkelingen?

Dan zet ze de televisie uit, ze pakt haar telefoon en legt hem in de keuken aan de oplader.

Nee, dit moet ze zelf doen. Helemaal alleen.

Als Marloes de volgende ochtend druk bezig is op kantoor, gaat haar mobiel.

'Aniek!'

Ze krijgt geen kans wat te zeggen, Aniek is haar voor. 'Jammer dat ik al sliep toen je gisteravond belde! Nooit geweten dat je zo ziek van een zwangerschap kunt zijn. Ik heb er medicatie voor gekregen, maar ik ben zo bang om het kindje te beschadigen. Gelukkig voel ik me wel ietsje beter nu.'

Als Aniek ademhaalt om haar relaas te vervolgen, grijpt Marloes haar kans om Aniek ervan te overtuigen dat ze absoluut begrip heeft voor de situatie.

'Die misselijkheid en wat er nog meer komt, Aniek, gaat voorbij. Het hoort er nu eenmaal bij. Als de baby er is, ben je de narigheid zo vergeten. En Huub, dat is een schat van een man. Hij houdt oprecht van je. Aniek, ik wens jullie al het mogelijke geluk!'

Aniek snuft zacht. 'Ik ben om het minste of geringste van streek. Hoort dat er ook bij? Emotionele toestanden... Zeg, het is bij ons wel een geboortegolf, nietwaar? Jij met Silas, Jasmijn met haar Willemientje en nu wij. Het wachten is op een baby voor de pastorie, bij Bonnie en Maurits.'

Zo te horen is Aniek weer behoorlijk opgeknapt, stelt Marloes vast. 'Geef je maar gewoon over, Aniek. Laat alles maar gebeuren. En eh... maak je niet te druk!'

'Jij kunt het weten. Ik hoorde van Huub dat je belangstelling hebt voor zijn idee om een zorghotel in het leven te roepen. Ik wist het wel! Ik vind het zo fijn dat de baron hem hiervoor gevraagd heeft. Zulk soort bezigheden zijn goed voor hem.'

'Ik weet het. Lief dat je me hebt voorgedragen! Opa De Groot vond het ook al een goed idee, van het zorghotel. Hij is een oude vriend van de baron en heeft beloofd te vragen of ik er een keertje mag rondkijken, in het kasteel. Aniek, ik moet helaas ophangen. Ik bel je gauw. Beterschap en geniet!'

Genieten, dat heeft zijzelf tijdens de zwangerschap bijna niet gedaan. Er kwam te veel op haar af. Iets wat niet meer terug te draaien is. Zou Silas er iets van gemerkt hebben in de moederschoot, en daar ooit last van krijgen?

Tijd om daarover na te denken is er niet.

Karen, Nettie en een paar collegaatjes komen zo te horen vrolijk het gebouw binnen, op tijd voor het teamoverleg. Karen heeft een slagroomtaart als traktatie meegenomen, zomaar voor de gezelligheid, wat tekenend is voor de werksfeer.

'Goedemorgen, meiden!' Marloes doet vrolijk, maar dat is de buitenkant. Gelukkig kan niemand in haar hoofd en hart kijken.

Karen vraagt gelijk hun volle aandacht.

'Ik heb nu in korte tijd achterelkaar een paar gevallen van mensen die dementeren. De familie ziet het nog niet, maar ik herken de signalen. Ik kan je zo een lijstje opsommen van dingen die staan te gebeuren. Uitvallen van het geheugen, mensen niet herkennen, enfin, vul maar in. Ik vind dat we moeten uitbreiden met een psychogeriatrisch medewerker, misschien zelfs een apart team. Zodat mensen langer thuis kunnen blijven wonen. En dat zo veilig mogelijk.'

Marloes denkt meteen aan Geertje Voordewind. En zo zijn er waarschijnlijk vele anderen.

Bedachtzaam zegt ze: 'Daar waren we nog niet aan toegekomen. Maar ik denk dat je gelijk hebt, goed dat je dit aankaart, Karen! Zeker weten dat we wel aan gespecialiseerd personeel kunnen komen. Geweldig dat we in ons systeem zo werken dat we elkaar kunnen wijzen op gevallen waar bepaalde zorg nodig is.'

Als de stilte in het kantoor is teruggekeerd, legt Marloes haar iPad op het bureau en laat ze zich in de bureaustoel zakken. Haar handen liggen werkeloos op haar schoot terwijl haar gedachten afdwalen naar het nieuwe probleem: Kathy Gates. Hoe moet ze dit gaan aanpakken?

Dan rinkelt de telefoon, een aanvraag voor hulp. Marloes maakt een afspraak voor een intake en noteert alle gegevens van de beller. Even later moet ze weg, het is tijd voor haar eerste cliënt van die dag. Tijd om aan het thuisfront te denken is er nu even niet, haar werk eist al haar aandacht op. Maar Marloes is blij als haar taak voor die dag erop zit.

Voor ze Silas bij de buurvrouw gaat ophalen, besluit ze even langs de B&B te rijden met de vraag of opa De Groot de baron al heeft benaderd. Natuurlijk kan ze dat telefonisch doen, maar ze hunkert ernaar om zich even te koesteren in de warme uitstraling van Marijke en Bertram de Groot.

'Eigenlijk verwachtten we al dat je langs zou komen,' lacht Marijke. 'Ga lekker in de kamer zitten, Marloes, je bent net op tijd voor ons thee-uurtje.'

Het onderwerp zorghotel wordt uitgebreid besproken. Bertram heeft inderdaad al contact met de baron gehad.

'Hij is zo enthousiast over het concept zorghotel. Het moet natuurlijk allemaal nog uitgewerkt worden, maar daar heeft hij Huub de leiding over gegeven. De familie wil ook graag financieel bijdragen aan het plan.'

Marloes knikt. 'Huub zei al zoiets. Maar is de familie dan echt zo kapitaalkrachtig?'

Bertram lacht fijntjes. 'Reken maar! Oud geld. En van huis uit is er altijd gedoneerd aan goede doelen. Dit spreekt hem erg aan. Maar nu jij, Marloes, wat scheelt eraan?'

Marloes zet haar lege theekopje met een klap terug op het schoteltje. Haar handen beginnen te trillen en ze schaamt zich over haar gebrek aan zelfbeheersing. Is het zo duidelijk dat er wat aan scheelt? Ze probeert de opmerking weg te lachen, maar dat mislukt jammerlijk.

Marijke knikt haar warm toe. 'Wordt het je te veel, Loesje? Er is de laatste tijd ook zo veel op je afgekomen!'

Marloes schudt haar hoofd en veegt met een mouw langs haar ogen, zoals een klein kind dat kan doen.

'Daar gaat het niet om... Het gaat om Silas.' Ze gooit het hele verhaal eruit, net zoals ze dat met kerst bij Wout Ouderaa heeft gedaan. Als ze zo doorgaat, weet straks het hele dorp van de hoed en de rand.

Beide oudere mensen luisteren aandachtig, ook tussen de zinnen door.

'Wat een dilemma!' reageert Marijke. 'Niet, Bertram? Moeilijk voor Marloes.'

Opa De Groot knikt.

'Als ik aan die Amerikaanse moeder denk... Zoon verloren, ze was toch al weduwe, zei je? En ze is Nederlandse van oorsprong. Tja...'

Marijke neemt een hand van Marloes in de hare. 'Foei, wat voel jij koud aan.'

Wetend dat Marloes geen naaste familie meer heeft, voelt ze zich geroepen om zich over de vriendin van haar kleindochter Aniek te ontfermen.

'Goed dat je het ons hebt verteld, dan kunnen we meedenken. Even concreet: dus jij bent bang dat die vrouw vandaag of morgen bij je op de stoep staat? Weet je wat ik in zulke gevallen vaak denk: verplaats je eens in de tegenpartij. Hoe zou zij tegenover de kwestie staan?' Marijke kiest haar woorden zorgvuldig.

'Het weten – al is het nu natuurlijk nog maar een vermoeden – dat haar zoon bij iemand een kind heeft verwekt, zal haar de nodige spanning bezorgen. Misschien verontwaardiging, maar ook blijdschap: "Ik wist niet dat ik al oma was." En dan tobt ze natuurlijk ook over jou. Met wat voor soort meisje heeft haar zoon omgegaan? Misschien is het wel een ontzettend ordinair type, of een onaangenaam mens. Dat kan toch?'

Marijke spreekt zo beeldend dat Marloes met grote ogen luistert. Zij heeft op dezelfde manier over de moeder van Thomas gefantaseerd. Ze had er niet bij stilgestaan dat zijn moeder zich op haar beurt ook weleens zorgen over haar zou kunnen maken. Maar Marijke heeft wel gelijk.

Bertram doet, na lang peinzen, ook een duit in het zakje.

'Je moet je wel realiseren dat het altijd anders komt dan jij nu denkt. Kijk, niemand ter wereld kan de kleine jongen van jou afpakken. Maar jij op jouw beurt kunt wel iets betekenen voor die bedroefde vrouw. Misschien heeft de Here God wel een bedoeling met die connectie. Zo maar een gedachte, maar als je ouder wordt, komen dat soort dingen vaker in je hoofd op. Leiding. Het kan zijn dat jullie elkaar nodig hebben. Ooit, misschien.'

Marloes fronst en schudt haar hoofd. 'Nodig? Ik heb niemand nodig... echt niet, we redden het prima met z'n tweetjes!'

Marijke geeft Marloes' hand een kneepje. 'Dat denk je nu. Maar er kunnen momenten komen dat je wel degelijk behoefte aan een naaste hebt. Lieverd, laat het even rusten tot je meer over haar weet. Hoe je reageren zult als ze zich bij je meldt, kun je nu nog niet weten.'

Laat het rusten. Zei Wout Ouderaa ook al niet zoiets?

'Het laat me gewoon geen moment los.' Hulpeloos kijkt Marloes Marijke aan.

'Dat is ook begrijpelijk, Marloes. Kijk, je hebt moeten vechten om je leven op orde te krijgen. Eerst de schrik van de zwangerschap, daarna je komst hier en het besluit te blijven, de geboorte van Silas, toen het opstarten van Buurtzorg, wat je totaal opslorpte en nu dit... Als ik het zo opsom, is het me ook niet wat, zeg! Geen wonder dat je even niet weet waar je het zoeken moet.'

Marloes slaat haar handen voor de ogen en blijft een moment zo zitten. Ze probeert de kalmte te herwinnen. Als dit eindelijk is gelukt en ze dan opkijkt, ziet ze twee paar oudere ogen die haar zo liefdevol aankijken, dat haar gemoed weer volschiet.

'Jullie zijn zo lief... Aniek boft maar met haar Omie, en nu ook nog een opa De Groot.'

Marijke straalt. 'Of, zoals Jasmijn en Bonnie hem noemen: Oop.'

Marloes lacht door haar tranen heen. 'Het zijn bofferds, alle drie jullie kleindochters. Aniek, Bonnie en Jasmijn.'

Opa De Groot schraapt zijn keel.

'Wel, ik denk dat Marijke het wel met mij eens is als ik zeg dat wij jou graag als kleinkind adopteren, Marloes! In het vervolg zijn we ook jouw Omie en Oop, als je dat fijn vindt.'

Marijke kijkt haar man innig aan en bedenkt dat zij, Marijke, nog de grootste bofferd is, met zo'n lieve man!

# 7

Marloes is op haar vrije dag druk bezig om de tuin lenteklaar te maken, wanneer ze een telefoontje krijgt van de oude baron zelf. Ze loopt met de telefoon aan haar oor naar binnen, zodat de buren niet hoeven mee te genieten van het gesprek.

'Natuurlijk weet ik wie u bent, Bertram de Groot vertelde al dat u zou bellen.'

De baron nodigt Wout en haar officieel uit voor een rondleiding in het kasteel dat geen kasteel is. Hij vertelt dat zijn zoon met zijn gezin al vertrokken is naar Zuid-Frankrijk, en dat er heel wat komt kijken bij zo'n verhuizing naar het buitenland.

'Dat kan ik me voorstellen,' zegt Marloes. 'Bent u van plan om uw inboedel mee te verhuizen naar Frankrijk?'

'Wel, mijn zoon en schoondochter roepen om het hardst dat ze kiezen voor eigentijdse meubels. Alles modern. Dus een groot deel van het antieke meubilair is achtergebleven. Ik denk niet dat die geschikt zijn voor uw doel. Misschien richt u een huiskamer in waar de bewoners elkaar kunnen treffen. Kijk, daar zie ik wel oude meubelen staan. Maar voor de logeerkamers, of de ziekenvertrekken, zou ik persoonlijk andere zaken aanschaffen.'

Marloes is het roerend met hem eens, en als ze na een tijdje het gesprek wegklikt, staat er in haar agenda een afspraak bij het kasteel ingepland. Tevreden neuriënd belt ze Wout Ouderaa. Als hij opneemt zegt ze zangerig: 'Goedemiddag, u spreekt met Kasteel-tour bv. U had een rondleiding besteld?'

Wout mindert vaart en zijn auto kruipt in een slakkengangetje over de oprijlaan van het kasteel. 'Hoewel ik hier vaak ben geweest, Marloes, bekijk ik het gebouw en alles eromheen nu met heel andere ogen. Laten we onze ogen goed de kost geven! Jammer dat Boudewijn en Titia al zijn vertrokken. Het zijn vrienden geworden in de tijd dat ik hier woon.'

Marloes knikt afwezig. 'Dat kan ik me voorstellen. Jammer is dat. En dan nu deze plannen... Wat denk je, zou het financieel allemaal wel rond te breien zijn?'

Wout denkt dat dit met de beloofde donatie van de familie zeker moet lukken, helemaal als de geheimzinnige financierder van Huub overgehaald kan worden om mee te werken.

Wout parkeert zijn wagen op een ruime, daarvoor bestemde plaats. Ze stappen uit en blijven even naar het kasteel staan kijken. Het statige landhuis is omgeven door enorme, oude eikenbomen.

Marloes slaat haar armen over elkaar en zucht tevreden. 'Wat een geweldig project! Ik kan gewoon niet wachten!'

Wout kijkt haar geamuseerd aan en er trekt een scheef glimlachje om zijn mond.

Marloes merkt dat haar blik geïnteresseerd blijft hangen aan zijn mondhoek en ze kijkt snel weg, terwijl ze grote belangstelling voor de bestrating onder hun voeten voorwendt. 'Wat? Zeg ik iets geks?'

Wout schudt zijn hoofd. 'Nee, maar het is gewoon grappig hoe ondernemend jij bent. Wat moeten we hierna verzinnen? Een eigen ziekenhuis?'

Kameraadschappelijk lopen ze langzaam over het pad naar de voordeur. Marloes wijst. 'We zullen een ingang voor rolstoelers moeten creëren, Wout, een helling. Misschien is er opzij of achter het pand gelegenheid?'

'Hier is van alles mogelijk. Je hebt gelijk, die bordestrap is niets voor mensen met stramme benen en invaliden.'

De baron staat hen al op te wachten en met een joviaal gebaar noodt hij hen binnen. 'Welkom, jullie beiden. Zo, zullen we eerst maar eens een rondje doen? Dan graag deze kant uit.'

Hij heeft bij elke ruimte wel een verhaal te vertellen, en Marloes telt in stilte de kamers die ze tijdens de rondleiding tegenkomen. Langzamerhand begint er zich bij haar al een plan te vormen, over hoe het kasteel te gebruiken is en welke mogelijkheden het biedt. De balzaal, zoals die nu wordt genoemd, zou in haar ogen prima geschikt zijn als ontmoetingsruimte. Ze maakt notities voor zichzelf, om later met Huub en Wout te bespreken.

De tijd vliegt voorbij, ongemerkt zijn ze zomaar een paar uur aan het rondwandelen met de baron.

Na een welverdiende kop koffie nemen ze afscheid. De baron zegt een veiling te willen houden voor de bezittingen die hij niet mee wil nemen. 'De opbrengst daarvan wordt een schenking voor het nieuwe zorghotel.'

Op de terugweg staat de mond van Marloes niet stil. 'Zo gul als de baron is! Je kunt wel zeggen dat het gemakkelijk uitdelen is voor iemand die zo welgesteld is als hij, maar toch zullen er veel mensen zijn die er niet over peinzen zulke schenkingen te doen.'

Wout is het met haar eens.

'Als ik jou zo bezig zie, Marloes, is er bij mij geen enkele twijfel. Bel Huub maar gewoon dat je het doet en ga het gesprek met hem aan, en wat betreft Buurtzorg: daar is wel een mouw aan te passen.'

Marloes zucht instemmend. 'Dat ga ik doen, zo'n kans kan ik niet aan mijn neus voorbij laten gaan.'

Wout zet Marloes voor de deur van haar huis af, en als ze uit wil stappen draait hij zich naar haar toe. 'Dat is nou zo leuk aan jou, Marloes. Er komt iets op je pad en je ziet gelijk allerlei mogelijkheden.'

Marloes krijgt een kleur en mompelt een soort bedankje terwijl ze haar gordel losklikt.

'Fijne dag verder, en bedankt voor de lift, Wout.'

Ze gooit het portier dicht en kijkt de verdwijnende achterlichten na. Even toeteren, en terwijl ze zwaait, verdwijnt de auto om de hoek.

Langzaam loopt Marloes naar het buurhuis om Silas te halen. Er is weer veel om over na te denken.

Heel langzaam lengen de dagen. Op de kalender mag de winter voorbij zijn, aan de weersgesteldheid is het vaak nog niet te merken. Het is dat de wilgenkatjes uitbundig hun gang gaan, en dat in de tuinen de bloembollen hun best hebben gedaan om boven de grond uit te komen.

Op een ochtend, als de zon het eindelijk voor het zeggen heeft, gaat bij de B&B de bel. In het hoogseizoen kunnen gasten via dat wat eens de voordeur van de school was, vrijelijk in en uit gaan. Maar wanneer het minder druk is, worden eventuele bezoekers verwezen naar het meestershuis.

Marijke heeft net het koffiezetapparaat aangezet als ze de voordeur opent.

Visite verwacht ze niet en voor een collecte lijkt het haar nog aan de vroege kant. Misschien een gast voor de B&B?

Vragend kijkt ze de persoon aan die op de stoep staat. Ze registreert een niet meer zo heel jonge vrouw, zo midden vijftig, met een goed verzorgd uiterlijk. Marijke heeft zich getraind om eventuele gasten kritisch te beoordelen, en in een mum van tijd heeft ze ook de hele verschijning opgenomen. Een rechercheteam zou in geval van een misdrijf een goede getuige aan haar hebben.

'Goedemorgen. Ik heb begrepen dat u kamers verhuurt in uw bed and breakfast? Ook voor een iets langere tijd?'

Marijke knikt de vrouw vriendelijk toe. Deze persoon heeft geen kwaad in de zin, oordeelt ze.

'Zeker, u bent aan het goede adres. En er is ruimte genoeg op het moment. Pas omstreeks Pasen hebben we weer de eerste boekingen. Als u een moment hebt, haal ik de sleutel van het gebouw hiernaast.'

Marijke knoop haar schort af en steekt ondertussen haar hoofd om de hoek van de kamerdeur. 'Ik ben even naar hiernaast, Bertram. Een nieuwe gast.'

Bertram kijkt over zijn krant en knikt haar warm toe. 'Vraag anders maar of de gast zo meteen een kopje koffie meedrinkt.'

Eenmaal binnen geven de vrouwen elkaar een hand. 'Ik ben Marijke de Groot. De kleindochters van mijn man hebben de B&B opgezet, zij zijn ondertussen beiden getrouwd en ach, ik woon vlak naast de school, dus is het logisch dat ik een handje help.'

De vrouw knikt. 'Mijn naam is Kathy Haarsma-Gates. Ik ben op doorreis met mijn zoon, dus we hebben eigenlijk twee kamers nodig. En het hangt van de omstandigheden af hoelang ik wil blijven. Is dat een probleem, ik bedoel: dat ik geen vaste datum van vertrek kan geven?'

Marijke stelt de vrouw gerust terwijl haar gedachten op volle toeren werken.

Gates, die naam noemde Marloes toch? Ze weet dat in Amerika een gehuwde vrouw de eigen meisjesachternaam behoudt en die van de man erachter plakt. In haar geval zou dat Marijke Marwijk-de Groot zijn geworden.

'Het is hier kil, ik zal de thermostaat hoger zetten. U hebt de keus wat betreft de kamers, maar dit is de mooiste.'

Marijke opent de deur van een vertrek waar twee bedden naast elkaar staan.

'Wat *charming*! Ik zie hier en daar ook dingen die echt aan een school herinneren. Mag ik de rest van het gebouw ook bezichtigen?'

Een rondleiding geven doet Marijke maar al te graag.

Het voormalige schoolplein boeit de nieuwe gast bijzonder. 'Ik herken dat uit mijn jeugd. Ik ben geboren en getogen in Groningen in een héél klein dorp. Daar was een schooltje dat in dezelfde stijl was gebouwd als dit. Ach, zie toch, die grote kastanjeboom. Met een rond bankje eromheen. Heerlijk als het in de zomer heet is! Soms zou je even terug willen naar je jeugd, onbezorgd jong willen zijn, hebt u dat ook weleens?'

Marijke knikt. 'O ja. Ik heb nog niet zo lang geleden mijn motor van de hand gedaan. Ik mocht graag met hoge snelheid over de wegen snorren. Maar dat is nu voorbij.'

De vrouw lacht.

Kathy wil alles zien en is verrukt van de entree, waar een schoolbank met origineel toebehoren staat. 'Een echte inktpot! Dat was voor mijn tijd. Hebt u dat nog wel meegemaakt?'

Marijke knikt. 'Vlak na de oorlog. Maar een lei heb ik niet gebruikt, dat was weer iets van mijn ouders. En nu, nu zitten de kinderen al jong achter een laptop!'

Kathy zegt dat ze daar alles vanaf weet.

'Maar kom, ik houd u maar op. Kan ik van u twee kamers huren? Mijn zoon is nog even een boodschap doen, hij moest iets regelen met simkaarten, voor onze mobiele telefoons, zodat we ze hier ook kunnen gebruiken. Ik heb daar toch geen verstand van, dus heb ik gezegd dat hij mij hier maar moest afzetten. Hoe werkt het: wilt u dat ik vooruit betaal?'

Marijke vertelt hoe de gang van zaken is en besluit met: 'Maar eerst krijgt u een lekker kopje koffie van me. Wilt u het hier drinken in het keukentje, of gaat u met mij mee, naar het meestershuis?'

Kathy kiest voor de laatste optie.

'We zijn vanochtend vroeg op Schiphol aangekomen vanuit Seattle. We hebben een auto gehuurd en zijn gelijk hiernaartoe gereden. Onderweg hebben we ontbeten in een restaurant langs de snelweg, een echt Hollands ontbijtje met een vers gekookt eitje erbij.'

Marijke is opgewonden, ze kan dat nauwelijks verbergen. Het kan niet anders of deze vrouw is de oma van de kleine Silas.

Ze ziet verder geen enkele overeenkomst tussen Silas, met zijn donkere uiterlijk, en Kathy, die een erg blanke huid met rozige wangen heeft. Haar kapsel ziet er duur uit, het is prachtig geföhnd en is voorzien van lichte plukjes in het blonde haar.

'Het is hier allemaal zo popperig! Begrijpt u me niet verkeerd... ik kan het goede woord niet vinden. Dat krijg je als je lang in de States hebt gewoond. Mijn man was Amerikaan en ach, wat ben ik lang weggebleven uit mijn vaderland.'

Bertram staat op om de nieuwe gast te begroeten. Hij drukt de hand van de vrouw en nodigt haar uit te gaan zitten.

Terwijl Marijke voor de koffie zorgt, begint Bertram argeloos een gesprek. Hij heeft de link naar Marloes nog niet gelegd. Maar dat duurt niet lang.

Kathy vertelt uit zichzelf dat ze weduwe is, en dat ze al jaren van plan is om terug te gaan naar haar geboorteland. Op verdrietige toon vertelt ze verder: 'Ik ben alleen komen te staan toen mijn man overleed, en mijn jongste zoon is ruim een jaar geleden verongelukt... Niet lang daarna begon het bij mij te kriebelen om naar mijn vaderland terug te gaan, op zoek te gaan naar oude, vertrouwde plekjes, om familie op te zoeken. Ik ben jong getrouwd, ziet u, en heb eigenlijk alle schepen achter mij verbrand.'

Bertram betuigt zijn medeleven en merkt op dat ze de Nederlandse taal nog steeds uitstekend beheerst. 'Ik zou zeggen: bijna accentloos!'

Kathy lacht. 'Terwijl ik al ruim dertig jaar weg ben.'

Marijke komt binnen met de koffie. Als Kathy een speculaasje in de vorm van een molentje uit de trommel pakt, begint ze te stralen.

Bertram en Marijke kijken elkaar veelbetekenend aan. Zonder woorden begrijpen ze elkaar. Bertram houdt het gesprek gaande en informeert wat haar man voor werk deed, en hoe hebben ze elkaar leren kennen?

'Ik had de hogere hotelschool gedaan, en na mijn eindexamen ging ik met een paar vriendinnen op reis. We maakten een rondreis en eindigden in Seattle. Op een dag wilde ik een foto nemen van een hoge toren, maar ik stond te dichtbij, dus ik stapte achteruit en struikelde, waardoor ik letterlijk in de armen van Paul viel. "*Falling in love*" noemen de Amerikanen dat, ik viel letterlijk in zijn armen. Toen ik terug moest naar Nederland, reisde hij me achterna. Zo romantisch, maar hij moest natuurlijk weer terug, voor z'n werk. Hij had een beginnend bedrijf destijds. Zo snel als ik kon reisde ik weer naar hem toe. Dit kon zo natuurlijk niet lang door blijven gaan, dus we trouwden al vrij snel en ik verhuisde naar Amerika. Mijn ouders zijn daar trouwens nog een paar keer bij me op bezoek geweest, maar zijn een paar jaar later beiden overleden. En de rest van de familie... ach, dat contact is verwaterd.'

Het vriendelijke gezicht van Kathy betrekt. 'Mijn man is op jonge leeftijd zijn eigen installatiebedrijf begonnen. Verwarmingssystemen, airconditionings en alles daaromheen. Het bedrijf liep goed en groeide enorm. Op een gegeven moment heeft hij nog een ander bedrijf overgenomen, een paar goede investeringen gedaan, en breidde hij uit van de particuliere naar de bedrijfsmatige sector. In een tijdsbestek van twintig jaar groeide hij van kleine ondernemer uit tot een groot zakenman. Echt de Amerikaanse droom, je zou bijna zeggen "van krantenjongen tot miljonair"!'

Haar lach is bijna bitter, denkt Marijke.

'Mijn man liet zich door zijn zwarte huidskleur niet weerhouden om carrière te maken, of misschien was hij juist daardoor wel zo gedreven. Opgegroeid in een arme wijk van de stad, maar zijn kinderen zouden het beter hebben dan hij, koste wat het kost.'

Marijke ziet tranen in de donkerblauwe ogen glinsteren en drinkt zwijgend haar kopje leeg.

'Dat denken we allemaal als we jong zijn, dat we het anders en vooral beter gaan doen dan onze ouders,' merkt Bertram kalm op. 'Maar het leven is als een golfbeweging. Hoogtepunten, gevolgd door het tegenovergestelde. Terwijl wij allemaal het wiel opnieuw willen uitvinden.'

Kathy zet haar lege kopje op tafel en knikt. 'U zegt het precies zoals het is, golfbewegingen. Toen mijn man stierf, dacht ik: nu is het ergste gebeurd. Meer kan er niet bij. Erger kan het niet worden. Maar nu moet ik ook nog mijn jongste kind missen. Knappe jongen, geweldige student, mooie carrière voor de boeg. En wat gebeurt er? Hij verongelukt, op zo'n domme manier, tijdens een wintersport. Waaghalzen zijn het, die jongens. Stel je voor: ze gingen buiten de piste skiën en hij glijdt zo een ravijn in. Mijn kind. Zijn vriend Joe zag het gebeuren, hij heeft het er zo moeilijk mee. Waarom gebeurde het Thomas en niet hem? Die arme jongen... Dan denk je: waar is

God dan op zo'n moment? Waarom ik, waarom hij? Vind daar maar eens een antwoord op.'

Ze probeert zichtbaar om zich te beheersen.

Bertram knikt haar toe. 'Tja, dat zijn van die levensvragen waar we pas veel later antwoord op zullen krijgen. Maar één ding is zeker: wat er ook gebeurt, onze God was erbij. We leven helaas in een gebroken wereld waar het kwaad hoogtij viert. Maar daar komt ooit een eind aan. Toen mijn eerste vrouw kwam te overlijden, hoefde het leven voor mij ook niet meer. Ik zat al in een verzorgingstehuis achter de geraniums. En toen keerde het tij: mijn kleindochters vonden op zolder spullen van mijn vrouw met daarbij de plannen om van de oude, leegstaande school een bed and breakfast te maken. Ze ontvoerden hun oude opa en ach, voor ik het wist zat ik weer in mijn eigen huis. Nou ja, het resultaat hebt u gezien. En God gaf me in Zijn liefde een nieuwe schat op deze aarde: Marijke kwam, zag en overwon!'

Kathy heeft zichzelf weer in de hand. 'Wat een mooie *love story* met een *happy ending*. Ja, zo kan het ook gaan.'

Marijke vraagt zich af of ze dit gesprek wel moeten vervolgen. Voor ze het weten beschamen ze het vertrouwen dat Marloes in hen stelt. Ze kijkt Bertram opnieuw veelbetekenend aan.

Hij vangt het signaal op en stuurt het gesprek in een andere richting.

'Wat zijn uw plannen, mevrouw, voor de komende dagen?'

Kathy wappert met haar goed verzorgde handen.

'Eerst bijkomen van de reis. Ik houd niet van vliegen, moet u weten. Enfin, dat is gelukkig achter de rug. En dan...' Ze bekijkt zwijgend haar handen, alsof ze het werk van een manicure moet beoordelen.

'Wat er dan gebeurt, hangt af van...'

Kathy stopt en begint een nieuwe zin. 'Ik wil hier in het dorp iemand bezoeken. Iemand die ik alleen van naam ken. Als u hier al zo lang in het dorp woont, kunt u mij misschien verder helpen...'

Kathy worstelt zichtbaar met het verwoorden van haar gedachten.

'Ik moet u een paar... persoonlijke dingen vertellen, vrees ik. Anders zult u mijn vraag niet goed begrijpen. Het kan twee kanten op: of ik ben welkom bij die bewuste persoon, of ze wijst me de deur en is er van een ontmoeting geen sprake. Ik begrijp heel goed dat ik voor u in raadselen spreek.'

Het hart van Marijke loopt over van mededogen. Ze knikt Bertram toe en neemt het woord.

'Ik denk dat wij u wel verder kunnen helpen. Want mijn man en ik hebben ondertussen begrepen naar wie u op zoek bent. Omdat we niet alleen de persoon in kwestie goed kennen, maar ook haar situatie. En of u welkom zult zijn, is voor ons net zo goed een vraag.'

Kathy is wit om haar neus geworden en laat de woorden even op zich inwerken.

'Ik weet natuurlijk niet wat jullie gehoord hebben, maar misschien is het goed dat ik heel kort mijn kant van het verhaal vertel? Het gaat om mijn jongste zoon, Thomas. Hij heeft een tijdje in Nederland gewerkt in een ziekenhuis, na het afronden van zijn medische studie. Daarna zou hij teruggaan om zich te specialiseren. Tja, mijn zoon, die zich niet wilde binden voor hij klaar was met zijn studie, schijnt daar dus toch een verhouding met een Nederlands meisje gehad te hebben. Ik kreeg post nagestuurd vanuit het ziekenhuis en had laten weten wat er gebeurd was met hem. Niet lang geleden mailde een verpleegster mij en vertelde mij dit verhaal.'

Hoofdschuddend kijkt Kathy hen aan.

'En niet alleen dit verhaal, ze vertelde me daarna ook nog dat zijzelf ook een rol had gespeeld in hun verhouding. Ze had er namelijk voor gezorgd dat het niets werd tussen Thomas en dit meisje. Niet wetende dat het meisje zwanger was.'

Marijke en Bertram knikken, tot dusver klopt het verhaal met wat ze van Marloes gehoord hebben.

'En nu ik dit weet... Ik heb zo veel vragen aan dit meisje. Klopt het dat het kind van Thomas is? En zo ja, wat betekende hij voor haar? Ik bedoel: hij was geen jongen voor een scharreltje. Wordt dat woord nog wel gebruikt?' De vraag klinkt onzeker.

Het echtpaar De Groot lacht en stelt haar gerust.

Marijke wil het de vrouw gemakkelijker maken. 'Marloes heeft onlangs haar hart bij ons uitgestort, want ze is behoorlijk in de war sinds afgelopen kerst. Dezelfde collega als waar jij contact mee hebt gehad, Mariska, heeft haar toen pas laten weten welke rol zij gespeeld heeft in het verstoren van hun prille relatie.'

In het kort verhaalt Marijke wat zij weten, en Kathy luistert ademloos.

'Dus je begrijpt dat toen Thomas terug was gegaan naar Amerika, zonder contact op te nemen, zij dacht dat het verhaal klopte, dat hij een relatie had daar,' besluit Marijke. 'Stel je voor wat een schaamte ze gevoeld moet hebben, bij het idee voor een charmeur gevallen te zijn, een Don Juan! En toen ze daarna ook nog zwanger bleek te zijn van hem... Haar wereld stortte in.'

Ook de komst van Marloes naar het dorp, en alles wat daartoe geleid heeft, krijgt Kathy te horen. Bertram spreekt zijn bewondering uit over wat Marloes heeft weten te bereiken, en hoe ze haar leven heeft ingericht. 'Het is een heel flinke jongedame, die het niet alleen heel goed doet als moeder, maar ook als mens. Maar ze was die eerste mail nog aan het verwerken toen de tweede kwam, waarin Mariska doodleuk meedeelde dat ze jou gemaild had!'

Marijke valt hem bij. 'Ze heeft hier op dezelfde stoel gezeten waar jij nu op zit, toen ze het ons vertelde. Samen hebben we nagedacht, niet alleen over de gevolgen voor haar, maar ook voor jou. Hoe zou jij je voelen, in het verre Amerika? Je bent nog de dood van je zoon aan het verwerken, en dan krijg je opeens te horen dat je oma bent. Of moet ik *granny* zeggen?'

Kathy kan zich niet meer groothouden en haar ogen schieten vol met tranen. 'O, het spijt me...' Ze graait in haar handtas, op zoek naar een zakdoekje.

Marijke staat op om een glas water te halen.

Als ze terugkomt in de kamer heeft Kathy zich weer herpakt. Dankbaar pakt ze het glas aan en ze neemt een paar slokjes. Ongemerkt zijn ze elkaar gaan tutoyeren.

'Ik neem aan dat jullie niet alleen de jonge moeder kennen, maar ook haar kindje. Willen jullie me meer over hen beiden vertellen?'

Bertram en Marijke kijken elkaar aan. 'Ik weet niet... Misschien is het beter als we dat niet doen. Marloes zal het waarschijnlijk niet op prijs stellen als we haar privésituatie verder bespreken.'

Kathy zegt hier alle begrip voor te hebben.

'Wat is je plan?' informeert Bertram. 'Bij haar aanbellen, je voorstellen? Dat moet voor beiden heel ongemakkelijk zijn. Zou je willen dat mijn vrouw en ik bemiddelen? Dat lijkt me voor Marloes ook prettiger.'

Kathy kijkt hem dankbaar aan.

'Als jullie dat willen doen, dat zou geweldig zijn. Ik heb haar adres ook niet, dus dat zou ik anders eerst moeten zien uit te vinden. Steve, mijn oudste zoon, wilde het van tevoren opzoeken en haar ook nog helemaal laten doorlichten. Dat is hij vanuit zijn beroep als advocaat gewend om te doen, daar zet hij dan een detective op. Maar ik heb hem gevraagd om dat niet te doen, ik wilde haar onbevangen tegemoet kunnen treden. Als jullie haar zouden willen vragen of ze mij wil ontmoeten, geweldig... Ik moet eerlijk zeggen dat ik een ontmoeting ook best beangstigend vind.' Ze kijkt hen verontschuldigend aan. 'Sommige jonge vrouwen van tegenwoordig zijn best intimiderend.'

Marijke wil bijna zeggen dat Marloes net zo bang is voor Kathy, maar laat het bij een geruststellende opmerking.

'Ik denk dat er een goede kans is dat Marloes en jij het best met elkaar zullen vinden. Weet je wat we doen? Ik ga zo eten koken, want we eten hier tussen de middag een warme maaltijd. Steve en jij kunnen mee-eten als je dat wilt. Daarna gaan jullie naar je kamer om uit te rusten en bij te komen van de reis. Wij nemen intussen contact op met Marloes, zodat we het haar persoonlijk kunnen vertellen. Misschien kan ik vanavond wel even bij haar langsgaan. Maak het je gemakkelijk in je kamer, pak je spulletjes uit. En zodra we contact hebben gehad met Marloes, laten we je weten hoe ze gereageerd heeft.'

Bertram informeert of Kathy ook alvast contact wil opnemen met haar Groningse familie.

Ze schudt haar hoofd. 'Nu nog niet. Ze weten ook niet dat we in Nederland zijn. Ik heb wat namen van een paar neven en nichten, met adressen waarvan ik moet nagaan of ze nog wel kloppen. Maar sinds ik weet van Marloes en haar kindje, is dat het belangrijkste doel van mijn reis geworden. Daarnaast wil ik Steve iets van het land laten zien, zodat hij ook weet waar zijn Nederlandse wortels liggen.'

Marijke staat op om naar de keuken te gaan als de deurbel gaat.

'Dat zal Steve zijn!' roept Kathy uit.

Samen lopen ze naar de gang om Steve te begroeten. Marijke is gelijk onder de indruk van de lange, goedgeklede man. Ze ziet ook meteen de gelijkenis met Silas. Steves getinte huid is iets donkerder dan die van zijn neefje, maar de grote, bruine ogen zijn bijna identiek te noemen.

Marijke neemt zijn jas aan en oordeelt dat Steve er 'duur' uitziet, met zijn lichtblauwe lamswollen trui, donkere pantalon en cognackleurige schoenen.

In de woonkamer krijgt Bertram een stevige handdruk. 'Goed om u te ontmoeten, sir,' zegt de oudste zoon van Kathy ernstig. Hij spreekt goed Nederlands, al is zijn Amerikaanse accent sterker dan dat van zijn moeder.

Bertram begroet hem hartelijk.

'Mijn lieve vrouw gaat voor een heerlijke maaltijd zorgen, en in de tussentijd kunnen je moeder en ik je bijpraten over wat er besproken is vanmorgen.'

Marijke voorziet Steve van koffie met een speculaasje erbij, wat haar een dankbare blik oplevert. Steve luistert aandachtig en stelt een paar korte vragen tussendoor.

'Wel, het lijkt me een goed plan, *mother*,' zegt hij tegen Kathy als ze uitverteld zijn. 'Nog een klein beetje meer geduld hebben, *that's all*.'

Zijn moeder knikt afwezig.

Als ze even later aan tafel zitten, vraagt Bertram Steve naar zijn werk. Steve blijkt eigenaar te zijn van een goedlopend advocatenkantoor. Na zijn studie heeft hij bij een gerenommeerd kantoor ervaring opgedaan, om vervolgens voor zichzelf te beginnen. Een hele stap, maar dankzij het geld dat zijn vader hem heeft nagelaten, durfde hij het aan. En het is een succes gebleken, het zakendoen zit hem blijkbaar in het bloed. Bertram is geamuseerd als hij hoort hoe gemakkelijk Steve over geld en inkomen praat. Je zou Nederlanders eens moeten vragen hoeveel ze verdienen, of hoeveel ze op de bank hebben staan! Amerikanen zijn daar veel vrijer in, heeft hij al eens gehoord, en Steves openhartigheid bevestigt dit.

Steve heeft het zo geregeld dat hij een paar weken, en zo nodig langer, met zijn moeder mee kan reizen. 'Ik heb een hele goede *replacement*, eh... vervanger?'

Bertram knikt begrijpend.

'En via internet zijn alle *files*, de dossiers, bereikbaar die ik nodig heb. E-mail, *phone*, dankzij de moderne techniek kan ik overal vandaan werken.'

Marijke observeert Steve en vraagt zich af in hoeverre hij lijkt op zijn broer, Thomas. Ze praten verder niet over hem, valt haar op.

'Het eten is heerlijk, mrs. De Groot. Hoe noemt u deze maaltijd?'

Marijke schrikt op uit haar gedachten. 'Hutspot.'

Steve probeert het na te zeggen. 'Hoetspot?'

Ze schieten allemaal in de lach, en Marijke is verrast hoe het gezicht van Steve oplicht als hij niet zo ernstig kijkt.

Na de warme maaltijd loopt Marijke met Kathy en Steve binnendoor naar de B&B. 'Probeer je te ontspannen,' raadt Marijke hun aan. 'Echt slapen schijnt voor een jetlag niet zo goed te zijn, dan kom je niet in het ritme. Maar een klein dutje doet soms wonderen.'

Steve knikt en verdwijnt in zijn kamer, en Kathy giechelt meisjesachtig. 'Straks stop je me nog in! Dank je wel voor alles. Ik ga wat lezen, zodat ik vanzelf indut. Er is een last van me afgevallen, weet je. Jullie geven me het gevoel dat ik voor Marloes niet bang hoef te zijn.'

Ze probeert Marijke alsnog uit haar tent te lokken, maar die glimlacht Mona Lisa waardig.

Terug, bij Bertram in de kamer, bespreken ze de nieuwe situatie.

'Marloes heeft denk ik niets te vrezen van deze vrouw. Maar goed, dat is aan haarzelf om te beoordelen en niet aan ons.'

Bertram kijkt Marijke liefdevol aan.

'Zo is het maar net, meisje. Wijs opgemerkt, en vergeet het niet!'

'Nee, meester,' zegt Marijke gedwee.

Tijd voor het middagdutje van Bertram, en Marijke heeft in de keuken nog van alles te doen. Op de achtergrond blijft echter de grote vraag haar bezighouden: hoe vertelt ze Marloes dat haar leven op het punt staat te veranderen? Zoals Marijke het ziet, is het een verandering in Marloes' voordeel, een verrijking. Ze hoopt alleen maar dat Marloes het zelf ook zo ziet!

# 8

Marloes rekt zich uit als ze al vroeg wakker wordt. Al mijmerend herinnert ze zich de wilde dromen die ze vannacht had, over het zorghotel natuurlijk!

Het is geen wonder dat ze ervan droomt, ze is er ook zo intensief mee bezig. Dankzij de locatie is er ontzettend veel mogelijk. Waarom zouden ze zich alleen richten op mensen die behoeftig of bejaard zijn? De praktijk wijst uit dat ook jonge mensen hulp nodig kunnen hebben. Van lange duur, tijdelijk, het komt allemaal voor.

Het wordt een kwestie van coördineren en verschillende disciplines integreren. Marloes ziet het al voor zich.

Na goed overleg met zowel Huub als Buurtzorg is er een schema ontstaan waarbij ze geleidelijk aan minder bij Buurtzorg en meer bij het zorghotel gaat werken. Maar haar betrokkenheid bij Buurtzorg blijft, minimaal voor één dag per week. Ze zou graag nog een aanvullende opleiding doen, zoals management in de gezondheidszorg. Het beste van twee werelden gecombineerd, bedenkt ze tevreden. Haar beide opleidingen komen zo van pas, wie had dat ooit kunnen denken?

Met beide vuisten wrijft ze in haar ogen en ze geeuwt nog eens, waarna ze zich met een brede glimlach op haar zij rolt.

Dit belooft een project te worden met een hoofdletter P. Hulpverlening, denkend vanuit de cliënt. Opvang voor herstellenden, bezigheden organiseren waar mensen als oma Geertje Voordewind terechtkunnen gedurende de dag. Er zouden ook cursussen gegeven kunnen worden die met gezondheid te maken hebben, of gymnastiek voor ouderen, opvoedkundige cursussen, themabijeenkomsten met verschillende onderwerpen of creatieve cursussen. De praktijk moet uitwijzen waar de grenzen liggen. Het team zal een missie en een visie moeten formuleren, zodat ze doelgericht kunnen gaan werken. Waar komt de focus op te liggen?

Het duizelt Marloes. Ze springt uit bed, klaar voor de nieuwe dag.

Silas eist haar aandacht op, en daarna haar bezigheden voor Buurtzorg. De hele tijd is ze druk in de weer.

Als ze uiteindelijk halverwege de middag op kantoor zit om haar dossiers bij te werken, bedenkt ze dat ze vandaag voor het eerst in tijden niet over Kathy Gates heeft zitten tobben. De zegen van arbeid, beseft ze.

Ze realiseert zich opnieuw hoezeer de zorgsector haar na aan het hart ligt. Er zijn, voor de medemens. Hoe was het ook weer? Elkaar tot een hand en een voet zijn. En dat kan ze straks nog meer vorm gaan geven, in het team dat Huub aan het samenstellen is. Mensen die minstens zo enthousiast zijn als zijzelf is.

Marloes is blij met de iPad, waardoor het bijwerken van de administratie snel gaat. Maar regelmatig dwalen haar gedachten af en staart ze door het raam over de weilanden uit, nog meer plannen bedenkend voor het zorghotel.

Ze is bijna klaar als de telefoon gaat.

'Omie! Wat gezellig dat u belt... Even bij me langskomen?' Ze werpt een snelle blik op de enorme wandklok die de witte muur tegenover haar siert, ook gevonden op Marktplaats. 'Ik ben nu nog op kantoor, maar ga zo naar huis. Silas is bij de buurvrouw, hij eet ook bij haar, dus we hebben de tijd om in alle rust een kop koffie te drinken voor ze hem brengt... Gezellig, tot zo!'

'Ik zal je nog eens inschenken, lieverd.' Marijke klopt Marloes op haar knie, die als bevroren op de bank in haar woonkamer zit. Als ze even later terugkomt uit de keuken, zit Marloes nog in precies dezelfde houding.

Marijkes hart gaat naar haar uit. Ze voelt zich schuldig dat zij er de oorzaak van is dat de sprankelende Marloes van daarnet, vol van haar plannen voor het kasteel dat geen kasteel is, nu zo bleekjes op de bank zit.

Marloes knippert met haar ogen en bedankt Marijke voor de koffie. 'Wat moet ik doen, Omie? Ik ben gewoon bang voor wat komen gaat. Hoe aardig Kathy ook is, alles wordt nu anders.'

Marijke beaamt dat. 'Maar niet per se slechter, lieverd. Silas krijgt er een oma en een oom bij. Je weet nu dat Thomas geen grote versierder was, dat hij net zo verliefd was op jou als jij op hem. Je kunt hen met opgeheven hoofd tegemoet treden, en jullie kunnen elkaar tot troost zijn.'

Marloes knikt zwakjes.

'Weet je nog dat we het gehad hebben over hoe Kathy zich moest voelen, Marloes? Houd dat maar in gedachten, als het je te veel wordt. Is er niet een Chinees spreekwoord dat zegt: "Om iemand te begrijpen moet je eerst een tijdje in zijn mocassins hebben gestaan". Al vraag ik me trouwens wel af of het niet indiaans moet zijn, of dragen Chinezen ook mocassins?'

Marloes schiet in de lach om de gedachtesprongen van Marijke. Ze schudt haar hoofd. Wat maakt het uit, Chinees of indiaans, ze vindt het een goede raad. Als ze zich voorstelt hoe Kathy zich moet voelen, als ze even in haar 'mocassins' gaat staan, voelt ze zich rustiger worden. De vrouw heeft haar zoon verloren en daarna opeens ontdekt dat hij een kind heeft. Bij een vrouw die ze niet kent en die haar misschien niet eens wil ontmoeten.

Ze knikt Marijke toe. 'Mocassins. Je hebt gelijk. Laten we maar een ontmoeting op touw zetten. Ik ben er klaar voor. Denk ik.'

Marijke omhelst haar. 'Ik ben trots op je, lieverd.'

Ze spreken af dat Marloes die avond naar het meestershuis komt. 'En je bent niet alleen, Marloes, Bertram en ik staan naast je. En ik weet zeker dat er Eén is,' ze wijst naar boven, 'Die ook trots op je is!'

Marloes loopt met haar mee naar de deur.

'Maar ik neem echt Silas niet gelijk mee. Ik zal vragen of de buurvrouw met de babyfoon op hem kan passen, als ze hem zo meteen brengt. Ik neem wel een fototje van hem mee voor Kathy. Ik wil hen eerst ontmoeten voordat ik beslis in hoeverre ik wil dat ze een rol spelen in ons leven.'

Marijke zwijgt een moment. Ze zou Marloes willen geruststellen. Maar ze beseft dat zijzelf Kathy ook nog maar heel kort kent en ook niet kan voorspellen hoe de vrouw zal reageren, nu of in de toekomst. Misschien ontpopt ze zich wel als een bemoeiziek iemand, of wordt ze ontzettend melodramatisch als ze haar kleinzoon ziet.

'Ik zie je vanavond, Marloes.'

Marloes voelt zich als een ballon die langzaam leegloopt als Marijke weg is. Ze kan er niks aan doen dat ze een schrikbeeld voor ogen heeft, van een bazige schoonmoeder die haar terroriseert, die haar leven wil overnemen en ook dat van Silas. Maar zo ver laat ze het niet komen, neemt ze zich vastberaden voor.

Als Marloes Silas die avond in zijn bedje stopt, moet hij lachen als ze hem in zijn buik kietelt.

'Dag lekker ding!'

Geschater is haar beloning.

'O, wat ben je al een grote jongen! Nog even en we gaan je eerste verjaardag vieren, ja! Wie had gedacht dat je als cadeautje een oma en een oom zou krijgen?'

Al keuvelend verschoont Marloes de kleine jongen. Ze verzacht als ze bedenkt dat er heel dichtbij iemand is die ernaar hunkert om kennis met hem te maken. Ze zendt in stilte een gebed omhoog. 'Help mij, Heer, om niet alleen vanuit mezelf te denken. Help mij om in de mocassins van Kathy te gaan staan.'

'Heb je soms een afspraakje, Marloes? Je ziet er zo netjes uit.' De buurvrouw pakt de babyfoon van haar aan en bekijkt haar goedkeurend.

Marloes schiet in de lach en denkt: u zou eens moeten weten!

'Nee, geen afspraakje. Meer een soort officieel gesprek met iemand. Maar ik had opeens zin om me wat op te tutten. Is het te veel?'

De buurvrouw stelt haar gerust. 'Je ziet er prachtig uit.'

Marloes groet ten afscheid. Als ze naar haar auto loopt, denkt ze aan het ritueel dat ze vanavond heeft afgewerkt. Een halfuur voor de spiegel maar liefst! Het pas gewassen haar kreeg een gedegen behandeling met de föhn. Waar ze normaal gesproken genoeg had aan een oogpotlood en wat mascara, werd nu de hele inhoud van het make-uptasje aangesproken.

'Oorlogskleuren,' mompelde ze toen ze een poederkwast over haar gezicht haalde, met een niesbui als gevolg.

Het uitzoeken van kleding was ook al een punt. Normaal droeg ze vrijetijdskleding, of haar uniform van Buurtzorg. Maar voor vandaag had ze achter uit de kast een paar halfhoge, zwarte laarsjes met een hakje gezocht. Haar favoriete spijkerbroek combineerde ze met een witte blouse en een donkerblauwe blazer. Tot slot nog een lange ketting, oorbelletjes, et voilà. Ze had zichzelf bemoedigend toegeknikt in de staande spiegel, voor ze nog een blik om de hoek van Silas' slaapkamerdeur wierp.

Als ze de buurvrouw – en de spiegel – mag geloven, ziet ze er keurig uit. Het geeft haar net genoeg zelfvertrouwen om deze avond het hoofd te bieden.

Nadat ze haar gordel heeft bevestigd, vergelijkt ze de tijd op haar horloge met die van het dashboardklokje. Zie je wel, haar horloge loopt achter. Maar in dit geval is een beetje te laat komen niet zo erg.

Ze rijdt door de bekende straten en denkt aan de foto van Silas, die in haar tas tussen wat papieren verstopt zit. Die krijgt Kathy, als het gesprek tenminste goed uitpakt.

Ze stopt voor het meestershuis en parkeert de auto. Zouden Kathy en Steve al in de gezellige kamer zitten, wachtend op haar?

Als ze aan de bel trekt, schiet er een rare gedachte door haar hoofd, iets wat Aniek onlangs een keer zei: "Wie weet heeft Thomas voor of na jou wel meer vriendinnetjes gehad, en lopen er nog een paar kleine kindertjes op de aardbol rond, hummels van wie hij de papa zou kunnen zijn." Ze schudt haar hoofd, om het beeld van tientallen rondrennende kleine Silasjes kwijt te raken.

Marijke doet open en spreidt haar armen uit. Ze trekt Marloes de gang in en zoent haar op beide wangen. 'Wat ruik jij ontzettend lekker. Verklap me de naam van je parfum?'

Marloes trekt de poncho, die ze in plaats van een jas heeft aangetrokken, steviger om zich heen. 'Chanel no. 5, Omie. Dat was altijd het favoriete luchtje van mijn moeder. Ik had nog een flesje staan dat van haar is geweest. Hij ruikt nog best lekker, toch? Kan parfum eigenlijk bederven? Er zit toch geen houdbaarheidsdatum op?'

Marijke dwingt de ratelende Marloes haar recht in de ogen te kijken.

'Je bent een kanjer. Ik ben trots op je. Echt waar, en er valt niets te vrezen. En nee, Kathy en Steve zijn er nog niet, ik heb beloofd te bellen zodra jij er bent. Eerst een kopje koffie voor jou. Ontspan je maar, lieverd.'

Opa De Groot komt kijken waarom er in de gang zo lang getreuzeld wordt.

'Kom binnen, Marloes, ga lekker zitten. En wat zie je er chic uit!'

Tja, als zelfs opa De Groot dat ziet...

Marloes laat zich betuttelen. Ze wordt in een stoel gedrukt, krijgt een vers gezet kopje koffie en een zelfgebakken koekje.

Na een paar slokjes dwingt ze zichzelf tot kalmte. 'Het komt... ik wil zeggen...' Hulpeloos zwijgt ze.

Marijke legt haar hand op die van Marloes.

'Jij hoeft ons niets uit te leggen. Wij begrijpen jouw emotie. Zal ik dan nu Kathy en Steve bellen? Ik denk dat ze minstens zo nerveus zijn als jij.'

Marijke pakt haar mobiel, zoekt Kathy's nummer en loopt naar de gang.

Opa De Groot doet een slimme zet: 'Hoe is het met de plannen voor het zorghotel, Marloes? We zagen dat er in het land al meer van dit soort instellingen zijn, Marijke heeft het op internet opgezocht.'

Even is Marloes afgeleid. 'Jaja, wat er allemaal mogelijk is, Oop, dat overweldigt me gewoonweg. Je kunt van alles en nog wat bedenken, maar op een gegeven moment moet je keuzes gaan maken waar je je op wilt gaan richten en...'

De kamerdeur gaat open. Marijkes stem klinkt opgewekt. Niet helemaal natuurlijk, vindt Marloes. Ze draait zich langzaam om en vergeet wat ze had willen zeggen.

'Hier hebben we Kathy en Steve. Kathy, Steve, ik wil jullie voorstellen aan Marloes van Kessel. We zien haar in feite als een extra kleindochter. Ik ken haar al langere tijd omdat ze dikke vrienden is met mijn kleindochter.'

Marloes gaat staan, haar benen werken niet echt mee. Haar oren suizen even, waardoor de woorden van Marijke gedempt klinken.

In haar gedachten was Kathy uitgegroeid tot een vrouw van enorme afmetingen met een streng gezicht en harde ogen. Voor haar staat echter een gewone vrouw, een moeder.

Kathy Gates is jonger dan ze dacht. Een vriendelijk gezicht met een paar rimpeltjes rond de ogen, haar dat in een modieuze coupe is geknipt, en stijlvolle kleding die past bij haar leeftijd. Een snelle, nerveuze glimlach laat rechte, witte tanden zien.

De moeder van Thomas. De vrouw die hem gedragen en gebaard heeft, hem heeft leren lopen en groot zien worden tot hij de vlotte, charmante man was die voor heel even haar minnaar en vriend was. En die hem heeft moeten begraven.

Marloes kan geen woorden vinden. Ze steekt een hand uit.

Marijke kwebbelt verder, maar niemand luistert naar haar of hoort zelfs maar wat ze zegt.

Kathy heeft tot Marloes' verbazing nauwelijks een Amerikaans accent.

'Dag Marloes, ik heb er zo naar uitgekeken om jou te ontmoeten!' De handdruk is stevig.

Terwijl Kathy gaat zitten en antwoordt dat ze graag een kopje koffie wil, staart Marloes naar Steve. Ze slikt als ze ziet hoe hij op Thomas lijkt, maar toch ook weer niet. Het is overduidelijk dat ze broers zijn – of waren, beter gezegd. Het zijn de ogen, die anders staan. Hij kijkt ernstig, wat bij Thomas bijna alleen gebeurde als hij met een zwaar zieke patiënt bezig was. Ze herinnert zich de kennismaking met Thomas, hoe ze saamhorig hadden gelachen en hoe hij haar hand onnodig lang had vastgehouden.

Ze houdt haar adem in als ze Steves uitgestoken hand vastpakt.

'Hi Marloes.'

Haar glimlach bereikt haar mondhoeken maar even en opnieuw kan ze geen woord uitbrengen. Zijn stem lijkt zo op die van Thomas dat het haar bijna te veel wordt. Ze knikt en trekt haar hand uit die van hem.

Ze gaat in de stoel naast die van Kathy zitten. De oudere vrouw babbelt er zenuwachtig op los.

'Je zet heerlijke koffie, Marijke. Ik was er nog niet aan toegekomen om het zelf te zetten. De keuken van de bed and breakfast is zeer compleet, van alle gemakken voorzien. Ik ben enthousiast over onze logeerplek, Marloes. Daar kan geen hotel tegenop. Ik ga met Steve nog op familiebezoek, maar we komen hier zeker terug.'

Opa De Groot en zijn vrouw doen hun best het gesprek in luchtige banen te leiden. De spanning die hun gasten uitstralen is bijna voelbaar.

Kathy informeert wat Marloes voor werk doet.

'Buurtzorg? Wat moet ik me daarbij voorstellen?'

Waar Marloes anders altijd haar verhaaltje klaar heeft, wil dat nu niet lukken. Marijke ziet het en schiet haar te hulp. Ze vertelt over het ontstaan van de organisatie.

'Ik heb ook altijd gewerkt, behalve toen Steve en Thomas baby's waren,' vertelt Kathy als Marijke klaar is. 'Niet dat het nodig was, maar al mijn vriendinnen werkten, dus ik wilde dat ook. Ik heb de hogere hotelschool gedaan en ging werken in een van de betere hotels in Seattle. Daar ben ik al die jaren blijven werken, ik bracht het uiteindelijk van receptioniste tot manager. Toen ik minder ging werken na de dood van mijn man, organiseerde ik alleen nog bijzondere events, op oproepbasis. Tot een jaar geleden…' Ze slikt even moeilijk. 'Toen interesseerde het me allemaal niet meer zo. Ik heb erover gedacht om het weer op te pakken, maar het is er niet van gekomen. Mijn man heeft me goed verzorgd achtergelaten, dus echt nodig is het gelukkig niet.'

Pas na het tweede kopje koffie komt het gesprek op Thomas. Kathy haalt wat foto's uit haar tas. Ze vertelt over Thomas' jeugd, de streken die hij uithaalde. 'Hij was altijd in voor kattenkwaad, nietwaar, Steve?'

Steve knikt schijnbaar ontspannen, maar Marloes ziet zijn kaak verstrakken.

Kathy vertelt verder, over hoe enthousiast hij over zijn studie was. 'En hij wilde toen zo graag een tijdje wonen in het land waar ik vandaan kom. Hij vond het fascinerend dat Nederland zo totaal anders is dan Amerika. En zo is het gekomen, Marloes, dat jij hem hebt leren kennen.'

Marloes voelt dat ze een kleur krijgt.

Er valt een stilte die ongemakkelijk te noemen is. Als Kathy opnieuw het woord neemt, klinkt haar stem niet langer opgewekt, eerder kwetsbaar. Gebroken, is het woord dat bij Marloes opkomt.

'Hij kwam anders terug. Stiller. Nu weten we, dankzij die collega van jullie, waardoor dat kwam. Ook dat zij daar de oorzaak van was, die Mariska. Hij wierp zich helemaal op zijn studie, begroef zich in de boeken, en toen hij in januari op vakantie ging… Ik had erop aangedrongen dat hij wat ontspanning nam, hij werkte veel te hard. Uiteindelijk ging hij weg met een vriend, skiën in Colorado.' Kathy schudt haar hoofd. 'Ze namen onnodig veel risico. Gingen buiten de piste skiën. Hij raakte van het pad door een rots die net boven de sneeuw uitstak en viel in een ravijn. Zijn vriend heeft alles zien gebeuren, vreselijk.'

Marloes sluit haar ogen en voelt een traan langs haar wang glijden, die ze haastig wegveegt.

Kathy lijkt gevangen in het verleden, ze staart nietsziend voor zich uit.

'En ik... ik maak mezelf verwijten, omdat ik hem had weggestuurd. Had ik dat niet gedaan, dan had hij nu nog geleefd. Maar ja, ik moet dóór! Hoe zwaar het ook is.' Met een gepijnigde glimlach kijkt ze op. 'En daarom, Marloes, wilde ik jou zo graag leren kennen, en jouw kindje. Is het een jongetje of een meisje? Dat kon je collega me namelijk niet vertellen. Een jongen... Sinds ik hoorde van de mogelijkheid dat het van Thomas zou kunnen zijn... Kun je mij vertellen... klopt het? Is Thomas de vader? Het feit dat je hier bent, moet wel betekenen... Als dat zo is, hem mogen zien zou zo veel voor mij – ons – betekenen. Hij is immers voor de helft van onze Thomas!'

Als ze ziet dat Marloes rechterop gaat zitten, haast ze zich haar gerust te stellen. 'Ik weet ook dat jij me niets verplicht bent. Jullie waren immers niet getrouwd. Van jouw kant zal het dan ook puur een daad van naastenliefde zijn als ik de kleine jongen een keer mag zien, hem mag vasthouden.'

Marloes houdt haar adem in. Ze ziet dat er tranen in de ogen van Kathy komen, ze schaamt zich er niet voor. Waarom zou ze ook...

Marloes kan niet anders dan stom knikken. Ze schraapt haar keel. 'Hij heet Silas. En hij is van Thomas, dat klopt. En ik snap dat jullie hem graag willen ontmoeten en... het is goed.'

Marijke en Bertram beginnen uit opluchting door elkaar heen te praten zonder naar de ander te luisteren, terwijl Marloes en Kathy elkaar aankijken.

Marloes zegt schor: 'Ik heb een foto van hem. Die is voor jou.' Ze graait in haar tas.

Kathy steekt een hand uit en neemt de foto voorzichtig, als was hij breekbaar, aan uit de trillende vingers van Marloes.

'Dit is hem dus. Het is een recente foto.' Marloes' stem slaat over. Het voelt alsof ze hem aan het verkopen is aan iemand die op een advertentie is afgekomen.

Steve kijkt over Kathy's schouder mee.

'De kleine jongen... sprekend mijn Thomas...'

Er druppen tranen uit de ogen van Kathy, en Marloes kan zich opeens voorstellen hoe zij zich zou voelen als Silas was omgekomen en er ergens op de wereld een kind van hem rondliep. Mocassins, schiet er door haar heen. Als zij in de mocassins van Kathy zou staan...

'Je mag hem houden. De foto, bedoel ik.'

De vrouwen kijken elkaar glimlachend aan, en Marloes voelt hoe genegenheid voor deze vrouw in haar opbloeit. Dit is de moeder van Thomas. De oma van haar kind.

'En natuurlijk ben je bij ons thuis welkom. Als je maar van tevoren belt, want ik ben veel van huis. Misschien wil je wel een keertje op hem passen?' Marloes schrikt van haar eigen woorden. Meent ze dat nou, durft ze dit aan? Jawel.

Ze ziet dat Bertram en Marijke elkaars hand vasthouden. Steve veegt met zijn duim en wijsvinger langs zijn ogen.

Kathy haalt diep adem.

'Je weet niet hoe groot het geschenk is dat je me geeft. Dank je wel, Marloes.'

Marloes schudt haar hoofd. Kathy moest eens weten hoe opstandig haar gedachten zijn geweest.

'Misschien... ik denk dat ieder kind wel graag een oma erbij wil hebben.'

Marijke staat op en zet de koffiekopjes op een dienblad.

'Je zult verbaasd zijn, Kathy. Silas is een bijzonder kind. Iedereen roemt hem omdat hij zich zo voorbeeldig gedraagt. We passen weleens op bij een kleindochter van Bertram, Jasmijn. Haar dochter Willemieke is een verschil van dag en nacht vergeleken bij Silas. Is het niet, Marloes?'

'Laat Jasmijn het maar niet horen. Al roept ze dat zelf ook vaak.'

Nu het ijs is gebroken, komt Marloes met meer foto's op de proppen. Ze heeft altijd een klein albumpje in haar tas.

Kathy streelt de foto's met haar ogen.

'Een kleinkind, ik heb zomaar een kleinkind. Hij is prachtig, Marloes. Hij lijkt echt op Thomas, als je deze foto's naast elkaar houdt...' Ze schudt haar hoofd.

'Zou je ons wat meer willen vertellen over Thomas en jou? Over jullie relatie?' Kathy vraagt het voorzichtig.

Terwijl Marijke iedereen van een glaasje fris voorziet, zoekt Marloes naar woorden. Ze ziet hoe alle ogen op haar gericht zijn, en om tijd te winnen neemt ze een grote slok uit haar glas.

Steve komt haar te hulp. 'Als je liever niet wilt praten, *that's okay*.'

Marloes schudt haar hoofd. 'Ik weet alleen niet zo goed waar ik moet beginnen.' Ze kijkt Steve nu vol aan, in die vertrouwd aandoende ogen, en ze zoekt zijn gezicht af naar iets bekends. Het voert haar terug in de tijd.

'Het begon eigenlijk met een verspreking. Hij zei dat zijn moeder hem weleens Ongelofelijke Thomas noemde, maar hij bedoelde Ongelovige Thomas.'

Kathy schiet in de lach, en opeens vloeien de woorden als vanzelf uit Marloes' mond.

Ze vertelt over hun vriendschap, hoe ze elkaar steeds weer opzochten. En uiteindelijk hoe ze elkaar hadden getroost, na die heftige avond op de eerste hulp. Marloes lacht verlegen en zonder verder uit te weiden wijst ze naar de foto die Kathy nog steeds in haar handen houdt.

'Silas is het gevolg van die nacht. Maar het was echt niets voor mij om zomaar...' Ze stopt ongemakkelijk.

Ze merkt dat ze het heel belangrijk vindt hoe ze over haar denken, dat ze niet de gewoonte had om met Jan en alleman in bed te stappen, dus hervat ze haar verhaal.

'Ik voelde me ingelukkig, ondanks dat ik me schuldig voelde omdat ik tegen mijn eigen principes in was gegaan. Ik geloof namelijk dat dit binnen het huwelijk hoort. Ouderwets misschien, maar zo beleef ik dat. Maar ik was zo verliefd op hem en door die gebeurtenis in het ziekenhuis... Nou ja, dat heb ik uitgelegd. Toen ik de volgende dag echter hoorde dat hij verloofd zou zijn... Mijn wereld stortte in! Ik ontliep hem, en toen hij kort daarna vertrok naar Amerika dacht ik dat daarmee het boek gesloten was. Hij had gekregen wat hij wilde en dus had hij mij daarna ook ontlopen – dacht ik destijds. Ik wist dus niet dat onze collega Mariska hem op de mouw had gespeld dat ik een soort nymfomane was die alle dokters in het ziekenhuis al zo'n beetje had verleid. En dat hij moest oppassen dat hij niet ook op mijn lijstje eindigde als mijn laatste verovering...'

Marloes voelt opnieuw woede opkomen over het gedrag van Mariska. Verontwaardigd gemompel van de anderen in de kamer geeft haar kracht om het van zich af te schudden. 'Je had het over zelfverwijt, Kathy? Ik heb mij sinds kerst, sinds ik dit weet, afgevraagd hoe het gelopen zou zijn als ik naar hem toe was gestapt met dit verhaal. Hem aan zijn doktersjaspanden door elkaar had geschud en een verklaring had geëist. Maar de schaamte was te groot. Ik had voor mijn gevoel liefde verward met... lust! En wat zou er gebeurd zijn als hij mij ter verantwoording had geroepen, gevraagd had of het verhaal waar was? Je zou denken dat onze levens heel anders waren verlopen. Zou hij dan nu nog leven?'

Het is een avond vol openheid en groeiende genegenheid tussen mensen die verbonden zijn aan elkaar door het bestaan van een kind.

Later dan verwacht vertrekt Marloes. Kathy loopt mee naar haar auto en eigenlijk is Marloes niet eens verbaasd als ze een knuffel ten afscheid krijgt.

'Tot heel gauw?'

Marloes lacht, ze voelt zich bevrijd en herhaalt: 'Ja, tot gauw. En je hebt mijn nummer, dus mocht er iets zijn, dan kun je me bellen. De afspraak om Silas te ontmoeten staat in m'n agenda.'

Kathy kijkt de wegrijdende auto na, het liefst was ze gelijk met haar mee gereden om haar kleinzoon te zien.

'Silas.' Met een glimlach om haar mond loopt ze naar binnen.

# 9

Wout Ouderaa wordt door Marloes overstelpt met ideeën omtrent het zorghotel.

'Even rustig aan! Kom ik op kantoor langs om wat folders op te halen, word ik gelijk aangevallen!'

Marloes rolt met haar ogen. 'Je bent ook niks gewend.'

Wout schudt zijn hoofd en zet zijn belerende blik op. 'Tjongejonge, kijk nou toch eens naar jezelf! Buurtzorg staat amper overeind of jij begint alweer aan een nieuw project. Dat geeft het woord projectontwikkelaar een nieuwe betekenis, meisje! Maar... we hebben nu eerst iets anders dat geregeld moet worden. Namelijk dit: we zouden altijd nog een officiële opening van Buurtzorg houden. Ik zie het zo voor me: hier de openslaande deuren open, partytent erbij, een paar belangrijke mensen die komen opdraven, zoals een wethouder bijvoorbeeld.' Wout wijst met zijn handen naar de plek waar het allemaal moet gebeuren. 'Hapje, drankje, een paar rake speeches door de juiste mensen en hup, we verklaren de Buurtzorg voor...'

'Geopend? Dat klinkt niet, er valt niets te openen, we zijn toch geen gebouw? En eigenlijk zijn we al van start gegaan. Startschot, dat is wel een pakkend woord. Wat vind je daarvan?' Marloes wijst naar hem alsof haar vingers een pistool zijn en schiet hem denkbeeldig neer.

'Als jij het maar organiseert. Prik maar een datum. En wat betreft het zorghotel: daar kunnen we voorlopig toch niets anders aan doen dan erover nadenken. Huub laat het ons weten wanneer de eerste vergadering gaat plaatsvinden. Ik sprak hem onlangs en hij is in zijn nopjes met de mensen die zich bereid hebben verklaard om mee te werken. Voordat we operationeel zijn, dat duurt nog wel even.' Plagend kijkt Wout haar aan. 'Ik had al bedacht dat jij maar in het kasteel moet gaan wonen, Marloes. Nee heus, het huis is groot genoeg en dan zit je lekker dicht bij je werk. Lijkt je dat niet wat? Kasteelvrouwe... chatelaine... moeder-overste...'

Marloes stompt hem tegen zijn bovenarm. 'Houd toch op! Wat heb jij vandaag?'

Vriendschappelijk zitten ze naast elkaar op de rand van het bureau, terwijl Wout zijn pijnlijke arm wrijft.

Diezelfde arm had hij daarnet om haar heen geslagen, nadat ze hem over Kathy en Steve had verteld en hij had gezegd: 'Zie je nou wel, zei ik het niet? Kijk maar niet zo, Marloes! Ik heb er ook een hekel aan als mensen dat tegen mij zeggen, maar het klopt vaak wel. En wat is de wijze les die we hieruit kunnen trekken? Het spreekwoord zegt het al: men lijdt het meest door het lijden dat men vreest...'

Ze weet dat hij gelijk heeft, en van hem kan ze een vermaning best hebben.

Marloes wil het liefst aan het brainstormen met Wout over het zorghotel, maar zoals vaker heeft hij geen tijd voor een lang gesprek. 'Ga anders maar vast een leuk foldertje ontwerpen voor het kasteel, beetje knippen, beetje plakken... Ik wil wel op de foto, poserend in een doktersjas voor het kasteel. En dan ga jij ernaast staan in een kittig uniformpje, niet dat blauwe mannenpak dat je nu draagt, en dan kijk je mij dwepend aan...'

De blik die Marloes hem nu toewerpt is eerder dreigend dan dwepend te noemen, zodat Wout als in overgave zijn handen opheft. 'Of niet! Ik ga er gauw vandoor, voor je me weer gaat slaan.' Zwaaiend met de stapel folders maakt hij zich snel uit de voeten.

De volgende dag gaat het gebeuren: Kathy en Steve komen voor de eerste keer bij Marloes op bezoek.

'Oma wil vast wel helpen om jouw verjaardagsfeestje te organiseren,' babbelt Marloes tegen Silas, terwijl ze hem aankleedt. Met vlugge vingers knoopt ze zijn blauw geruite bloesje dicht, dat goed past bij zijn donkerblauwe broek. Ze was net bezig wat te drinken in te schenken voor haar bezoek, toen Silas zich meldde na zijn slaapje.

Precies op de afgesproken tijd waren ze komen aanrijden. Marloes had snel opengedaan, zodat ze niet hoefden aan te bellen. Kathy verraste haar met een enorm voorjaarsboeket en knuffelde haar. Steves knuffel werd begeleid door een stevige kus op haar wang. Verward had ze zich losgemaakt en was ze de kelderkast in gedoken, iets mompelend over een bloemenvaas.

Marloes legt een hand op haar gezicht, alsof ze de afdruk van zijn mond nog voelt. Hij leek wel erg op Thomas, ook al keek hij wat serieuzer. Het had haar van haar stuk gebracht, zo dicht tegen hem aan gedrukt te worden en dan de warmte van zijn gezicht tegen het hare...

Silas wurmt zich los, waardoor ze geen tijd heeft om erover na te denken. 'Bijna klaar, dan gaan we naar beneden, meneertje ongeduld!' Hij staat, wankel nog, op de commode en houdt zich aan haar vast.

'Je bent en blijft mijn grote knul. Mama's jongen. Maar nu is er iemand bij gekomen die ook veel van je houdt.'

Ze draagt hem de trap af en realiseert zich dat hij met de dag zwaarder lijkt te worden.

Kathy staat midden in de kamer, met haar handen ineengeslagen onder haar kin geklemd.

Silas wappert met de handjes, maar schrikt niet van een vreemde. Hij verwelkomt Kathy en Steve op zijn babymanier: een kreetje, dat goed voor een begroeting door zou kunnen gaan. En nieuwsgierig is hij ook naar de bezoekers.

Marloes schuift hem in de armen van zijn oma. Kathy houdt hem ademloos vast. Silas zet grote ogen op en heeft het meteen op haar sjaal voorzien, die met een ingewikkelde knoop is vastgezet. Nee maar, daaronder ziet hij een kettinkje waar een glimmende steen aan hangt. Dat moet ook onderzocht worden.

Steve zit in de orenstoel met een klein glimlachje toe te kijken en lijkt zich goed op zijn gemak te voelen in de gezellige woonkamer.

Marloes gaat naar de keuken. Ze gunt deze vrouw een intiem samenzijn met haar enige kleinkind. Als ze even later terugkomt met koffie voor de volwassenen en een flesje voor Silas, zit oma met haar kleinkind op de bank.

'Het gaat goed!' zegt Kathy blij.

Marloes knikt. Ja, zo is Silas. Hij steelt harten aan de lopende band. Daarin lijkt hij waarschijnlijk op zijn vader, zelf is ze niet zo vrijmoedig.

Steve praat op zijn kalme manier over koetjes en kalfjes. Marloes is hem in stilte dankbaar.

Het wordt een aparte middag.

'En dan te bedenken dat we ook nog naar Groningen zouden gaan. Weet je dat ik bijna geen zin meer heb, met zo'n trekpleistertje? Ik wil je natuurlijk niet overlopen...'

Er wordt een afspraak gemaakt wat betreft het oppassen. Als ze vertrekken, zegt Marloes plagend: 'Pas maar op, straks maak ik nog misbruik van je, Kathy!'

Bij het afscheid wordt er weer uitgebreid geknuffeld. Marloes had Steve eigenlijk wel willen ontwijken, maar dat vindt ze kinderachtig van zichzelf. Dapper stapt ze in zijn armen, maar ze is totaal niet voorbereid op zijn handen, die strelend over haar rug gaan. Dit moet de uitgebreide variant van de knuffel zijn, bedenkt ze benauwd.

'Je hebt een geweldige zoon, Marloes,' fluistert hij in haar oor, waarna hij zijn handen naar haar schouders laat glijden en haar warm aankijkt. Zijn warmbruine gezicht staat zacht, en zijn ogen lijken zo op die van Thomas, dat ze haar blik afwendt naar beneden. Er belandt een kus boven op haar hoofd en Steve lacht zachtjes. '*Bye*, Marloes...'

Aan het eind van de middag zijn er de telefoontjes van de nieuwsgierige vriendinnen met dezelfde vraag: hoe is het eerste bezoek verlopen? Jasmijn, maar ook Aniek, die zich af en toe wat beter voelt.

Aniek moppert. 'Er zijn mensen die denken dat ik me aanstel. Zelf zwanger geweest en geen klacht gehad... Ik zou flinker moeten zijn, een voorbeeld aan die en die nemen. Weer anderen roepen dat het psychisch is!'

Laten praten, meent Marloes.

Jasmijn heeft een verzoek: of Marloes met haar mee wil gaan naar de verjaardag van haar nicht Bonnie in de pastorie.

'Jij bent toch ook uitgenodigd? Mooi, het feest is zo'n beetje de hele dag, maar het lijkt mij gezelliger als we samen gaan, dan kunnen de kids met elkaar spelen. Nou ja, spelen, haha, dat duurt nog even!'

Als Marloes 's avonds voor het slapengaan met een kop thee in de orenstoel zit, dwingt ze zichzelf om tot rust te komen en alles te overdenken wat er gebeurd is in de afgelopen maanden. Door de komst van Kathy en Steve lijkt het wel alsof alles in een stroomversnelling is gekomen en dingen haar overspoelen.

'Heer, ik breng mijn ziel tot rust,' fluistert ze voor zich uit en ze glimlacht, omdat de woorden gelijk effect lijken te hebben. Af en toe moet ze de stilte opzoeken, om alles in haar leven weer eens tegen het licht te houden. En niet zomaar tegen het licht, bedenkt ze, maar tegen het Licht van de wereld. Ze sluit haar ogen en legt haar hoofd tegen de hoge leuning van de stoel. 'Help mij, om mijn leven vanuit Uw perspectief te zien.'

Ze laat haar gedachten de vrije loop, terwijl ze zachtjes voor zich uit bidt. Als Thomas voor haar geestesoog verschijnt, laat ze dat voor het eerst in lange tijd toe.

'Ik was zo verliefd...' Marloes voelt hoe de gevoelens van schaamte, die ze had over hun liefde, langzaam beginnen weg te smelten. Thomas had niet met haar gespeeld. Hij was oprecht geweest in zijn gevoelens naar haar toe. Als dingen anders gelopen waren... Tranen rollen over haar wangen, maar het zijn geen gefrustreerde tranen meer, maar tranen van genezing.

Ze ziet zijn brede glimlach voor zich. De pijn die ze voelt om het feit dat ze uit elkaar zijn gedreven door de jaloezie van een ander, doet haar de ogen sluiten.

Verdriet en boosheid strijden om haar aandacht. Ze kruipt helemaal weg in de grote stoel, alsof ze de wereld wil buitensluiten. 'Ik was zo alleen... en het is haar schuld! Hoe kan ik haar ooit vergeven?'

Ze huilt tot ze niet meer kan. Om alles wat had kunnen zijn. Om alle eenzaamheid.

Als ze uiteindelijk tot rust komt, voelt het alsof er een last van haar is afgevallen. Heel stil zit ze in de veilige stoel die haar lijkt te omarmen. Ze voelt zich leeg, maar niet op een verkeerde manier.

'Je bent niet alleen.'

Het is alsof die woorden in haar oor gefluisterd worden. Marloes herinnert zich de woorden van een lied, dat lange tijd haar lijflied was. 'Heer, U bent altijd bij me. U slaat Uw armen om mij. En U bent voor mij, en naast mij, en om mij heen, elke dag.'

Wanneer ze uiteindelijk opstaat, is het alsof ze lichter is dan tevoren. Aarzelend zet ze de computer aan en opent ze haar mailbox. Ze zoekt in de verwijderde berichten naar het laatste mailtje van Mariska.

Lang staart ze naar het scherm. Dan typt ze een antwoord, heel kort. *Ik vergeef je.*

Ze beweegt met een muisbeweging de cursor naar de juiste plek en met een resolute klik drukt ze op 'verzenden'. Doodstil blijft ze zo zitten, blij met de stilte in haar hoofd. Ze herinnert zich het verhaal van Wout, over de vrouw die de bewaker uit het concentratiekamp vergaf. 'Ik heb haar de hand gereikt, Heer. Ik heb haar vergeven. Wilt U nu de rest doen?'

Marloes voelt zich uitgeput, maar ze weet dat ze juist gehandeld heeft. Nu kan ze met een gerust hart gaan slapen. Als de computer een pling-geluidje maakt, kijkt ze verrast op. Een nieuw mailtje in haar inbox. Tot haar verbazing ziet ze dat Mariska al geantwoord heeft. Dat is snel! Aarzelend opent ze het bericht. *'Dankjewel Marloes; ik hoop dat we in de toekomst eens een kop koffie kunnen drinken samen!'*

Marloes blaast haar wangen op. 'Nou niet gelijk overdrijven, Mariska! In de toekomst? Goed, heb je iets over tien jaar?' Hoofdschuddend sluit ze de computer af. Ze loopt langs een spiegel en schiet in de lach als ze de uitgelopen mascara op haar gezicht ziet. Ze veegt met een tissue de zwarte strepen weg en knikt zichzelf bemoedigend toe. 'Onthouden, Marloes: je bent niet alleen, nooit meer. God is altijd bij je, je bent voor altijd samen!'

De verjaardag van Bonnie wordt groots gevierd in de oude pastorie, die in de afgelopen tijd helemaal opgeknapt is.

Marloes en Jasmijn wandelen achter de kinderwagens door het dorp. 'Zie ons nou toch lopen. Soms denk ik, Marloes, dat het een droom is. In de zin van een nachtmerrie. Getrouwd, een kind, verantwoording tot en met... Denk nu niet dat ik een slecht huwelijk heb, zeker niet. Ik ben gek op Siem en zeker op deze lastpak hier. Het zal komen omdat ik nogal jong was toen we trouwden. Tja, waarom zouden we wachten? Simon kreeg van zijn vader de grond, wilde iets voor zichzelf bouwen waar hij gelijk zijn kantoor kon vestigen, dus wat doe je dan? Het een haalde het ander uit. En nu word ik geregeerd door deze jongedame hier: geef me een luier, geef me een flesje, houd me vast, doe iets!'

Jasmijn zegt het zo dramatisch dat Marloes erom moet lachen. 'Jij bent soms net zo'n kruidje-roer-me-niet. Het is toch juist leuk voor Willemieke om een jonge moeder te hebben? En het is inderdaad best wennen, zo'n kleintje. Wat denk jij, zou Bonnie ook graag een baby willen, een gezinnetje?'

Ze lopen opeens langzamer en draaien de kinderwagens het brede pad van de pastorietuin in.

'Vast wel. Maar vergeet niet dat Bonnie zich erg druk maakt voor alles wat met de kerk te maken heeft. Heeft ze wel tijd voor een gezin? Ze is wat je noemt een ouderwetse domineesvrouw. Ze deed het voor de klas ook geweldig, maar dit is echt haar ding, ze komt helemaal tot bloei. Als er iemand in nood is, haast ze zich daarheen. En dan bekommert ze zich ook nog aandoenlijk om de vorige dominee, die naast ons woont. Oop en Omie hebben ook geen klagen, Bonnie bezoekt hen geregeld en dan probeert ze ook nog in de B&B haar handjes te laten wapperen. En als je ziet hoe het huis is veranderd, daar heeft ze ook de nodige uurtjes in gestoken. Ze kan echt alles. Ach, Bonnie is een schat van een mens. Zo anders dan ik ben. Snap jij nou dat we familie zijn?'

Jasmijn trekt een komisch, wanhopig gezicht en geeft tegelijkertijd een ferme ruk aan de ouderwetse deurbel die galmt als een kerkklok.

Marloes schudt geamuseerd haar hoofd. 'Vergelijk jezelf niet, Jasmijn, jij bent jij. En ik moet zeggen: zoals jij is er geen ander.'

Jasmijn knipoogt vervaarlijk. 'Zo ben ik,' zegt ze schalks, wat Marloes in de lach doet schieten.

De deur zwaait open en in de deuropening staat de zwager van Bonnie, Axel Voogd, die verrast naar de lachende dames op de stoep kijkt. 'Jullie zijn al klaar voor het feestje, zo te horen.'

Jasmijn begroet hem hartelijk.

'Lang niet gezien, Axel. Heb je genoeg van het reizen? Of houdt de beeldhouwerij je thuis?'

Axel troont hen naar binnen en terwijl hij Jasmijns vraag beantwoordt, helpt hij hen behendig om de buggy's te parkeren in de ruime hal. Marloes pelt Silas uit z'n jasje en observeert Axel heimelijk. Zijn vale spijkerbroek heeft betere dagen gekend, en de houthakkersbloes, met daaronder een wit shirt, doet vermoeden dat hij zo uit zijn atelier is gestapt. Hij glimlacht breed om de kraaiende Willemien, terwijl hij zijn halflange haar met één hand naar achteren kamt. Marloes trekt haar wenkbrauwen op als ze bedenkt dat zijn haar zowat net zo lang is als het hare, hij kan bijna een staartje maken. De baard van een dag maakt het plaatje af, hij ziet er echt uit als de kunstenaar die hij is.

Silas wappert blij met zijn handjes, wat Axel een diepe lach ontlokt. 'Volgens mij heeft hier nog iemand zin in een feestje,' zegt hij met een knipoog tegen Marloes, die met een kleur onder in de buggy naar het cadeautje voor Bonnie zoekt. Wat dacht ze wel niet, om die man zo te staan bekijken. En dan ook nog te blozen om een knipoog. Ze hoopt maar dat het hem niet is opgevallen.

Er zwaait een deur open en Bonnie duikt op. 'Kijk nou toch, wat fijn dat jullie er zijn! Ach, wat groeien die hummels hard.'

Er wordt gekust, gefeliciteerd en gelachen. Bonnie troont hen mee naar de grote woonkamer waar al een aantal mensen zich te goed doen aan een gebakje.

'Waar is onze dominee Maurits?' informeert Jasmijn terwijl ze zich op een gemakkelijke stoel installeert.

Bonnie grijnst en zegt opgewekt: 'Je weet hoe Maurits is, hij staat altijd klaar als het op goede daden aankomt. Hij is even weg om oma Geertje op te halen. Ze komt bijna de deur niet uit, vertelde ze, dus dacht hij dat ze het wel leuk zou vinden om op het feestje te komen.'

Jasmijn reageert verontwaardigd. 'Oma Voordewind klaagt altijd. Altijd! En dat wordt alleen maar erger. Ze wil nota bene bij ons in huis komen wonen, omdat wij zo ruim behuisd zijn. En je gelooft het niet: Simon is er niet op tegen!'

Marloes schrikt als ze bij zichzelf denkt: daar gaat ze weer! Als ze tersluiks om zich heen kijkt, ziet ze dat een paar gasten zich voorzichtig afdraaien van Jasmijn en doen alsof ze haar niet horen. De veelbetekenende blik die tussen de twee buurvrouwen wordt uitgewisseld doet haar ineenkrimpen. Ze is dus niet de enige die er zo over denkt: Jasmijn blijft maar klagen over haar klagende oma.

'Dat is toch ook zo, je hebt toch genoeg ruimte?' plaagt Bonnie liefjes. 'En ze is per slot van rekening je oma. Als het mijn oma was...'

Marloes komt tussenbeide om Jasmijn af te leiden van het onderwerp 'oma Geertje'. 'Wacht maar tot het zorghotel een feit is. Heb je er al van gehoord? Het gaat om het kasteel...'

'... dat geen kasteel is.' Bonnie vult de zin aan. 'Nee, dat wist ik niet. Wel dat de familie bezig is te verhuizen. Wat leuk, vertel eens... o, de bel gaat,' onderbreekt ze zichzelf.

Axel springt behulpzaam op. 'Jarige, ik doe de deur wel open, maar laat die stoel naast Marloes leeg, want ik wil graag meer weten over het zorghotel.'

Jasmijn knipoogt nadrukkelijk naar Marloes, die als antwoord haar schouders ophaalt. Jasmijn buigt zich naar haar over en fluistert ondeugend: 'Wat denk jij, heeft hij een sixpack onder dat shirt of niet?'

Marloes' mond valt open van verbazing en ze sist terug: 'Jij bent een keurig getrouwde vrouw, jij hoort niet naar dat soort dingen te kijken!'

Jasmijn haalt haar schouders op. 'Hij is net zo'n woest aantrekkelijke piraat, wel heel anders dan zijn broer de dominee.'

Ze giechelen onderdrukt terwijl Maurits met Geertje Voordewind in haar rolstoel de kamer binnenkomt. De rolstoel is ideaal voor een uitje als dit, zo kan oma makkelijk verplaatst worden.

'Kijk, je kleindochter is er ook al, met je achterkleindochter.' Bonnie begroet oma Geertje en als ze zich naar Maurits toekeert, trekt hij haar met een onverwachte beweging in zijn armen en steelt een kus. Zogenaamd bestraffend mept Bonnie hem op zijn arm, maar als ze zich heeft losgewurmd en wegloopt, kijkt ze hem over haar schouder ondeugend aan. Maurits trekt nog een keer plagend aan haar lange, donkere haar voordat hij zich aan de gasten wijdt. Jasmijn lacht in zichzelf. Misschien lijkt Maurits wel wat meer op zijn piratenbroer dan ze dacht!

Niet veel later zijn bijna alle stoelen bezet, en als opa De Groot met Marijke binnenkomt, is het gezelschap compleet.

'We zijn zo vrij geweest, Bonnie, om onze logés mee te brengen.'

Marloes vangt een glimp op van Kathy, die niet op haar gemak lijkt. 'Kan het echt wel?' vraagt ze bezorgd.

Bonnie stelt haar meteen gerust.

Marijke stelt Kathy aan de anderen voor: Kathy en Steve Gates, de oma en oom van Silas.

Verbazing, steelse blikken richting Marloes, die er even verlegen mee is maar dan haar kin opheft. Geen schaamte meer over wat is gebeurd!

Jasmijn knikt haar toe. 'Het is als een duik in koud water, plons! En je bent er meteen doorheen. Leuk mens om te zien, Marloes. En die Steve mag er ook zijn, zeg!'

Axel ploft zoals beloofd weer neer in de stoel naast Marloes. Hij neemt een slok van zijn koffie en vertrekt zijn gezicht. 'Koud geworden, even nieuwe halen. Jij ook nog, Marloes?' Hij haalt een thermoskan en schenkt voor hen beiden in. 'Zo, vertel me nu eens meer over dat zorghotel.' Hij draait zich naar Marloes toe en leunt met zijn arm op de rugleuning van zijn stoel. Hij wil van alles weten over de plannen. En over de betekenis van het woord 'zorghotel'.

'Is het ook voor mensen die er gewoon een tijdje tussenuit willen? Of ligt de nadruk meer op zorg dan op hotel?'

'In zo'n geval kunnen mensen beter naar de B&B,' adviseert Marloes. Ze voelt zich niet helemaal op haar gemak, terwijl hij zich gedraagt alsof hij haar al jaren kent. Van Buurtzorg heeft hij ook gehoord. Hij vindt het allemaal even interessant.

'Solliciteer je soms naar een baantje?' vraagt Marloes, die probeert te peilen waar zijn belangstelling vandaan komt.

Axel kijkt haar met scheefgehouden hoofd aan.

'Nee, maar ik zie daar mogelijkheden, niet zozeer als werk, ik zou het eerder als vrijwilliger doen. Ik zou bijvoorbeeld een cursus houtbewerking kunnen opzetten. En niet alleen houtbewerking, maar ook schilderen, boetseren, alles is mogelijk. Het lijkt me een enorme uitdaging om mensen een stukje zingeving te bieden – therapeutisch zou je het kunnen noemen – door creatief bezig te zijn. Toen ik hoorde van het hele concept was ik gelijk enthousiast. Wat een mogelijkheden!'

Marloes knikt blij verrast, en voor ze het weet zijn ze samen aan het brainstormen over de vele manieren waarop het begrip zorghotel ingevuld zou kunnen worden.

Jasmijn zit met Willemieke op schoot, met haar koffiemok in de hand, op veilige afstand van haar dochters grijpgrage handjes. Silas is van zijn moeders schoot afgegleden en naar zijn speelkameraadje gekropen. Afwezig zet Jasmijn haar dochter naast Silas op de grond neer. Geïnteresseerd kijkt ze toe hoe Marloes helemaal lijkt te ontdooien in het gezelschap van de knappe Axel. Persoonlijk houdt ze meer van het wat gepolijste type, maar hij mag er zeker zijn. Ze gniffelt om Marloes' reactie op haar opmerking over zijn sixpack. Maar haar ogen worden groot als haar blik op Steve Gates valt, die in een hoek van de kamer naast haar opa zit. Kathy is met een levendig verhaal bezig en Steve doet net alsof hij meeluistert, maar Jasmijn ziet dat al zijn aandacht op Marloes gevestigd is. Zijn ernstige gezicht verraadt niet wat hij denkt, maar hij lijkt het niet goed te keuren dat ze zo geanimeerd met Axel zit te praten.

Grijnzend neemt Jasmijn een handje pinda's uit een schaaltje en ze gaat er eens goed voor zitten. Dit kon nog weleens een leuker feestje worden dan ze had gedacht!

## *10*

Axel lijkt niet veel op zijn serieuze broer. Als hij verneemt dat binnenkort Buurtzorg officieel geopend wordt met een feestje, zegt hij wel te willen helpen. 'Doe mij een schort voor en ik breng de drankjes wel voor je rond.'

Marloes lacht hem uit. 'Ik zie het al voor me. Volgens mij zou jij stiekem alle sapjes voorzien van een scheut sterkedrank om de feestvreugde te verhogen.'

Axel kijkt even alsof hij de mogelijkheid overweegt, maar stapt dan over op een ander onderwerp.

'En het gebouw heeft ook nog steeds geen naam, hoorde ik van Huub. Dat wordt toch hoog tijd. Ik heb ook gezegd dat het een schande is dat hij geen kunst in het gebouw heeft staan.'

Marloes lacht om zijn verontwaardiging. 'Misschien kun jij iets moois maken. Maar dan moet het wel echt mooi zijn. Anders wordt het verbannen naar het achterste hoekje van de parkeerplaats tussen de weilanden.'

Axel kijkt geamuseerd naar de levendige handgebaren van zijn gesprekspartner. Hij houdt haar een schaaltje met zoutjes voor en vraagt haar of dat wel een goed idee is. 'Ik bedoel, als het echt erg lelijk is, raken de koeien misschien wel van de leg. Of hoe noem je dat als ze geen melk meer geven?'

'Zoiets, ja. Maar heb jij dat beeld in de tuin ook niet gemaakt, ter ere van de bruiloft van Bonnie en Maurits? Als het zoiets wordt, krijgt het vast een ereplaats. Serieus, als ik langs het huis rijd moet ik er telkens naar kijken, het is echt heel mooi!'

Axel accepteert het compliment bescheiden.

Tot haar eigen verbazing vermaakt Marloes zich prima. Axel blijkt een goede gesprekspartner en hij heeft haar een paar leuke ideeën voor het zorghotel aan de hand gedaan.

'Je moet echt met Huub gaan praten, Axel. Het is goed als het zorghotel zo breed mogelijk wordt opgezet, en volgens mij pas jij heel goed in de denktank. Als je er tijd voor hebt, tenminste.'

Ze bloost als ze zich realiseert dat ze het bijna alleen over haar werk hebben gehad.

'Waar ben jij op het moment mee bezig?' Ze vindt het een lastige vraag. Toen ze in het dorp kwam wonen, heeft Jasmijn haar verteld dat Axel zo'n beetje op de zak van zijn broer Maurits teert. Hij woont in een soort appartementje aan de achterzijde van de pastorie, waar hij behalve een slaapkamer ook een eigen woonkamer en badkamer heeft, plus een klein keukentje. Maar de grootste trekpleister toen hij erin trok was voor hem de schuur, waar hij zijn atelier van heeft gemaakt. Ze begreep uit Jasmijns verhaal dat hij ook geregeld aan de eettafel zat bij het jonge echtpaar. Hij maakte klaarblijkelijk veel verre reizen, waarop hij de kost verdiende met simpele baantjes zoals druivenplukken. En dan trok hij weer verder. Bonnie en Maurits lijken er geen problemen mee te hebben; het contact tussen hen is allerhartelijkst.

Axel begint te vertellen over de houtsnijkunst waar hij op het moment mee bezig is. Hij brengt zijn verhaal heel enthousiast en Marloes is gefascineerd door de manier waarop hij over zijn kunst spreekt. Hij doet er luchtig over, maar ze voelt een passie achter zijn woorden die haar raakt.

'Mag ik eens iets zien van wat je gemaakt hebt?'

Axel kijkt haar even strak aan, wat haar doet blozen.

'Of moet ik wachten tot je een tentoonstelling gaat houden?'

Hij kauwt op een nootje en slikt het door. 'Weet je, ik wil niet iedereen in mijn werkomgeving hebben. Soms heb je van die mensen die je qua energie helemaal leegzuigen, dat is een killer voor m'n creativiteit.'

Marloes heeft het gevoel dat haar kleur zich opnieuw verdiept. Is ze aanmatigend geweest? Ze foetert op zichzelf. Ja! Wat mankeert je, Marloes?

Dan grijnst Axel zijn witte tanden bloot. 'Maar aangezien jij niet zo bent, ben je van harte welkom om eens te komen kijken.'

Marloes lacht opgelucht terug.

Axels blik blijft in de hare hangen. 'Misschien vind je het raar, maar kunstenaars zijn best gevoelig voor kritiek. Wat nou als je mijn werk complete bagger vindt?'

Marloes schiet in de lach. 'Ik kan heel tactvol zijn,' zegt ze met pretlichtjes in haar ogen. 'Maar zodra ik iets "bijzonder" noem of "heel apart", dan weet je dat ik het helemaal niks vind.'

Axel wrijft nadenkend met een hand over zijn stoppelige kin. 'Dan moet ik het risico maar nemen. Mocht je zeker willen weten of ik er ben, bel me dan even.' Hij vist zijn mobiele telefoon uit zijn achterzak, een iPhone, ziet Marloes. Ze wisselen telefoonnummers uit.

'Kan ik gewoon om de pastorie heen lopen?'

Axel knikt. 'Als je het tuinpad volgt, zie je daar achter in de tuin een grote schuur staan. Dat is mijn domein.'

Marloes heeft opeens het gevoel dat ze op het punt staat een terrein te betreden waar ze nog niet helemaal aan toe is.

Silas biedt gelukkig afleiding, hij wordt moe en begint te dreinen. Marloes pakt hem van de vloer waar hij zat te spelen, maar al snel is het Axel die hem aan het lachen krijgt. Als Silas de handjes naar hem uitsteekt, tilt hij de kleine jongen vrijmoedig van Marloes' schoot en zwiert hem in de lucht. 'Rakker die je bent!'

Axel is ook blij met de onderbreking omdat hij merkt dat Marloes zich wat ongemakkelijk begint te voelen. Verdraaid, Axel, niet te hard van stapel lopen!

Al hossend met de kleine jongen op zijn arm denkt hij na over de afgelopen paar uur. Toen hij Marloes zo lachend op de stoep had zien staan, was het net alsof hij de bliksem voelde inslaan. Hij moest zijn best doen om niets te laten merken.

Hij was haar in het afgelopen jaar wel een paar keer tegengekomen in het dorp. Maar hij had genoeg aan zichzelf gehad op dat moment. Hij was hier ondergedoken om tot rust te komen. Na langere tijd hard werken was er niets meer uit zijn handen gekomen. Net alsof hij geen inspiratie meer had. Zijn relatie met de Amerikaanse Susan was op de klippen gelopen en hij was heel zijn leventje beu geweest. De leegte van alles. Niet dat iemand hier daarnaar vroeg. Wonderbaarlijk hoe er allerlei verhalen over hem de ronde deden. Zo zou hij bijna continu op reis zijn. Natuurlijk had hij wel een paar reizen gemaakt, maar nooit langer dan een paar weken, tot hij weer naar huis ging. Thuis was zijn appartement in New York. Niemand wist van zijn tijd in de 'Big Apple', behalve zijn broer Maurits. Zelfs Bonnie wist niet alles.

Hij was er nu al bijna een jaar niet geweest en had iemand die voor hem de post sorteerde en een oogje in het zeil hield. Hij taalde niet naar de drukte van de grote stad. Hier, in dit rustige dorp waar echt niks te doen was qua afleiding, had hij zichzelf langzaamaan weer teruggevonden, en was hij met een nieuwe 'tak van sport' begonnen.

Hij grinnikt om die gedachte, toepasselijk, die tak, gezien het feit dat hij het houtbewerken had opgepakt.

Door lange gesprekken met zijn broer begon hij ook de zin van het leven weer te ontdekken. Doordat hij in het kunstwereldje terecht was gekomen, was hij niet alleen zichzelf, maar ook God kwijtgeraakt. Hij betrapte zichzelf erop dat hij weer begon te bidden.

Mensen hier dachten dat hij op de zak van zijn broer teerde. Prima. Het kon hem eigenlijk weinig schelen wat mensen van hem dachten. Hij hield mensen dan ook op een afstand, soms hielp een grap of een kwinkslag daar het beste bij. Hij vond het niet erg om voor oppervlakkig door te gaan. Na een tijd van bijkomen wilde hij alleen maar werken, zijn inspiratie begon – letterlijk God zij dank! – weer terug te komen. Hij was gelukkig voor onbepaalde tijd welkom bij zijn broer en schoonzus en had alle ruimte om zich terug te trekken, maar ook om hun gezelschap op te zoeken. Hij ontliep de meeste feestjes, maar hier had hij niet onderuit gekund.

'Wil je je soms verstoppen in je atelier, terwijl hier het huis vol mensen zit?' had Bonnie lachend gevraagd. Om haar een plezier te doen was hij gekomen, maar hij had van tevoren gezegd dat hij zich met niemand ging bemoeien, dat hij zich afzijdig zou houden.

En toen was daar opeens Marloes. Marloes met haar gulle lach, haar grote, groene ogen. Ze leek heel ingetogen, totdat ze ergens over praatte wat haar hart raakte. Maar die lach had hem de das omgedaan, had hem geraakt tot in het diepst van zijn wezen.

Zijn blik glijdt over haar slanke verschijning, in een gebloemde rok met bijpassend vestje. Ze is zo anders dan de vrouwen die hij in New York om zich heen had gehad, zo anders dan Susan met haar lange, geblondeerde haar. Ze is… echt, dat is het woord dat hij zoekt. Hij schudt de kleine Silas zachtjes heen en weer op zijn arm en kijkt in de bruine ogen van het kind.

'O, dat zijn toch geen waterlanders?' Hij gooit Silas in de lucht, wat het kind weer doet schateren.

Hij zegt niet wat hij denkt: voor zulke wilde spelletjes heb je eigenlijk een vader nodig. Een gedachte die hem raakt, gek genoeg. Hij zou meer willen weten over de vader van Silas, over Marloes' relatie met hem. Over de broer die opeens is komen opdagen, wat voelt ze voor hem?

Als hij weer naar Marloes kijkt, ziet hij dat zijn plaats is ingenomen door Steve Gates.

'Als je het over de duvel hebt...' mompelt hij in Silas' haar. Hij heeft begrepen dat de vader van de kleine Silas niet meer leeft, maar dat Steve erg op hem lijkt. En zo te zien kan Marloes het met broerlief ook uitstekend vinden.

Nog meer gasten wisselen van plaats. Tot vreugde van oma Geertje kan ze eindelijk haar rolstoel tot vlak bij de stoel van haar kleindochter Jasmijn rijden. 'Waar is Willemieke dan? Oma's kleine meid?'

Willemieke zet het op een brullen en is niet stil te krijgen.

'Sein voor mij om op te stappen,' stelt Jasmijn vast.

Oma 'mag' het huilende kindje even vasthouden terwijl Jasmijn haar jasje uit de gang haalt. Ook Marloes maakt aanstalten om te vertrekken. Ze neemt afscheid van de andere gasten, praat nog even kort met Kathy, die ook bij Axel is komen staan en Silas onder zijn kin kriebelt. Marloes komt Geertje te hulp als ze ziet dat ze de baby bijna niet kan hanteren. 'Ik kom heel gauw weer eens bij u langs, mevrouw Voordewind.'

'Hm!' is de bitse reactie.

'Jasje aan, de wind is nog fris.' Jasmijn worstelt de kleine en onwillige armpjes van Willemieke door de mouwen.

Geertje trekt haar gezicht in een grimas. 'Jij bent feitelijk nog véél te jong om moeder te zijn, je bent zelf nog een kind!' Nee, tussen oma en kleindochter botert het niet.

Marloes trekt Silas met hulp van Axel zijn jasje aan. Axel loopt mee de gang in en kijkt geamuseerd toe hoe de dames de wandelwagens weer volladen met tassen en kinderen. Marloes is zich maar al te zeer bewust van zijn blikken.

Bonnie loopt mee naar de voordeur. 'Je oma wordt echt vergeetachtig, Jasmijn. Hoelang zou het nog goed gaan, dat zelfstandig wonen?'

Jasmijn haalt haar schouders op. 'Daar moeten mijn ouders zich dan maar om bekommeren, Bonnie. Fijne dag verder, lieverd, het was erg gezellig. Soms verlang ik terug naar de tijd dat we samen met de B&B begonnen.'

Bonnie knuffelt haar nicht en zegt, terwijl ze Marloes knuffelt, dat de tijd waarin ze nu leven toch ook mooi is.

'Je haalt me de woorden uit de mond, schone zus.' Axel helpt Marloes om de kinderwagen over de drempel te tillen.

Bonnie kijkt over zijn schouder mee. 'Voorzichtig met die treden van het stoepje! Lukt het wel?' Dan wordt Bonnie geroepen en verdwijnt ze met een zwaai weer naar binnen. 'Ik ben weer nodig, tot gauw, meiden!'

Jasmijn is met de kinderwagen de stoep af gereden en staat al iets verder op het pad. Ze bukt zich om Willemiekes voetenzak dicht te ritsen. Geërgerd zakt ze op haar hurken. 'Even wachten, Marloes,' roept ze over haar schouder. 'Er zit weer stof tussen de rits, dat ellendige ding ook!'

Marloes glimlacht als ze ziet hoe de blonde staart van Jasmijn op haar achterhoofd mee zwaait met de schokkende bewegingen die ze maakt om de rits los te krijgen. Met één hand duwt ze Silas' wagentje zachtjes heen en weer. 'Doe maar rustig aan, Jasmijn. Ik heb alle tijd.'

Axel kijkt naar haar ontspannen gezicht en neemt een besluit. Hij komt dichter bij haar staan, waardoor Marloes verbaasd opkijkt. Voor ze weet wat er gebeurt, stapt hij nog dichterbij en glijdt zijn ruwe hand over haar kaak. De kinderwagen komt tot stilstand en Marloes is even alles om zich heen vergeten. Axel brengt zijn gezicht dichter naar het hare. Vaag hoort Marloes hoe Jasmijn de voetenzak opnieuw verwenst, maar ze kan niet reageren. Axel staart naar haar mond en vervolgens kijkt hij haar strak aan. Ze knippert verward en vergeet adem te halen als hij haar langzaam op haar wang kust, vlak bij haar mondhoek. Zijn baardje kriebelt op haar gezicht en schuurt langs haar huid wanneer hij zich terugtrekt. Marloes' hart klopt als een bezetene en ze slikt moeilijk. Hoewel er nog geen halve minuut verstreken is, heeft ze het gevoel alsof er een eeuwigheid voorbijgegaan is.

'Zo, die zit weer goed!' Jasmijn komt overeind en Marloes doet snel een stap achteruit. Ze durft Axel niet aan te kijken, bang dat ze verraadt wat zijn afscheidskus bij haar teweeg heeft gebracht.

Jasmijn komt opgelucht weer overeind en ziet hen stil naast elkaar staan. 'Wat?'

Marloes kijkt haar onschuldig aan. 'Wat "wat"?'

Jasmijn draait de kinderwagen de goede kant op. 'Niks, jullie zijn zo stilletjes. Nou, de groeten, Axel, tot op het volgende feestje.'

Axel zwaait hen uit. 'En niet vergeten, Marloes, om eens langs te komen in het atelier!' roept hij haar na.

Als Marloes omkijkt staat hij nonchalant tegen de deuropening geleund. Ze glimlacht zwakjes en zwaait zonder te antwoorden, terwijl ze snel achter Jasmijn aan loopt.

Als Jasmijn en Marloes met hun vrachtjes de straat uit lopen, maakt Jasmijn een veelbetekenend geluid. 'Heel behulpzaam is hij, onze Axel. En je mag eens bij hem langskomen in zijn atelier, toe maar! Maar ik heb hem eens goed bekeken, en ik denk echt dat het klopt. Dat hij een sixpack heeft, bedoel ik.'

Hun lach is bevrijdend voor Marloes, die bij zichzelf denkt: je moest eens weten!

De kinderen kijken verbaasd naar hun moeders en lachen mee, Willemieke door haar tranen heen. Als ze zijn uitgelachen, merkt Jasmijn zuchtend op: 'Maar volgens mij valt hij op je, Marloes.'

Marloes zucht eens diep. 'Ach, weet je, Jasmijn, ik heb sinds ik dacht dat Thomas een soort playboy was, de mannen afgezworen. Nu hij dat niet blijkt te zijn, moet ik mijn positie opnieuw bepalen. En dat valt niet mee, kan ik je zeggen. Ik merk dat ik ervan in de war raak. Mijn oude gedachte dat mannen onbetrouwbaar zijn, klopt niet meer. Dus als ik nu iemand ontmoet... Laat ik zeggen dat het een stuk gemakkelijker is om mannen gewoon op een afstand te houden.'

Silas zwaait naar Willemieke, die hem alleen maar aanstaart. Marloes glimlacht naar haar zoon. 'Ik weet ook niet of ik wel toe ben aan een relatie. Voor mannen ben ik toch altijd nog een vrouw met een kind van een ander, denk ik. Laatst vroeg iemand in de supermarkt of ik hem geadopteerd had, ik was best beledigd. Ha, niks ervan, ik heb hem zelf negen maanden gedragen en met bloed, zweet en tranen op de wereld gezet!'

Jasmijn luistert geamuseerd naar de ontboezeming.

'Wacht maar, als vandaag of morgen Amor raak schiet, praat je vast wel anders. En je hebt ze gewoon voor het uitkiezen, dame!'

Marloes trekt haar wenkbrauwen op.

'Ja, kijk maar niet zo verbaasd. Ten eerste heb je onze degelijke dokter, Wout. Hij is een felbegeerd vrijgezel, maar tot nu toe is hij niet voor de charmes van een van de dorpsschonen gevallen. En dan is er natuurlijk de zakelijke Steve. Succesvol advocaat, niet onbemiddeld, serieus en charmant... en handig dat niemand dan meer vraagt of Silas geadopteerd is.'

Marloes proest het uit, maar Jasmijn is nog niet klaar. 'En dan is er nog onze kunstzinnige vrijbuiter, Axel Voogd. Knap als een piraat, woest aantrekkelijk noemde ik hem geloof ik daarstraks, hè? Maar hij is wel een tikje losbandig. Is hij om te toveren tot een brave huisvader, of springt hij op een dag weer op Omies motor en rijdt hij de verre einder tegemoet?' Ze klinkt als een overenthousiaste quizmaster.

Marloes draait geamuseerd met haar ogen. 'Ja hoor, en alle drie staan ze te springen om iets te beginnen met een werkende, alleenstaande moeder met een buitenechtelijk kind. Vast!'

Jasmijn kijkt opzij naar haar vriendin, die stevig doorstapt, en ze bedenkt verwonderd dat Marloes geen idee heeft hoe aantrekkelijk ze is. En dat mannen waarschijnlijk het feit dat ze een buitenechtelijk kind heeft, graag op de koop toe nemen als ze Marloes zouden kunnen krijgen. Dat dit tot nu toe niet gebeurd is, heeft naar haar idee meer te maken met de afstandelijkheid van Marloes dan met iets anders. De tijd zou het leren, bedenkt ze wijs.

Dan wijst ze op een naderende auto. 'Daar zul je Aniek en Huub hebben.' Ze zwaait uitbundig. Aniek en Huub zwaaien in het voorbijgaan terug.

'Hopelijk gaat het verder goed met de zwangerschap van Aniek. Ze voelt zich gelukkig weer een tikje beter, maar het houdt nog niet over. Trouwens... Simon zei laatst dat het tijd wordt dat we aan een broer of zus voor Willemieke denken. Terwijl ik mijn handen aan eentje al vol heb! Hij wil niets liever dan een groot gezin.'

Jasmijn begint van agitatie sneller te lopen.

'Ik kan me voorstellen dat je zo kort na de geboorte van Willemieke niet gelijk staat te springen om weer zwanger te worden.'

Jasmijn zegt blij te zijn begrip te vinden. 'Trouwens, Marloes, petje af! Je gaat goed om met de familie van Silas. Het was vast niet makkelijk voor je, toen ze daarnet op het feestje opdoken. Maar aan de andere kant ook wel weer slim van Oop en Omie om hen mee te nemen, nu heb je je er niet zenuwachtig over kunnen maken en weet iedereen gelijk hoe de vork in de steel zit. Kathy lijkt me een aardige vrouw. En die Steve... wel, daar hebben we het al over gehad. Heb je enig idee of ze lang blijven?'

Marloes zegt het nog niet te weten. 'Maar soms zegt Kathy dingen die erop duiden dat ze wel langere tijd hier zou willen blijven. Steve zal toch op een gegeven ogenblik wel weer terug moeten naar zijn advocatenkantoor, denk ik. Enfin, we wachten het maar af. Het is apart, om Silas zo opeens te moeten delen.'

Jasmijn zegt dat ze dit goed kan begrijpen. 'Kom gauw nog eens langs, het is zo gezellig als jij er bent en je weet het: Silas heeft op mijn dochter een zeer positieve invloed, dat zag je vanmiddag ook maar weer eens. O, en toch niet te geloven hoe oma Geertje zich weer opstelde. Wel frappant dat Willemieke gelijk begon te huilen toen ze haar zag. Die neiging heb ik ook weleens. Ik moet er niet aan denken dat ze bij ons in huis zou wonen, met al haar klaagzangen. Werkelijk niets is goed! Nu was ik weer te jong om moeder te zijn. Waar bemoeit ze zich mee? Soms begrijp ik Simon werkelijk niet! Ik zeg maar niets meer, maar hij blijft er maar over doorgaan.'

Marloes herinnert zich het begin van het feestje, toen Jasmijn ook aan het klagen was over oma Geertje en hoe verschillende mensen zich van haar afkeerden. Moet ze iets zeggen nu?

Ze staan op het kruispunt waar hun wegen zich scheiden.

Jasmijn ratelt verder over haar favoriete onderwerp, en als ze even stilvalt, vat Marloes moed.

'Heb je dit eigenlijk ook wel tegen Simon gezegd?'

Jasmijn fronst. 'Wat bedoel je, hij weet het toch?'

Marloes verschikt iets aan het mutsje van Silas. 'Ja maar... Het is goed om je hart te luchten, maar doe dat vooral bij degene die er wat aan kan doen.'

Jasmijn recht haar rug. 'Wat bedoel je precies te zeggen, Marloes?'

Het zweet breekt Marloes uit. Hoe kan ze dit zeggen zonder Jasmijn te kwetsen? Maar wie A zegt...

'Wat ik bedoel, is dat ik het idee heb dat je tegen iedereen klaagt over oma Geertje, maar dat niemand behalve Simon er wat aan kan veranderen. Onderhand klaag je bijna net zoveel als... oma Geertje.' Dat laatste brengt Marloes op geamuseerde toon, maar ze ziet aan Jasmijn dat het totaal verkeerd valt.

'Wat?'

Ze draait zich demonstratief naar Marloes toe. 'Ik klaag helemaal niet net zoveel als zij! Ik lijk niet eens op haar, hoe kom je erbij!'

Marloes sluit haar ogen even. 'Jasmijn, op het feestje...' Ze zwijgt even ongemakkelijk. 'Je had het met Bonnie over oma Geertje en je zag mensen echt wegkijken op een manier...' Hulpeloos haalt ze haar schouders op. 'Ik weet het niet, zo van: heeft ze het daar nu alweer over?'

Jasmijn hapt verontwaardigd naar adem. 'Niemand begrijpt ook hoe erg het is! Ik kan niet geloven dat jij me zo afvalt. Werkelijk, Marloes, ik dacht dat we vriendinnen waren!'

Driftig keert ze zich om en ze zet de kinderwagen met een schok in beweging, waardoor de ingedommelde Willemieke wakker wordt en het weer op een brullen zet.

'Jasmijn, loop nou niet weg! Ik wil je alleen maar helpen.' Marloes wil haar achternalopen.

Maar Jasmijn keert zich om. 'Van de wal in de sloot zeker! Laat me met rust, ik kan er nu even niets meer bij hebben.'

Zuchtend ziet Marloes Jasmijn om de hoek verdwijnen, met zo'n noodgang dat de wandelwagen met twee wielen van de grond komt. Het stemmetje van Willemieke klinkt als een sirene, steeds verder weg.

'Nou, Silas, dat heb ik tactvol aangepakt, of niet?'

Silas kijkt met een vragend gezicht omhoog naar zijn moeder. Hij zwaait met z'n beide armpjes.

'Nee, echt, je mag het gerust zeggen: "Mama, dat was een slechte timing, en je had het best wat aardiger kunnen zeggen".'

Silas lacht zijn brede lach naar zijn moeder. Marloes grimast terug. 'Kom, mannetje van me. We gaan naar huis. Gelukkig vind jij me nog wel lief, of niet?'

Al babbelend met haar zoon voelt Marloes hoe de reactie van Jasmijn haar dwarszit. Wat moet ze doen om haar te helpen, en vooral: om het weer goed te maken? 'We laten haar maar eerst even betijen, wat jij, Silas?'

Silas zegt hartgrondig: 'Da!', waarop Marloes in de lach schiet.

'Mooi, daar zijn we het dan over eens!'

# 11

Op de dag van de officiële opening van Buurtzorg is het stralend lenteweer. De uitgenodigde pers heeft enthousiast gereageerd: er lopen verslaggevers en fotografen van verschillende kranten rond. Zelfs de regionale tv-zender heeft een ploegje mensen gestuurd.

Marloes kijkt nog even kritisch het kantoor van Buurtzorg rond. De gasten kunnen via de hal binnenkomen, maar ook via de dubbele openslaande deuren die rechtstreeks naar het buitenterrein leiden. Omdat het kantoor maar klein is, is de enorme partytent een uitkomst. Mocht er toch een bui losbreken, dan kan het feest gewoon doorgaan. Ze zucht tevreden. Het ziet er allemaal perfect uit, het feest kan beginnen.

Wout Ouderaa zal het logo bij de ingang van het gebouw onthullen. Het team heeft besloten hem deze eer te gunnen, omdat hij degene is die Buurtzorg naar het dorp heeft gehaald. Hij mag dan wel geen werknemer zijn, maar zijn inzet en betrokkenheid zijn ongekend.

De enigen die zich wat afzijdig houden, zijn Huub en Aniek Looijenga. Huub kon het, als eigenaar van het gebouw, natuurlijk niet maken om niet te verschijnen op dit feest. Bovendien is Marloes de beste vriendin van Aniek, zoals zijn vrouw hem heeft voorgehouden. Huub haalt diep adem en bekijkt het gebouw met het bijbehorende parkeerterrein. Voor zijn geestesoog verschijnt even het voormalige gebouw. Hij knippert snel en het beeld vervaagt. Dit is een nieuw gebouw, het is een nieuwe tijd, resoneert het in zijn hoofd als een mantra. Het zinnetje helpt hem om in het heden te blijven. Hij probeert het gebouw objectief te bekijken, met vreemde ogen, en is tevreden over wat hij ziet. Het is een geslaagd project, en hij is blij dat Buurtzorg onderdeel uitmaakt van het geheel. Het is een organisatie waar hij pal achter kan staan.

Met Aniek aan zijn arm loopt hij richting de partytent, waar ze Marloes tegenkomen. De begroeting is hartelijk en Aniek knuffelt haar vriendin met een blije kreet. 'Wat een mensen, het lijkt wel alsof het hele dorp is uitgelopen om hierbij te zijn. De auto's passen niet eens meer op de parkeerplaats, wij moesten een paar honderd meter lopen om hier te komen, haha! Het ziet er geweldig uit, Marloes. En jijzelf trouwens ook.'

Voor de gelegenheid heeft Marloes zich in het nieuw gestoken. Ze is hiervoor samen met Kathy op stap geweest. Kathy drong erop aan om niet alleen voor Marloes een mooie jurk aan te schaffen, maar ook de kleine Silas in het nieuw te steken. Kathy was zo enthousiast geweest dat Marloes het niet over haar hart had kunnen verkrijgen om te protesteren.

Oma Kathy geniet van elke dag. Ze zegt regelmatig dat ze niet had gedacht dat het leven nog zoveel moois voor haar in petto zou hebben. En de reis naar Groningen stelt ze telkens weer uit. Ze heeft nu bedacht dat Marloes en Silas met hen mee zouden kunnen gaan. Een lang weekend bijvoorbeeld. Ze geniet hoe dan ook volop van de kleine Silas, en van zijn moeder, op wie ze steeds meer gesteld raakt.

Ook Steve lijkt geen haast te hebben om weer naar Amerika te vertrekken. Hij verdwijnt een paar uur per dag om vanuit zijn kamer in de B&B te werken en staat dan weer klaar om samen met zijn moeder op stap te gaan.

Marloes ziet Kathy en Steve in de deuropening staan en ze verontschuldigt zich bij Aniek en Huub om hen te begroeten. Kathy heeft Silas op haar arm. Ze heeft het op zich genomen om op hem te passen en zal met hem naar huis gaan zodra hij te moe begint te worden. Als ze hen van een drankje heeft voorzien, is het tijd voor het officiële gedeelte.

Marloes heet de gasten welkom, ze houdt een korte speech, maar geeft het woord al snel over aan Wout, die zich voor de gelegenheid keurig in het pak heeft gestoken.

Wout is een vlotte spreker. Hij schetst in een paar woorden hoe Buurtzorg in korte tijd landelijk een begrip werd en hoe Buurtzorg in hun dorp tot stand is gekomen.

Marloes staat naast de oprichter en directeur van Buurtzorg, die zich bij de opening van elke afdeling even laat zien, en vraagt op gedempte toon: 'Weet je zeker dat je geen toespraak wilt houden, Jos? Om jezelf even voor te stellen?' Ze plaagt hem, want ze weet hij dat geen publiciteit zoekt.

Hij heft zijn glas naar haar. 'Marloes, je weet dat ik alleen voor de catering kom.'

Ze lachen zachtjes, om Wout niet te storen.

Marloes kent het verhaal dat Wout vertelt natuurlijk als geen ander, waardoor haar aandacht voor de toespraak verslapt. Ze kijkt naar de luisterende groep mensen en ziet Jasmijn naast Simon staan. Het doet haar pijn als ze naar Jasmijns strakke gezichtje kijkt. Ze heeft door haar opmerking de vriendschap beschadigd, dat is overduidelijk. Jasmijn beantwoordde haar begroeting daarstraks wel, maar ze had net zo goed een vreemde kunnen zijn, zo afstandelijk deed ze. Het was aan Simons gemoedelijke manier van doen te danken dat er geen pijnlijke stiltes vielen. Als zo meteen de opening van Buurtzorg achter de rug is, heeft ze weer tijd om wat meer aandacht aan haar vriendschappen te besteden. De eerste vergadering met de 'denktank' van het zorghotel staat gepland, maar dat duurt nog een paar weken. Van Huub heeft ze begrepen dat hij rond is met de geheime financierder over wie hij het had. De man wil graag anoniem blijven, maar hij draagt het plan een warm hart toe. Het bedrag dat hij gaat investeren, is samen met dat wat Huub en de familie van de baron bijdragen, voldoende om het plan vlot te trekken.

Marloes had Huub aangeraden om eens met Axel te praten over het zorghotel. 'Hij heeft heel goede ideeën over het geven van creatieve cursussen. Maar hij stelde ook heel goede vragen op inhoudelijk en bestuurlijk gebied. Hij lijkt me een heel goed iemand om erbij te hebben.' Ze had een kleur gekregen toen ze zijn naam uitsprak, en ze hoopte maar dat Huub dat zou wijten aan haar enthousiasme voor de nieuwe ontwikkelingen.

Hij had nadenkend over zijn kin gestreken. 'Axel? Wat een goed idee. Ik zal binnenkort eens bij hem langsgaan, eens polsen wat hij van het hele idee vindt. Goede tip, Marloes. Het is overduidelijk waarom we jou moesten hebben voor deze baan.'

Een lachsalvo van het publiek brengt haar terug naar het nu en ze lacht plichtmatig mee.

Jasmijn neemt niet de moeite te doen alsof ze het leuk vindt, ziet Marloes. Ze blijft strak voor zich uit kijken.

Marloes neemt zich voor Jasmijn net zo lang te bestoken met telefoontjes en onverwachte bezoekjes, tot ze weer wil praten. Ze wil de oude Jasmijn weer terug, niet deze diepvriesvariant van haar vriendin. Ze lacht inwendig als ze terugdenkt aan de stem van Jasmijn, toen ze de drie vrijgezellen in haar leven omschreef.

Ze kijkt naar Wout, die een anekdote vertelt met pretlichtjes in zijn ogen. Marloes bekijkt hem alsof ze hem voor het eerst ziet. Vrijgezel nummer één. Hoe noemde Jasmijn hem ook alweer? De degelijke dokter?

Ze schudt haar hoofd en spreekt zichzelf streng toe. Waar denk je aan, Marloes? Ben je Wout werkelijk als kandidaat aan het bekijken voor een relatie? Kom op, Marloes. Je kon het toch zo goed redden met Silas, alleen?

Ze gaat in gedachten het gesprek met zichzelf aan. Jawel, dat is ook zo. Maar als ze heel eerlijk is, mist ze het ook wel, iemand in haar leven voor wie zij speciaal is. Als ze kijkt naar haar vriendinnen en hun mannen, benijdt ze hen best.

Haar kritische kant is nog niet tevreden.

Je hebt de mannen afgezworen, weet je dat niet meer? Je hebt er een handje van om de verkeerde mannen uit te kiezen, en die fout wil je niet nog eens maken, toch?

Marloes knikt onopvallend. Daar heb je een punt. Dat klopt. Na haar huwelijk waarin ze werd mishandeld, en nadat ze was gevallen voor een playboy, was dat haar reactie geweest. Maar... zo houdt ze haar kritische ik voor, Thomas bleek geen playboy te zijn geweest. Dus het was fiftyfifty.

En als ze zo doorging als nu, zou ze voor altijd alleen blijven. Wilde ze dat? Wilde ze Silas laten opgroeien in een eenoudergezin, zonder de kans op broertjes of zusjes? Ze kijkt naar haar zoon die bij zijn oma op de arm zit, en haar hart smelt als ze hem ziet.

Ze haalt diep adem en neemt een besluit: ze zal het een kans geven. Niet omdat ze alleen is, want ze redt het inderdaad prima alleen. En daarbij, heeft ze pas niet ontdekt dat ze samen met God nooit meer alleen hoeft te zijn? Daar hoeft ze het dus niet om te doen. Ze zal het doen voor zichzelf, omdat ze haar leven met iemand wil delen, wil verrijken, en Silas een vader wil geven. Ze knikt vastberaden.

Welaan, hoe zal ze dat eens aanpakken?

Jasmijn heeft haar drie vrijgezellen voorgehouden. Als ze daar nu eens mee zou beginnen?

Haar kritische ik bindt in en doet er het zwijgen toe.

Marloes denkt praktisch na. Ze moet een soort plan maken. Wat vindt ze belangrijk in een relatie? Ze lacht in zichzelf om de ommezwaai die ze in een paar minuten tijd heeft gemaakt, van verstokte vrijgezel naar... ja, naar wat?

'Heer, help!' fluistert ze, vertrouwend op het kortste gebed dat ze kent. Want hulp heeft ze wel nodig, om te bedenken wat ze belangrijk vindt in een man. Dat hij gelovig moet zijn, staat als een paal boven water. Hij moet Silas accepteren als zijn eigen kind, anders wordt het ook niks. En hij moet wel betrouwbaar zijn, verantwoordelijk, iemand op wie ze kan bouwen. En verder... Ze kan zo snel niets bedenken wat echt belangrijk is. Resoluut recht ze haar rug. Dat komt later wel.

Haar kritische ik heeft echter nog wel een puntje van aandacht. Je moet hem toch ook wel een beetje aantrekkelijk vinden, of niet dan? Er moet toch zoiets als chemie zijn, aantrekkingskracht. Dat betekent wel dat ze de muren die ze zo zorgvuldig om zich heen heeft opgetrokken, moet laten zakken.

Marloes krijgt een kriebel in haar buik, wat haar bijna hardop doet giechelen. Ze lijkt wel een puber!

Zie het als een experiment, houdt ze zichzelf voor. Zou ze nog weten hoe ze moest flirten? Het idee beneemt haar de adem.

Als Wout het publiek vraagt om het glas te heffen voor een toost, heft zij het glas naar hem op. Terwijl iedereen zijn kreet herhaalt: 'Buurtzorg voor iedereen!', maakt zij haar eigen variant: 'Op vrijgezel nummer één!'

De openingshandeling op zich stelt niet veel voor: Wout trekt een doek weg dat voor het logo hangt, er volgt applaus en dan komt Huub naar voren. De mensen die hem kennen, weten wat het hem kost om daar te staan.

'Tja, als eigenaar van het gebouw mag ik ook wat zeggen. Ik houd het kort. Wat ik hier in mijn handen heb, is een verrassing voor de organisatie en de mensen die daarachter staan. Er is niet veel over te zeggen, u zult snel begrijpen wat het is.'

Hij wenkt Marloes en Wout naar zich toe en glimlacht als hij uit het publiek veronderstellingen hoort roepen.

Marloes is verrast als ze ziet dat de lap die ze samen met Wout ontrolt, een vlag is. Met forse letters is het te lezen: Buurtzorg. Het is een uitvergroting van het logo, dat lijkt op een straatnaambordje, blauw met wit.

Natuurlijk volgt er spontaan applaus. Er staan een paar vlaggenmasten op het gazon, aan de meeste wappert al een vlag van de verschillende instanties. Maar Buurtzorg was er tot op heden nog niet bij.

Huub verheft zijn stem en roept: 'De eer is aan Marloes en Wout om de vlag voor de eerste keer te hijsen!'

Marloes denkt aan haar experiment en glimlacht naar Wout. Alle ogen zijn op hen gericht als ze naar de nu nog lege vlaggenmast lopen.

'O mensenlief, ik hoop dat jij weet hoe je een vlag moet hijsen?' Haar brede lach wijkt niet van haar gezicht terwijl ze Wout de vraag stelt.

'Wat? Nee, natuurlijk niet, Huub zei dat jij dat wel kon.'

Met een verontwaardigde ruk van haar hoofd kijkt ze opzij, om in de plagende ogen van Wout te kijken. Bijna stompt ze hem, uit gewoonte, in zijn zij. Dat zou een mooie foto geven in de krant!

Eenmaal bij de mast aangekomen is het even zoeken naar de juiste manier om de vlag te hijsen. Er zit een knoop in een van de touwen, en Wout peutert tevergeefs om die los te krijgen. Marloes ziet haar kans en zegt: 'Laat mij maar even,' terwijl ze haar handen over die van Wout laat glijden om hem het touw uit handen te nemen. Wout zegt niets, maar Marloes is tevreden. Zo te zien laat haar aanraking hem niet onberoerd.

Even later is de vlag op de juiste manier bevestigd en staan de fotografen van de krant klaar om het moment vast te leggen. 'Nog niet ophijsen, dokter!' roept een journalist. 'Anders is de vlag niet op de foto te zien.'

Wout en Marloes staan aan weerskanten van de vlaggenmast, terwijl beiden de vlag voor zich houden.

'Ietsje dichter bij elkaar, graag!'

Marloes ziet het als een kans. Ze pakt de arm van Wout vast en trekt hem dichter naar zich toe. Er is iets met de belichting niet naar de zin van de fotograaf. Ze moeten nog wat draaien, maar Marloes verbreekt het contact niet. Wout zegt al die tijd niets, terwijl hij normaal gesproken toch niet op zijn mondje gevallen is.

Marloes vraagt zich af of dat toeval is, of dat dit aan haar directe nabijheid toegeschreven mag worden.

'Nog even lachen... en het staat erop. Bedankt!' Nu mag de vlag echt gehesen worden en even later wappert het donkerblauwe doek zachtjes in de wind.

Marloes knikt naar Wout. 'Het officiële gedeelte zit erop. Tijd om iets te drinken, meneer de dokter?'

Wout grijnst en lijkt weer zichzelf te zijn. 'Ik schrijf u graag een drankje voor, mevrouw.'

Opnieuw haakt ze haar arm in de zijne, terwijl ze teruglopen naar de partytent.

'Tijd voor de hapjes!' roept Marijke de Groot en ze klapt daarbij in haar handen. Zij heeft zich met Bonnie en een stel vrijwilligers bezig-gehouden met het verzorgen van de catering.

Marloes krijgt amper de tijd om ook maar een slok uit haar glas te nemen, en ze ziet de schotels met hapjes met leedwezen aan zich voorbijgaan. Verslaggevers en belangstellenden houden haar continu aan om vragen te stellen of haar te complimenteren. Wout vergaat het net zo. Op een gegeven moment kruisen hun blikken elkaar, dwars door de mensenmenigte heen. Wout heft zijn glas naar Marloes. Als Marloes hetzelfde doet, ziet ze dat het leeg is. Ze schiet in de lach en toost alsnog met het lege glas.

Zo vindt Axel Voogd, de zwager van Bonnie, haar. 'Ah, daar ben je dan, Marloes. Zo veel mensen hier, ik kon je bijna niet vinden. Mag ik je feliciteren met de opening?'

Marloes schrikt op en haar hart begint te bonzen. O help, daar is vrijgezel nummer twee. Of was hij nummer drie? Moet ze hem ontwijken tot ze eruit is of nummer één de juiste kandidaat is, of kan ze de kandidaten tegelijkertijd beoordelen? Ze staart Axel aan. Dit keer draagt hij een wit overhemd, wat hem nog meer op een piraat doet lijken.

Marloes kleurt als ze terugdenkt aan hun vorige ontmoeting en steekt formeel haar hand uit, met de bedoeling de zijne te schudden.

Axel kijkt naar haar hand, en met een geamuseerd lachje pakt hij haar slanke hand in de zijne, wetend dat ze dit doet om hem op een afstand te houden. 'Dan maar zo!' En voor ze weet wat hij van plan is, brengt hij haar hand naar zijn mond.

Ze spert haar ogen open en zet zich schrap. Dit kan ze aan, het is maar een handkus! Maar in plaats dat hij de bovenkant van haar hand kust, draait hij haar hand om en rusten zijn lippen op de zachte binnenkant van haar handpalm. Haar vingers worden hierdoor tegen zijn stoppelige wang gedrukt, wat Marloes moeilijk doet ademen.

Ze staart naar de intiem uitziende handeling en schrikt als hij zijn blauwe ogen opeens opslaat en haar glimlachend aankijkt. Hij laat haar hand zakken.

'Gefeliciteerd.'

Het klinkt suggestief, wat haar doet denken dat hij haar feliciteert met iets heel anders dan de opening van vandaag.

Ze lacht beverig en trekt haar hand terug. Dit moet toch ophouden! Ze verandert in een soort zwijmelende jonkvrouw als ze bij hem in de buurt komt. Goed, ze weet hierdoor in elk geval dat het onderdeel van de aantrekkingskracht bij hem wel goed zit, maar wat zegt dit verder over zijn geschiktheid als kandidaat? Helemaal niets, houdt ze zichzelf streng voor.

'Dank je wel. Voor de felicitatie,' vult ze snel aan. Axel lacht om haar verwarring. Ongemakkelijk kijkt Marloes om zich heen. 'Ik moet even... kijken of het goed gaat bij de catering.'

Hij vouwt zijn armen over elkaar en kijkt haar vragend aan. 'Is dat zo? Ik wilde nog wel even zeggen dat je een heel mooie jurk aanhebt. Die kleur blauw staat je goed. Is hij nieuw?'

Marloes kleurt en knikt, ze verschikt zonder noodzaak de ketting die ze bij haar nieuwe jurk heeft gekocht.

'Ja, goed gezien.'

'En waar is je prachtige zoon? Mocht hij niet mee naar het feest?'

'Oma Kathy heeft hem mee naar huis genomen, tijd voor zijn slaapje. Dit is niet echt zijn idee van een feestje, ben ik bang.'

Ze weet dat ze juist het gesprek met hem zou moeten aangaan, hij is per slot van rekening een van de drie vrijgezellen op haar lijstje. Maar ze heeft het dermate warm gekregen van de handkus, dat ze niet weet hoe snel ze bij hem vandaan moet komen. 'Ik heb trouwens tegen Huub gezegd dat hij eens met je moet praten, over het zorghotel. O wacht, daar loopt hij. Huub, kom eens!'

Huub komt bereidwillig aangelopen en steekt verheugd zijn hand uit naar Axel. Opgelucht draait Marloes zich met een verontschuldigende glimlach om, zonder nog naar Axel te kijken. Ze wordt meteen staande gehouden door een man die indrukwekkende fotoapparatuur om zijn nek heeft hangen. Er moet een foto gemaakt worden van Marloes bij de vlag. 'Houd de vlaggenmast maar vast. Of wacht, beter nog, het touw in je handen, alsof je nog aan het hijsen bent. En kijk dan stralend omhoog!'

Dat kost haar geen moeite, want bij het zien van de wapperende vlag doorstroomt haar een diep gevoel van tevredenheid.

Doel bereikt!

Een paar dagen later komen de kranten binnen die de opening hebben verslagen. Wout Ouderaa bestelt een paar glanzende afdrukken van de mooiste foto's, doet ze in een lijstje en hangt ze op in het kantoor.

'Nee, ik sta bijna overal op!' schrikt Marloes.

'Marloes, jouw naam zal tot in lengte van dagen verbonden blijven met Buurtzorg. Jij bent de drijvende kracht, of je hier nu een dag werkt, of de hele week. En daarbij ben jij ook nog eens veel fotogenieker dan ik.'

Marloes lacht hem uit. 'Je bent aan het vissen!'

Wout grijnst. 'Trouwens, de broer van onze dominee, Axel, is bezig een kunstwerk te maken voor in het gebouw.'

Marloes gaat bij het horen van Axels naam van schrik bijna naast de bureaustoel zitten. 'O ja?'

Wout knikt. 'Waar het komt te staan, is nog niet bekend, dat gaat hij nog met Huub samen bekijken.' Lijkt het nu maar zo, of kijkt Wout haar onderzoekend aan?

Marloes vindt het nogal ongemakkelijk om met haar ene vrijgezelle kandidaat over de andere te praten. Ze zoekt naarstig naar een ander onderwerp, maar Wout is haar voor.

'Hoe gaat het tussen jou en Kathy? Een leuke vrouw, voor zover ik het kan beoordelen. Je hebt met haar geboft, het had ook heel anders kunnen lopen. En ze lijkt hier goed te aarden.'

Marloes kan niet anders dan toegeven dat haar bange vermoedens niet zijn uitgekomen.

'Ze wil zelfs graag dat ik met haar meega als ze haar familie in Groningen gaat bezoeken. Maar... hoe moet ze me voorstellen? Als schoondochter misschien? De moeder van haar kleinzoon? Ik weet het niet.'

Wout vindt dat de mensen in deze tijd wat ruimer moeten denken.

'Dingen gebeuren, overkomen mensen. Tja, alles is niet meer zo vastomlijnd als vroeger. Kijk naar jezelf, jij bent hier in het dorp bijvoorbeeld compleet geaccepteerd als alleenstaande moeder, ongetrouwd en wel. Dat was vijftig, zestig jaar terug anders geweest. En er is toch niemand die naar de vader van Silas heeft gevraagd, of wel?'

Marloes zucht dat ze het zelf anders nog wel voelt als iets wat niet hoort. 'Weet je, als ik aan mijn overleden ouders denk, die zouden niet zo blij met Silas zijn geweest. De schande! De vader is niet in beeld, niet meer in leven zelfs, dus trouwen met hem kan niet meer. En dan is hij nog een halfbloedje ook. Ik denk weleens...'

Wout kijkt naar Marloes en ziet aan haar gezicht hoe de gedachten door haar hoofd tollen. Hij blijft heel stil zitten, om haar niet te storen. Hij heeft het gevoel dat hij aanwezig is bij een bijzonder moment, al weet hij niet wat er in haar hoofdje omgaat. Er roert zich iets in hem, het verlangen om haar te helpen in wat ze doormaakt. Betrokken te zijn bij haar leven.

Dan kijkt Marloes op naar Wout en ze zucht. Het lijkt een gewoonte te worden om bij hem te biecht te gaan.

'Ik heb me gewoon heel lang... beschaamd gevoeld, daar komt het eigenlijk op neer. Dat ik zo stom was om voor zijn versiertrucs te vallen, en dat hij er na één nacht vandoor ging. Nu weet ik dat het niet zo is, maar lange tijd heb het mezelf erg kwalijk genomen.'

Wout knikt nadenkend. 'Wordt het dan geen tijd dat je jezelf gaat vergeven?'

Marloes kijkt hem niet-begrijpend aan. Daar heeft ze nog nooit van gehoord.

Wout gaat op de rand van het bureau zitten en kijkt glimlachend toe hoe Marloes aan het ijsberen slaat.

'Ik heb Thomas vergeven, ik heb Mariska gemaild dat ik haar vergeef, maar hoe kan ik nou mezelf vergeven?'

Wout speelt met de perforator. 'Wel, je kunt door boosheid op een ander zelf gevangenzitten. Door de ander te vergeven, kom je los van je boosheid, je bitterheid. Maar je kunt ook boos zijn op jezelf, zo boos, dat je maar in kringetjes rond blijft lopen en niet uit de gedachtestroom komt: wat nou als ik zus of zo gedaan had? Hoe heb ik zo stom kunnen zijn? Wat moeten de mensen wel niet van mij denken? Deze schande heb ik aan mezelf te danken. Enzovoorts.'

Marloes leunt nu ook tegen de bureaurand. 'Dat is precies wat ik denk!'

Wout klikt een paar keer met de perforator.

'Juist, dus het is zaak om die gedachten om te keren. Door wat liever te zijn voor jezelf. Door te denken: ik heb een verkeerde keuze gemaakt, maar God heeft mij vergeven, dus ik mag mijzelf ook vergeven. Want als Hij mij vergeeft, wie ben ik dan om mijzelf niet te vergeven?'

Marloes wrijft over haar slapen, alsof het pijn doet om na te denken. 'Dus eigenlijk volgt daar ook uit dat als ik dat niet doe, ik mezelf belangrijker vind dan God. Omdat ik mijn eigen oordeel over mezelf eerder geloof dan Zijn oordeel over mij.'

Wout tuit zijn lippen. 'Ja, zo zou je het ook kunnen zeggen.' Zijn gezicht staat verrast. 'Dat is eigenlijk best een goede conclusie. Voor een meisje dan,' voegt hij sereen glimlachend toe.

Marloes stompt hem op zijn arm. 'Jij kunt ook nooit lang serieus zijn, of wel?'

Ze schrikken allebei als er op de deur geklopt wordt. Een van de fysiotherapeuten van het kantoor naast Buurtzorg steekt haar hoofd om de hoek van de deur. Marloes vergeet altijd de naam van de opgewekte, roodharige vrouw. 'Weer een pakketje voor jullie, verkeerde huisnummer.'

Marloes neemt het pakje aan van haar buurvrouw. 'Bedankt, ik zal hen nog maar weer eens bellen om het juiste adres door te geven.'

Wout pakt zijn dokterstas van een stoel. 'Ik moet gaan, Marloes. Red je het zo? Mooi. Niet te veel piekeren, doktersadvies!' Na een vlugge kus op haar wang maakt hij zich uit de voeten.

Als de deur achter hem dichtvalt, bedenkt Marloes dat ze even vergeten was dat Wout haar kandidaat nummer één is. Die kus op haar wang, voelde ze er wat bij? Meer dan bij Steve, of bij Axel? Met een ongeduldig geluid gaat ze achter het bureau zitten. Ze pakt haar iPad erbij om aan de slag te gaan, maar de vraag laat haar niet los.

Wout. Ze kan wel heel goed met hem praten. In haar hoofd zet ze dat bij 'voordelen' op het lijstje van Wout. Goede gesprekken: check. Goede humor – ook belangrijk – check.

Even later loopt Marloes naar de wand waar de ingelijste foto's hangen. Een van de foto's is een close-up van haar gezicht. Wat ze ziet is een stralende, jonge vrouw. Ze denkt na over de woorden van Wout, en legt een vinger op haar eigen mond op de foto. 'Je moet dus niet zulke lelijke dingen meer over jezelf zeggen... of denken. Je hebt misschien een fout gemaakt, maar het leven gaat verder. God heeft je allang vergeven.' Ze haalt diep adem. 'En ik vergeef jou ook!'

Haar woorden veranderen als vanzelf in een gebed. 'U hebt mij vergeven, Heer. Vanaf vandaag vergeef ik ook mezelf.'

Het voelt opnieuw alsof er iets van haar afvalt. De schaamte, de schande van alleenstaande moeder zijn.

Ze voelt zich vrij, van schaamte en schuld, maar ook vrij om een nieuwe toekomst aan te gaan. Ze hoeft niet langer alleen te zijn omdat ze het niet verdient om een relatie te hebben. Met wie dan ook. En mocht ze die persoon niet vinden, dan is het ook goed.

'Samen, Heer, samen komen we er wel uit!'

# 12

‘Ziezo, dat is dat. Eens kijken, hier is de *manual*, de – hoe noem je die? Wat een woord: gebruiksaanwijzing?’

Het Amerikaanse accent van Steve laat Marloes telkens weer glimlachen, net als het feit dat ze vanaf vandaag een klokthermostaat in haar huiskamer heeft hangen. Ze had deze inmiddels al een hele tijd op haar verlanglijstje staan, een heel koude winter lang, om precies te zijn. Het leek haar heerlijk om thuis te komen in een warm huis, dus toen Steve haar daar onlangs over hoorde praten met Kathy, had hij gelijk aangeboden haar te helpen.

Marloes kijkt blij naar het strakke, witte kastje dat in de plaats is gekomen van de simpele, ronde knop die er hing. Iets minder blij kijkt ze naar het dikke boekje, waarmee Steve in zijn handen staat. ‘Moet ik dat echt allemaal lezen?’ vraagt ze bezorgd.

Steve schudt zijn hoofd.

‘Er staan vijf of zes talen in het boekje, dus dat is al overbodig. Maar het Nederlandse deel zou ik zeker een keer goed doorlezen. Er staat een plaatje bij waarop alle knopjes worden uitgelegd, dus die kun je altijd gebruiken als je het niet meer weet. Ik leg je uit hoe ik hem nu heb ingesteld. Zo staat hij op de dagen dat je werkt.’

Marloes komt naast hem staan en probeert alles in zich op te nemen. Ze volgt zijn bruine vinger die over de toetsen glijdt, maar wordt nogal afgeleid door de geur van zijn aftershave. Een stoer luchtje, oordeelt ze, echt mannelijk. Ze bedenkt met een fijn glimlachje dat hij dat ook echt is, mannelijk, bijna macho zelfs.

Hij had uitgelegd dat hij aan zijn kennis van verwarmingssystemen was gekomen, doordat hij als tiener was gaan werken in het installatiebedrijf van zijn vader. Zijn broer en hij waren met de monteurs meegelopen en van hen hadden ze de fijne kneepjes van het vak geleerd.

‘De merken waarmee ik heb gewerkt, worden ook in het buitenland verkocht, dus ik kan vast wel iets vinden waar ik verstand van heb. In no time heb ik zo’n ding voor je geïnstalleerd. Dat is ook geen werk voor vrouwen, laat mij maar.’

Die laatste opmerking had haar bijna in de lach doen schieten, tot ze zag dat hij het serieus meende. Het woord ‘emancipatie’ had hij klaarblijkelijk niet heel hoog in het vaandel staan.

'Probeer jij het nu eens. Mocht je een vrije dag hebben, hoe wijzig je dan de instelling tijdelijk?'

'Ja baas,' mompelt ze, terwijl ze naar de toetsen tuurt. Na twee pogingen krijgt ze het voor elkaar.

Met een ferme klik sluit ze het klepje van de thermostaat, waarna ze Steve triomfantelijk aankijkt. Maar hij is nog niet klaar met zijn uitleg.

'Als je op het schermpje kijkt, kun je ook zien of hij een foutmelding geeft. Je kunt de ketel zelf resetten, maar als dat niet helpt, moet je de installateur bellen.'

Marloes wordt door zijn woorden opeens teruggeworpen in de tijd. Ze ziet zichzelf, nu bijna twee jaar geleden, bij de cv-ketel staan in haar ouderlijk huis, waar ze na het overlijden van haar ouders weer was gaan wonen.

Ze had daar gestaan met een man die erg leek op de man met wie ze nu hier staat. Zijn broer. Ze slikt moeilijk.

Die ene nacht, toen hij haar thuis had gebracht, was ze rechtstreeks naar de keuken gelopen om haar ijskoude handen onder de warme kraan te houden. Ze was totaal ondersteboven geweest door de sterfgevallen van die avond. Thomas leunde verslagen tegen de rand van het aanrecht naast haar. Toen het water maar niet warm werd, was hij naar de thermostaat gelopen en had hij een foutmelding geconstateerd. Ze had hem gewezen waar de ketel hing, en toen hij even later terugkwam, werd het water probleemloos warm.

'Dank je wel voor het repareren. Hij heeft wel vaker kuren,' had ze gezegd.

Thomas had zijn schouders opgehaald. 'Het was heel simpel, ik heb alleen op reset gedrukt.' Hij had toegekeken hoe ze haar handen een lange tijd onder de kraan hield. Ze bleef maar klappertanden en had het gevoel dat ze nooit meer warm zou worden. Even later had hij een handdoek gepakt en draaide hij de kraan dicht. Willoos had ze toegelaten dat hij haar handen afdroogde. Toen hij de handdoek weggelegd had, sloeg hij zijn armen om haar heen. 'Kom eens hier, *sweetie*. Maak jezelf geen verwijten. We hebben gedaan wat we konden.'

Ze was helemaal verdwenen in zijn omhelzing, met haar gezicht tegen zijn schouder gedrukt. 'Ze waren nog zo jong, Thomas...'

Zijn handen waren begonnen stevig over haar rug te wrijven om haar weer warm te krijgen, terwijl hij troostende woordjes in het Engels mompelde. Langzaamaan was ze weer wat warmer geworden en begon ze zich te ontspannen. Thomas was stil geworden en zijn strelingen werden langzamer. Opeens voelde ze, naast warmte, een ander soort hitte in zich opkomen. Thomas stopte met strelen en hield haar een eindje van zich af. Zijn duim gleed over haar wang en in zijn ogen zag ze een vraag.

Toen hij begon te praten, klonk zijn stem hees. 'Krijg ik nu een betaling voor de reparatie?' Een plagende opmerking, als wilde hij de spanning tussen hen beiden wat verlichten.

'Ik kan een kopje thee voor je zetten?' Ze had hem onschuldig aangekeken, maar ze voelde dat haar wangen kleurden.

Thomas had gefronst. 'Een kopje thee is niet wat ik in gedachten had. Ik... ben bang dat de prijs behoorlijk hoog is. *It's a kiss*.'

Een kus! Haar hart begon sneller te slaan en vlug had ze een kus op zijn wang gedrukt.

Hij had zijn hoofd geschud met een spijtige blik. 'Nee, niet goed genoeg, het spijt me. Wat ik bedoel is een echte kus,' en voor ze wist wat er gebeurde, had hij zijn lippen op de hare gedrukt. Even later mompelde hij: 'Zei ik één kus? Ik bedoelde er eigenlijk twee. Of misschien wel meer...'

Marloes knippert met haar ogen om de herinnering van zich af te schudden. Uiteindelijk had ze wel een heel hoge prijs moeten betalen voor de reparatie van haar ketel.

Steve kijkt haar vragend aan. '*Are you okay*?' Gaat het wel?

Marloes kijkt even verdwaasd, maar knikt dan vastberaden.

'Absoluut. Dank je wel voor het installeren, Steve. Mijn ouders hadden ook zo'n ding, maar ik wist pas hoe handig dat was toen ik in dit huis kwam wonen, met die heel eenvoudige thermostaat aan de muur. Het was zo vervelend thuiskomen van de winter, in een koud huis. En om de kachel nu de hele dag te laten branden, was natuurlijk ook geen optie. Kun je je voorstellen hoe hoog de rekening dan zou zijn geworden?'

Ze merkt dat ze ratelt, om het déjà-vugevoel dat ze had te verdringen. Ze loopt naar de keuken, met Steve in haar kielzog. Steve mag dan wel de broer van Thomas zijn, hij is een heel ander persoon, houdt ze zichzelf voor. En hij wist niets van haar herinneringen – wat maar goed was ook, want als ze nog denkt aan hoe ze met Thomas van de keuken naar de bank in de woonkamer was verhuisd...

Genoeg! spreekt Marloes zichzelf streng toe.

'Ik ga koffiezetten, Steve. Blijf je zo lunchen? Gezellig, dan haal ik zo meteen Silas uit zijn bedje, anders slaapt hij te lang.'

Ze brengen een gezellige tijd met elkaar door. Silas kan het prima vinden met zijn oom, die hem steeds aan het lachen maakt door kiekeboe te spelen met hem. Als ze hen samen ziet lachen, wordt Marloes een beetje melancholiek. Als dingen toch anders waren gelopen, en Thomas had zijn zoon kunnen ontmoeten...

Steve geniet intussen van de tijd die hij alleen heeft met Marloes. Het lijkt wel alsof hij haar nooit eens alleen kan spreken. Toen hij hoorde dat ze een nieuwe thermostaat wilde, had hij zijn kans met beide handen aangegrepen.

Hij kan uren kijken naar haar expressieve gezicht, waarop de emoties zich zo duidelijk aftekenen. Daarnet waren haar ogen even heel donker worden, waardoor ze scherp afgetekend waren tegen haar blanke huid. Die blanke, rozige huid... Ze staarde in het niets, en toen haar lippen iets vaneen gingen, had hij zich moeten bedwingen om haar niet te kussen. Wat een vrouw. En dan te bedenken dat zijn broer...

Hij voelt even iets van wroeging omdat hij jaloers is op zijn overleden broer. Maar algauw rechtvaardigt hij dit door te bedenken dat Thomas altijd aan het langste eind had getrokken, heel zijn leven lang. Nu was het zijn beurt.

Hij kijkt naar Silas en trekt een gek gezicht, wat hem opnieuw een schaterlach oplevert. Deze kleine jongen is de zoon van Thomas. Hij is familie. Was hij het kind van een ander geweest, dan zou hij er meer moeite mee gehad hebben. Maar nu... Steve had in gedachten zijn plannen voor de toekomst al aardig uitgestippeld. Silas leek niet alleen op Thomas maar ook op hem, Steve. Hij zou zomaar voor zijn eigen kind door kunnen gaan.

En Marloes was niet alleen een heel begerenswaardige vrouw, maar ook nog eens heel intelligent, charmant en representatief. Dat kon hem helpen bij het uitbouwen van zijn carrière. Ze zou er prachtig uitzien in een zwart cocktailjurkje, met haar arm door de zijne gestoken, op een receptie of bij een etentje.

Hij glimlacht breed naar Marloes, ziet haar opeens voor zich in weer een andere jurk, dit keer een prachtige, witte bruidsjurk. Misschien kregen ze nog wel meer kinderen.

Ja, zijn plan bevalt hem steeds beter.

'Mijn moeder zal zo wel komen, ze past toch op Silas vanmiddag?'

Marloes knikt, terwijl ze op haar horloge kijkt. 'Dat klopt. Ik heb inderdaad de eerste vergadering van het zorghotel straks. Zo spannend!'

'En morgen wordt deze grote jongen alweer één jaar!' Steve kietelt Silas onder zijn kinnetje.

Marloes schrikt op. 'Goed dat je het zegt, ik moet voordat ik naar de vergadering ga nog een taart bestellen, dan kan ik die morgen ophalen bij de bakker. Alleen is het daar altijd zo druk op zaterdag, dus jammer van mijn tijd, maar het is niet anders.'

Steve kijkt toe hoe Marloes de tafel begint af te ruimen. '*If I can help*... Ik zal morgen wel naar de bakker gaan voor je. Zeg maar welke en hoe laat, dan zorg ik dat de taart op tijd binnen is voor het feestje.'

Dankbaar kijkt Marloes hem aan. 'Zou je dat willen doen? Super, ik zorg dat ik het gebak gelijk betaal vandaag, dan hoef jij het alleen maar op te halen.'

Steve fronst. '*That won't be necessary*! Niet nodig. Ik wil de taart graag voor je betalen, Marloes.'

Wat ongemakkelijk kijkt ze hem aan. 'Nee hoor, dat hoeft niet. Trouwens, wat ben ik je schuldig voor de thermostaat? Dan maak ik het gelijk naar je over op je bankrekening. Of ik kan het misschien beter pinnen, je hebt natuurlijk een Amerikaanse bankrekening, dan geef ik het je wel contant.'

Steve pakt haar hand en heel even heeft ze opnieuw een flashback, ziet ze weer voor zich hoe ze het met Thomas over een betaling had voor de reparatie van haar ketel. Peinzend streelt hij de binnenkant van haar hand, waardoor ze huivert.

'Zie het maar als een cadeautje voor je verjaardag.'

Marloes protesteert. 'Maar ik ben nog lang niet jarig!'

Steve schudt zijn hoofd. 'Dan nog voor je laatste verjaardag. En over verjaardagen gesproken, ik wilde je vertellen wat ik geregeld heb voor de jarige. Niet alleen voor zijn verjaardag, dan krijgt hij speelgoed of zo, dat heeft mijn moeder al geregeld. Maar voor zijn toekomst. Mijn moeder dacht dat het een goed idee was, en ik ben het met haar eens.'

Marloes voelt hoe ze vanbinnen verkrampt. De toekomst van Silas, krijgt ze nu toch te horen dat de familie aanspraken wil maken op haar zoon? Is dit Steve de advocaat, die hier spreekt?

'Silas is familie, Marloes. Jij en... Thomas...' Het lijkt alsof hij de naam van zijn broer er met moeite uit krijgt. 'Jullie waren niet getrouwd, maar hebben wel een zoon samen. En onze familie, dat heb je vast wel gemerkt, is niet arm. Daarom wil ik goed voor Silas zorgen. En daarmee ook voor jou.'

Met grote ogen luistert ze naar zijn uitleg, hoe hij een bankrekening heeft geopend op haar naam, met daarop een aanzienlijk bedrag. En hoe hij heeft geregeld dat ze daarnaast elke maand een ruime toelage krijgt om in het onderhoud van Silas te voorzien. Ook is Silas opgenomen in het testament van Kathy en van hemzelf.

Marloes trekt haar hand los en begint te ijsberen, wat in de kleine keuken niet makkelijk is.

Steve volgt haar met toegeknepen ogen. 'Je lijkt er niet blij van te worden, Marloes, waarom niet?'

Marloes probeert haar gedachten al lopend te formuleren. 'Het is het idee...' Ze stopt en blijft voor hem staan. 'Het idee dat ik afhankelijk ben van iemand. Van jou, of van Kathy. Dat ik dingen niet meer zelf kan beslissen of controleren.'

Steve pakt haar bij haar bovenarmen vast en schudt haar zachtjes heen en weer.

'Je bent ook zo zelfstandig! Het is alleen maar geld. Niemand gaat dingen voor jou beslissen.'

Marloes is nog niet helemaal overtuigd.

'Bedenk eens wat een vrijheid het jou geeft. Je kunt doen wat je wilt, al zou je stoppen met werken, dan kan dat.'

Verward kijkt ze hem aan. 'Maar het is toch voor Silas bedoeld, niet voor mij?'

Steve streelt haar wang. 'Als jij met... mijn broer getrouwd was geweest, had je nu toch ook zijn erfdeel en een uitkering van de levensverzekering ontvangen? Zie het maar op die manier. Jij hoort nu ook bij de familie, Marloes.'

Hij kijkt geïrriteerd op als de deurbel gaat, het geluid verbreekt de intieme sfeer.

'Dat zal Kathy zijn,' zegt Marloes. 'Ik moet erover nadenken, Steve. Maar… het is een genereus aanbod, dank je wel.'

Steve pakt haar snel bij haar arm als ze naar de gang wil lopen. 'Je mag erover nadenken, maar het ligt al vast, ik zal morgen de papieren meebrengen. Zie maar wat je ermee doet, het is al officieel geregeld. Welkom in de familie, Marloes!' en hij drukt een vlugge kus op haar mond.

Verbaasd legt ze haar vingers op haar mond.

De deurbel rinkelt opnieuw. 'Ik ga… je moeder…' en ze vlucht de keuken uit.

Silas heeft alles met belangstelling zitten bekijken. 'Mama?'

Steve grijnst en kust Silas op z'n bolletje. '*Yes, your mama is something special, son*!' Je moeder is heel bijzonder, zoon. Hij kijkt het kind verbaasd aan. Dat woordje kwam er zomaar uit, maar het bevalt hem wel. '*Son*.' Hij zegt het nog een keer, en hij knikt goedkeurend. Hier zou hij aan kunnen wennen!

Marloes is verward de gang in gerend en rukt de deur open.

Kathy begroet haar onstuimig en heeft een groot cadeau in haar armen. 'Vind je het goed als ik Silas nu alvast zijn cadeautje geef? Ik kan niet wachten om te zien hoe hij het vindt. En morgen verdwijnt het maar tussen de rest.'

Marloes wuift haar door naar de keuken. 'Tuurlijk. Ik ga even naar het toilet, ik kom zo.'

Ze draait de deur op slot en ploft op de dichte deksel van de wcbril neer. Met haar ellebogen leunt ze op haar knieën.

Er is te veel gebeurd voor één dag. Eerst al die herinneringen aan Thomas, toen de leuke tijd met Steve – per slot van rekening wel kandidaat nummer twee, dat moet ze niet vergeten – en dan de bom die hij heeft laten vallen over de financiële zaken. Ze kan de consequenties nog niet overzien, dat moet maar op een ander moment. Maar wat vond ze van die onverwachte kus?

Opnieuw voelt ze aan haar lippen. De zijne waren warm op de hare geweest. Wat voelde ze voor Steve? Ze wist niet zeker of wat ze voelde nu puur voor hem was, of deels kwam door zijn gelijkenis met Thomas.

'Marloes, we gaan een cadeautje uitpakken!' Kathy's stem rukt haar uit haar overpeinzingen.

'Ik kom!' Ze trekt voor de vorm het toilet door. Steve probeerde in elk geval goed voor haar te zorgen. Dat was fijn... toch? Ze trekt een gezicht naar zichzelf in de spiegel. Het was nog niet zo gemakkelijk allemaal, met zoveel kandidaten in het spel. Vanmiddag ziet ze niet alleen Wout, maar ook Axel, kandidaat nummer drie, op de vergadering van het zorghotel. Tijd om hem eens wat beter te leren kennen.

Marloes rent de trappen op van het kasteel dat geen kasteel is, en trekt aan de bel. Terwijl ze wacht tot er opengedaan wordt, kijkt ze om naar de parkeerplaats onder de hoge, oude bomen. Ze registreert afwezig dat alles alweer heerlijk groen begint te worden. De lente is in volle gang en ook de temperatuur is bijzonder aangenaam. Ze geniet van de zonnestralen op haar gezicht.

Aan het aantal auto's te zien is er minstens een man of tien aanwezig voor de vergadering. Ze heeft haar auto geparkeerd op een lege plek tussen twee duur uitziende auto's en ze glimlacht als ze ziet hoe klein haar auto opeens lijkt. 'Niks van aantrekken, karretje van me. Je mag er zijn, hoor!'

'Praat jij altijd in jezelf?'

Geschrokken draait Marloes zich om en ze ziet Axel in de deuropening staan. Net als altijd heeft zijn aanwezigheid direct effect op haar hartslag en ademhaling.

Ze duwt hem de taartdoos van de bakker, waar ze net geweest is om gebak te bestellen voor het feestje van Silas, in handen. 'Maar natuurlijk, jij niet dan?'

Axel wrijft nadenkend over zijn stoppelige kin. 'Dat vind ik een wel heel persoonlijke vraag. Ik weet niet of ik die zomaar kan beantwoorden.'

Ze verdrinkt voor haar gevoel bijna in zijn glimlach. Onwillekeurig glimlacht ze terug. Wat deed die man toch met haar? Focus, Marloes, moppert ze in zichzelf. Met een rukje hijst ze haar tas wat hoger op haar schouder. 'Was hier niet een vergadering?' informeert ze schijnbaar kalm.

Hij trekt zijn wenkbrauwen op. 'Eerst vertellen wat er in deze doos zit.'

Marloes slaat haar armen demonstratief over elkaar en tikt met haar voet op de grond. 'Nee, ik ben onvermurwbaar.'

Zijn stalen gezichtsuitdrukking is overtuigend.

Ze laat haar handen naar beneden vallen. 'O, vooruit dan maar. Ik heb gebakjes meegenomen om te vieren dat dit de eerste vergadering is.'

Axels ogen vernauwen zich. 'En zit daar toevallig ook zo'n hazelnootschuimgebakje bij?'

Marloes kijkt op dezelfde manier terug. 'En wat als dat zo was?'

Axel maakt zich wat groter. 'Toevallig is dat wel mijn lievelingsgebak.'

Marloes zet haar handen in haar zij. 'Het is ook mijn lievelingsgebak! En toevallig is er daar maar eentje van.' Ze steekt haar hand uit naar de doos.

Maar Axel draait hem van haar weg. 'Niet zo snel! Ik heb dit gebak lange tijd moeten ontberen door mijn verblijf in het buitenland. Dus heb ik er recht op!'

Marloes kijkt hem verontwaardigd aan. 'Maar jij bent minstens vijf jaar ouder dan ik, dus heb jij vijf verjaardagen meer gevierd dan ik, dus heb ik er meer recht op!'

Axel kijkt somber voor zich uit. 'Ik hoor het al, hier gaan we niet uit komen. Ik weet het goed gemaakt, we maken een deal. Jij mag het gebakje hebben als jij… vanavond met mij uit eten gaat.'

Die had ze niet zien aankomen. Uit eten, met hem? Even weet ze niet wat ze moet zeggen.

Axel heft zijn hand op. 'Ik ben de kwaadste niet. Ik wil mij opofferen, als jij belooft met mij naar een Italiaans restaurant te gaan.'

Marloes herpakt zich en kijkt hem schattend aan. 'Is dat het restaurant dat beroemd is om zijn heerlijke carpaccio?'

Axel knikt bevestigend. 'Weer een lievelingsgerecht van mij. Hebben we een deal?'

Marloes bedenkt dat dit een uitgelezen kans is om hem wat beter te leren kennen. 'Alleen omdat carpaccio ook mijn lievelingsgerecht is. Deal! O, en ik moet oppas hebben voor Silas, anders kan ik niet weg,' valt ze uit haar rol.

Ze lopen naar het zaaltje waar de anderen in groepjes met elkaar staan te praten.

'Ik zal de thermoskan bijvullen. Als jij intussen de oppas belt, weten we zo meteen voor wie het gebakje is.'

De vergadering is voorspoedig verlopen. Huub zorgt er als voorzitter voor dat hij de grote lijnen in de gaten houdt en dat onderwerpen afgerond worden. 'De verdere invulling komt later wel, als we alle neuzen maar vast dezelfde kant op hebben staan. Zolang we maar in de gaten houden dat het draait om de cliënt, en we denken vanuit de behoeften van de cliënt, zijn we op de goede weg.'

Iedereen is enthousiast en draagt een steentje bij om het project verder vorm te geven. Marloes geniet met volle teugen van deze nieuwe uitdaging.

Intussen heeft ze de gelegenheid om Wout en Axel eens rustig te bekijken, zonder dat het opvalt. Zodra zij het woord nemen, geeft ze haar ogen en oren goed de kost.

Huub sluit af met het financiële plaatje. 'Ik heb jullie verteld over de man die ons project financieel wil ondersteunen. Hij wil graag anoniem blijven, zoals gezegd. Maar dankzij hem kunnen we dit project vlot gaan trekken.'

Er worden wat grappen gemaakt over de identiteit van deze geheimzinnige man.

'We hebben nog een gebakje over, Huub, wil je dat voor hem meenemen?' plaagt Axel.

Marloes glimlacht en denkt terug aan het begin van de vergadering, toen ze hun gebakjes aten. Axel had haar met een smeulende blik aangekeken, toen zij haar vorkje, beladen met hazelnootschuimgebak, even plagend heen en weer zwaaide, voor ze genietend een hap nam. Zonder zijn ogen af te wenden, plantte hij zijn vorkje demonstratief in de moorkop op zijn bordje. Marloes verslikte zich bijna toen de slagroom er aan de zijkanten uit spoot.

'Anders mag jij die laatste moorkop wel meenemen, Axel. Jij vond die daarnet toch ook zo lekker?' vraagt ze liefjes, terwijl ze de doos naar hem toe schuift.

'Nee, dank je,' zegt hij, met een lachje om zijn mondhoek gekruld.

'Ik ga nog uit eten vanavond.'

Marloes bedwingt de neiging om haar tong naar hem uit te steken.

Als even later de vergadering gesloten wordt, gaat iedereen zijnsweegs.

In de grote hal legt Axel een hand op haar schouder. 'Is zeven uur een goede tijd om je op te halen?'

Marloes knikt, afgeleid door zijn warme hand, die door haar shirt heen lijkt te branden. Een kneepje in haar schouder en weg is hij. Ze kijkt hem na als hij de hal uit beent.

Haastig neemt Marloes afscheid van de anderen. Sommigen heeft ze vandaag voor het eerst ontmoet, anderen – zoals Wout – kent ze al langer.

Wout staat nog even met Huub te praten, maar rondt het gesprek af als hij ziet dat ze bijna weggaat. 'Tevreden, Marloes?' Eigenlijk is de vraag overbodig, want de vergadering is zo goed verlopen, dat niemand ontevreden kan zijn.

'Meer dan, Wout. Het is ongelofelijk hoe voorspoedig het gaat, en wat er allemaal haalbaar is. Zo zie je toch maar weer dat geld wonderen doet. Heb jij enig idee wie die Geheimzinnige Geldschieter is? Dat iemand hier zoveel fiducie in heeft, geweldig gewoon.'

Wout glimlacht als hij naar haar stralende gezicht kijkt. 'Je bent helemaal in je element. Wat zou je ervan zeggen als we het eens gingen vieren? We zouden samen een hapje kunnen gaan eten.'

Marloes schiet bijna in de lach. Ze heeft meer afspraakjes dan ze ooit als tiener heeft gehad, het moet toch niet gekker worden! Zonder te zeggen wat haar plannen zijn, geeft ze aan die avond niet te kunnen. 'Maar morgen is de verjaardag van Silas, jij komt toch ook?'

Wout knikt, maar hij geeft nog niet op. De verjaardag is leuk, maar niet geschikt om wat dichter tot elkaar te komen, iets wat sinds het openingsfeest van Buurtzorg een steeds groter verlangen is geworden. 'Wat nu als we van de week eens met Silas naar de dierentuin gaan? Ik heb woensdagmiddag vrij,' improviseert hij.

Marloes ziet het plan gelijk zitten. 'Hij is nog nooit in een dierentuin geweest, wat een goed idee!'

Wout is opgelucht. Hij zag tijdens de vergadering hoe Marloes – zonder iets te zeggen – een soort binnenpretje deelde met Axel. Het lijkt wel alsof Marloes door het verwerken van haar recente verleden opeens een soort metamorfose heeft ondergaan. Waar ze eerder alle mannen op een afstand hield, lijkt ze tegenwoordig continu aandacht te krijgen van het andere geslacht. Ook hij is Marloes met heel andere ogen gaan bekijken. Hij is blij met de gesprekken die ze hebben, het vertrouwen dat ze hem geeft. Daarbij mag hij haar enorm graag, en geniet hij van haar gezelschap.

Wout fronst als hij denkt aan de kunstenaar. Zo'n man voor wie vrouwen als een blok vallen. Gelukkig is Marloes heel verstandig, weet Wout. Ze zal niet alleen afgaan op een knap uiterlijk, maar ook denken aan het welzijn van Silas. En voor Silas is een stabiele basis belangrijk, dus zal Marloes een betrouwbare man nodig hebben, geen flierefluiter zonder baan die bij zijn broer inwoont.

Hij schrikt op als Marloes hem iets vraagt. 'Wat zei je? O, morgen. Ja hoor, ik ben er rond halfelf. Wat vindt Silas leuk, denk je, als cadeautje? Ik wilde vanavond langs de speelgoedwinkel in de stad gaan, het is toch koopavond.'

Marloes doet hem een paar suggesties aan de hand en neemt dan afscheid. 'Tot morgen, Wout.'

Wout trekt zijn stropdas recht, het klinkt hem als muziek in de oren. 'Tot morgen, Marloes.'

# 13

'Nu is het jouw beurt om te vertellen, je zit me al de hele tijd uit te horen.' Marloes glimlacht naar de serveerster die hun borden weghaalt, en terwijl ze een slokje uit haar wijnglas neemt, kijkt ze naar Axel. De kleur op haar wangen komt niet alleen van die paar slokjes wijn die ze net heeft gehad, maar is vooral te wijten aan alles wat ze net gedeeld heeft.

Axel stelde haar vragen over haar relatie met Thomas en de geboorte van Silas, en tot haar eigen verbazing heeft ze alles eruit gegooid, het hele verhaal. Toen ze al pratend merkte dat hij haar niet veroordeelde, raakte ze wat ontspannener.

'Je mag best wat liever zijn voor jezelf, Marloes. Misschien had je dingen anders kunnen doen, maar een mens maakt fouten. En in dit geval ben je gewoon misleid door die Mariska. Maar je hebt er iets geweldig aan overgehouden. Ik bedoel, kijk nou eens naar Silas. Zo'n prachtig mannetje, wat een kostbaar geschenk!'

Glimlachend had ze hem gelijk gegeven.

Het restaurant is druk bezocht, maar Axel had een tafeltje bij het raam gereserveerd, zodat ze niet voor niets waren gekomen. Zachte muziek, geruite tafelkleedjes, een kaarsje op tafel, Marloes geniet met volle teugen. De laatste keer dat ze uit eten is geweest, was met het teamuitje van het ziekenhuis, waar ze meer oog had voor Thomas dan voor haar omgeving. En hij voor haar...

'Wat wil je weten? Ik ben een open boek.'

Marloes lacht fijntjes. 'Nou, vertel me dan eens wat meer over je tijd in het buitenland. Waar ben je geweest, wat heb je gedaan?'

Terwijl ze genieten van hun hoofdgerecht – huisgemaakte pasta – dist Axel het ene na het andere grappige verhaal op. Hoewel hij merkt dat hij zich bij haar enorm op z'n gemak voelt, durft hij haar nog niet alles te vertellen uit zijn verleden. Wat als ze wist... Hij kijkt in haar lachende ogen en blijft bij zijn besluit. Nee, hij moet eerst ontdekken wat ze voor hem voelt zónder dat ze alles weet. Daarna zal hij alles opbiechten.

'Tussen twee haakjes, de carpaccio was heerlijk, maar deze pasta...' Ze rolt verheerlijkt met haar ogen.

Axel buigt naar voren. 'Laat eens proeven.'

Ze prikt een paar stukjes pasta aan haar vork en voert hem die zonder erbij na te denken.

Axel kauwt nadenkend. 'Lekker, maar niet zo lekker als die van mij.'

Marloes buigt nu naar hem toe. 'Bestaat niet, laat proeven!' commandeert ze.

Geen van beiden merkt de man aan de overkant van de straat op, die abrupt blijft staan als hij hen achter het raam van het restaurant ziet zitten. Onzichtbaar door de avondschemering kijkt hij toe hoe Marloes de pasta van Axels vork hapt en met gesloten ogen geniet. En hoe de man tegenover haar zijn ogen niet van haar af kan houden. Hij klemt het tasje van de speelgoedwinkel vaster in zijn hand.

Marloes is verstandig, had Wout vanmiddag nog gedacht. Maar als hij dit tafereeltje bekijkt, begint hij daar toch ernstig aan te twijfelen. Met verbeten passen loopt hij door, blij dat ze hem niet gezien hebben.

'En toen, waarom ben je toen terug naar Nederland gekomen? Ik bedoel, het klinkt allemaal geweldig, je kon de hele dag schilderen, je verkocht weleens wat, wat was de reden dat je terugging?' Over de dessertkaart heen kijkt Marloes hem nieuwsgierig aan.

Axel slaat de kaart dicht en legt hem aan de rand van de tafel neer. 'Ik heb inderdaad veel geschilderd in die tijd. Maar op een gegeven moment was ik mijn inspiratie totaal kwijt. Het begon productiewerk te lijken. Het gevoel dat me overviel als ik voor een wit doek stond... vreselijk. Ik had in die tijd een relatie met een Amerikaanse vrouw, Susan.'

Marloes probeert neutraal te kijken, maar verbaast zich over de jaloezie die in haar opborrelt.

'Ik leefde in een wereldje...' Hij schudt zijn hoofd. 'Het ging alleen om aanzien, wie-kent-wie, en toen ik niets meer presteerde was ik opeens een stuk minder interessant voor veel mensen. Ook voor Susan.'

De serveerster komt langs en Marloes bestelt tiramisu.

'Voor mij ook,' zegt Axel. 'Aangezien ze geen hazelnootschuimgebak hebben is dat een goede tweede.'

Marloes glimlacht maar laat zich niet afleiden.

'Had je succes, met je kunst? Hoe werkt dat, hoe verkoop je nou een schilderij?'

Axel haalt zijn schouders op. 'Ik deed wel mee aan wat tentoonstellingen en zo,' doet hij vaag. Marloes is onder de indruk, waardoor hij de noodzaak voelt om te vertellen hoe hij leefde. 'Ik ben geen brave jongen geweest, Marloes. Ik heb in kringen verkeerd waar jij met een boogje omheen zou lopen. Softdrugs gebruiken was heel gewoon, maar gelukkig trok me dat niet. Ik woonde samen met Susan, in een appartementje in New York, waar ik ook mijn studio had. Het wereldje was leeg, en ik was zelf ook leeg.'

Hij schuift wat heen en weer op zijn stoel. 'Op een gegeven moment was ik het zo zat, dat ik zelfs het leven beu was. Alles leek zo zinloos. En toen belde Maurits, om te vertellen dat hij ging trouwen. Of ik over wilde komen. Ik greep die kans met beide handen aan. Ik heb alles en iedereen achter me gelaten.'

Marloes luistert ademloos. Als de tiramisu gebracht wordt, pakt ze de lepel die klaarligt op en eet van haar dessert, zonder het echt te proeven. 'En je bent gebleven.'

Axel knikt. 'Ik begon tot rust te komen, na die gekte in Amerika. Niemand die iets van me wilde.' Hij kon niet uitleggen hoezeer hij dat gewaardeerd had. 'Rust, goede gesprekken met Maurits, een paar nieuwe vriendschappen, zoals met Huub, en ik begon mezelf weer terug te vinden. Ook mijn geloofsleven kreeg weer inhoud.' Hij lacht verlegen. 'Ik realiseerde me dat geloof niets met religie maar met relatie te maken heeft. Op een dag, toen ik Maurits hielp om wat snoeiafval weg te halen in de tuin, zag ik een boomstronk. En opeens kon ik zien wat ik met die stronk kon doen, wat ik ervan kon maken. Ik had nog nooit eerder gebeeldhouwd, moet je weten. Ik zag het als een soort Goddelijke inspiratie, een nieuwe weg om in te slaan. Niet dat ik nooit meer ga schilderen, maar...'

Marloes kijkt hem met grote ogen aan. 'Die boomstronk, is dat het beeld geworden in de tuin bij Maurits en Bonnie?'

Axel schiet in de lach. 'Ik wilde dat ik nu heel stoer "inderdaad" kon zeggen, maar er zijn eerst heel wat boomstronken gruwelijk verminkt geraakt door mijn handen voor er iets fatsoenlijks tevoorschijn kwam.'

Ze lachen saamhorig. Het toetje verdwijnt als sneeuw voor de zon, terwijl Axel vertelt over zijn moeizame start in de beeldhouwerij.

'Wilt u zo meteen nog een kop koffie of thee?' De serveerster heeft haar bestelapparaatje al in de aanslag, maar Marloes bedankt als ze ziet hoe laat het is.

Axel vraagt om de rekening.

'Dank je wel, Axel. Niet alleen voor het etentje, maar ook voor je openheid.'

Hij aarzelt even, maar knikt dan. 'Jij ook, Marloes.'

Even kijken ze elkaar alleen maar aan, tot de serveerster met de rekening komt.

Het is een kort ritje naar het dorp. Zodra ze het dorp binnenrijden, stelt Marloes nog de vraag die haar heeft beziggehouden. 'En wat zijn je plannen voor de toekomst? Wil je weer terug naar New York? Of blijf je hier?' Ze is blij dat het donker is, anders had ze de vraag misschien wel helemaal niet durven stellen.

Ze ziet in het vage schijnsel van de binnenverlichting van de auto dat hij zijn schouders ophaalt.

Axel besluit bij het verhaal te blijven dat iedereen in het dorp weet te vertellen. 'Voorlopig zit ik goed bij Maurits en Bonnie. Zolang zij me willen hebben.'

Marloes bijt op haar lip. 'Maar mooi dat je die cursussen wilt opzetten bij het zorghotel. Ik begreep van Huub dat je een bestuursfunctie hebt afgewezen?'

Axel glimlacht in het bijna-donker. Marloes klinkt bijna een beetje teleurgesteld. Hij bedenkt dat zijn huidige cv vast niet heel indrukwekkend overkomt. 'Niks voor mij. Dan zit ik er te veel aan vast.'

Marloes knikt afwezig.

Axel rijdt de straat in waar Marloes woont en parkeert zijn auto op de hoek.

'Het is al laat, ik zal oma Kathy maar eens gaan aflossen,' doet Marloes luchtig, terwijl ze uitstapt. Axel loopt met haar mee door de donkere straat.

Marloes wil het zichzelf makkelijk maken door snel naar de voordeur te lopen en daar, onder het wakend oog van Kathy, afscheid van hem te nemen. Het was immers overduidelijk: Axel was geweldig gezelschap, ze kon uren met hem praten. En ze voelde zich enorm tot hem aangetrokken. Maar... hij was niet geschikt om een relatie mee aan te gaan. De man had geen werk, woonde bij zijn broer in, en het leek er niet op dat hij iets aan deze situatie wilde gaan doen in de toekomst.

Maar net voordat ze het verlichte tuinpad op lopen, houdt hij haar staande. 'Marloes?'

Marloes kijkt even hulpeloos naar de veilige voordeur. Tegen beter weten in draait ze zich naar hem toe.

De simpele aanraking van zijn hand op haar arm is voldoende om haar hart op hol te doen slaan.

Ze negeert het waarschuwende stemmetje in haar hoofd en hij komt dichter bij haar staan, terwijl hij verder praat. 'Ik heb een heel leuke avond gehad, Marloes. Als jij er ook zo over denkt ... mag ik je dan nog eens mee uit nemen? Bijvoorbeeld voor een kop koffie met een hazelnootschuimgebakje?'

Marloes glimlacht zenuwachtig en hijst haar handtas wat hoger op haar schouder. 'Dat kan morgenochtend al, op Silas' verjaardagsfeestje. Als je het leuk vindt om te komen?'

Axel knikt, nauwelijks zichtbaar in het donker, maar haar ogen zijn daar inmiddels genoeg aan gewend om hem goed te kunnen zien.

'Dat is een goed begin,' zegt hij.

Een begin? Nee, een begin kon het niet zijn, het moest hier eindigen. Gá, schreeuwt haar verstandige ik, maar zijn blik houdt haar gevangen.

'Dit is het moment waarop ik verondersteld word om welterusten te zeggen en in mijn auto te stappen,' zegt hij, alsof hij hoort wat ze denkt.

Marloes kan alleen maar knikken, haar stem laat het afweten omdat zijn vingers een losse haarlok achter haar oor vegen.

'Maar ik denk dat ik je eerst mijn verontschuldigingen moet aanbieden.'

Niet-begrijpend kijkt ze hem aan. 'Waarvoor?' Haar stem klinkt schor.

Axel legt zijn beide handen om haar gezicht heen.

'Omdat het me spijt... dat ik je niet zomaar kan laten gaan.'

En voor ze iets kan zeggen, kust hij haar.

Marloes heeft het gevoel dat de tijd stilstaat, ze is zich alleen nog maar bewust van zijn warme mond op de hare. Haar handtas valt met een plof op de grond. Hulpeloos legt ze haar handen om zijn onderarmen, niet om hem tegen te houden, maar om staande te blijven.

Als hij zijn hoofd optilt, is hun ademhaling onregelmatig.

'Ik wilde alleen maar...' Hij schudt zijn hoofd. 'Maar nu...'

Ademloos kijkt ze naar zijn mond, haar oogleden zijn zwaar geworden.

'Laten we dat nog eens proberen,' zegt hij schor. Ditmaal is zijn kus eisend, telkens opnieuw vinden hun lippen elkaar. Marloes smelt in zijn armen, en uiteindelijk is het Axel die zijn mond losrukt van de hare. Hij trekt haar dicht tegen zich aan en wiegt haar heen en weer.

'Meisje toch, wat je met me doet...'

Marloes heeft er wel enig idee van, maar ze kan niets uitbrengen.

Dan dringt langzaam tot haar door wat ze gedaan heeft. Ze bijt op haar lip, die gezwollen is door zijn kussen, en denkt terug aan het gesprekje in de auto. Axel is niet geschikt, ze moet hem op een afstand houden. Precies het tegenovergestelde van wat ze nu gedaan heeft!

Ze trekt zich los en doet een stap achteruit. 'Ik kan niet... ik moet naar binnen. Ik moet verstandig zijn... Het spijt me...' Ze pakt haar handtas van de grond en kijkt hem met grote ogen aan.

Ze kijkt opzij als ze het geluid hoort van de voordeur die opengaat.

'O, ben jij dat, Marloes? Ik wilde net een luier van Silas weggooien in de container. Kom gauw binnen, het is nog best fris buiten.'

Axel trekt zich verder terug in de schaduw en Marloes kijkt van de voordeur, waar ze Kathy de gang weer in ziet lopen, terug naar Axel. Hij doet een stap achteruit, zwaait dan kort naar haar en loopt naar zijn auto.

'Zie ik je morgen?' vraagt Marloes.

Axel draait zich om. Marloes voelt zich verscheurd tussen verstand en verlangen. Ze ziet zijn witte tanden oplichten in het donker. 'Tot morgen.'

Dan loopt ze snel naar binnen.

Kathy pakt druk babbelend haar spulletjes bij elkaar en neemt met een knuffel afscheid. Als de voordeur achter haar dichtvalt, loopt Marloes langzaam naar de orenstoel, waar ze voorzichtig gaat zitten.

Ze krijgt een kleur als ze terugdenkt aan het afscheid van Axel. Kreunend leunt ze voorover.

Ze springt op en begint heen en weer te lopen. Ik weet het, ik weet het, zegt ze tegen haar verstandige ik. Maar we hadden zo'n leuke avond, en hij maakt me aan het lachen, en hij vindt Silas geweldig, en hij kust...

Ze slaat haar handen voor haar gezicht en zucht diep. Als ze haar handen laat zakken, kijkt ze om zich heen. Oma Kathy heeft de slingers al opgehangen voor morgen en de gebaksbordjes en kopjes klaargezet. Haar blik verzacht. Morgen is haar zoon jarig, een grote dag, dat is nu even belangrijker. Vastberaden knipt ze de schemerlampen in de woonkamer uit en ze gaat naar boven.

Als ze eenmaal in bed ligt, bidt ze om wijsheid. 'Morgen komen ze alle drie, Wout, Steve en Axel. Help mij, Heer, om wijs met hen om te gaan, ik wil niemand pijn doen. Maar als een van hen de ware is, laat het mij dan zien.'

Ze neemt zich voor geen van hen extra aandacht te geven en dingen op hun beloop te laten. Morgen is het feest voor Silas, geen moment om te gaan flirten!

'Het is een succes, het feestje.' Kathy komt met een stapel schoteltjes de keuken binnenlopen waar Marloes de vaatwasser aan het inruimen is.

Marloes kijkt door het keukenraam naar buiten, waar het hele gezelschap in de tuin zit. Het zonnetje was doorgekomen, waardoor het buiten heerlijk toeven was. Marloes had voor de zekerheid die ochtend ook buiten nog wat slingers opgehangen toen ze het weerbericht hoorde.

'April doet wat hij wil, maar gelukkig wil april vandaag mooi weer!'

Kathy slaat haar handen ineen. 'Ik geniet zo van al die Nederlandse spreekwoorden, dat is waar ook, april doet wat hij wil...' Hoofdschuddend zet ze glazen op een dienblad.

Marloes kijkt met genegenheid naar haar schoonmoeder, zoals ze haar nu toch voor zichzelf is gaan noemen.

Het feestje verloopt zoals gepland. Steve kwam op tijd met het gebak binnen en feliciteerde haar met de verjaardag van haar zoon. Toen hij dichterbij kwam voor een kus, bood ze hem haar wang aan. Vandaag stond Silas in de schijnwerpers, geen tijd voor romantische ontwikkelingen, had ze immers gisteravond besloten.

Hij had haar kuis op haar wang gekust en haar een grote envelop overhandigd. 'Hierin vind je alle officiële papieren, zoals beloofd.'

Marloes had even geaarzeld terwijl ze de envelop van hem overnam. 'Dank je wel.'

Een korte knik. 'Berg hem maar goed op. Ik zal het gebak wel naar de keuken brengen.'

In de tuin gaat Silas van schoot naar schoot om zijn cadeaus uit te pakken. Iedereen zit geanimeerd met elkaar te praten, ziet Marloes. Alleen Jasmijn houdt zich wat afzijdig. Daar moest ze binnenkort toch eens wat aan gaan doen, dit kan zo niet langer.

Kathy babbelt gezellig op de achtergrond, het geluid dringt langzaam tot Marloes door. 'Dus ik zou het erg leuk vinden, Marloes, als je meeging. Per slot van rekening is mijn Groningse familie ook Silas' familie. En jij bent ook wel aan een paar vrije dagen toe. Het wordt mooi weer. Als jij vrij kunt krijgen, zou het toch moeten lukken, een lang weekend weg?'

Kathy heeft de vraag al vaker gesteld, maar voor het eerst hoort Marloes de hunkering in haar stem. Het verlangen naar dieper contact, om tijd met Silas en haar door te brengen. Als ze zich in deze vrouw verplaatst, begrijpt ze heel goed wat er in haar omgaat. Ze merkt in veel dingen dat Thomas haar nader aan het hart lag dan Steve. En Silas is Thomas' zoon.

Marloes draait zich naar haar schoonmoeder om.

'Het lijkt me best leuk, Kathy,' zegt ze ferm. 'Laten we het maar regelen. Heb je morgenmiddag tijd om er eens voor te gaan zitten? Dan zoeken we een leuk hotelletje, of misschien een bed and breakfast in de buurt van je familie.'

Kathy legt haar hand op Marloes' arm, haar ogen glanzen verdacht. 'Wat maak je me daar blij mee, liefje! O, het wordt vast heel gezellig. Ik ga het gelijk aan Steve vertellen, hij vindt het vast ook geweldig dat je meegaat!'

Terwijl Kathy zich naar buiten haast, valt Marloes' mond open. O help. Steve ging natuurlijk ook mee, dat was ze even helemaal vergeten. Niks schoonmoeder-schoondochteruitje. Ze bijt op haar lip, verbaasd over haar eigen reactie.

Ze kijkt de tuin weer in, waar Kathy naast Steve is gaan staan en hem enthousiast van hun plannetje op de hoogte brengt. Steves serieuze gezicht plooit zich in een glimlach en hij stelt zijn moeder een vraag. Ze haalt haar schouders op en gaat verder met de schotels met hapjes.

Marloes roert nog een laatste keer in de soep en veegt de houten lepel af aan de rand van de pan.

'Kan ik helpen?' De stem van Wout doet haar opschrikken.

'Ja, je komt als geroepen. Wil jij dat blad met de soepkoppen en de lepels mee naar buiten nemen en op de tuintafel zetten? O, en die hoge glazen moeten er ook op, daar kunnen de soepstengels mooi in.'

Wout is bij de keukentafel gaan staan en opent de verpakking van de soepstengels, waarna hij ze in de glazen schikt. 'Dus je gaat op reis, hoor ik.'

Marloes kijkt naar Wout, maar ziet enkel zijn achterkant. Als ze niets zegt, kijkt hij over zijn schouder. 'Je schoonmoeder vertelde het Steve, en ik zat ernaast. Hij gaat ook mee, begrijp ik?'

Marloes wast haar handen. 'Dat klopt.'

Het is even stil. 'Gaat ons uitje nog wel door dan, naar de dierentuin? Wanneer ga je?'

Verbijsterd constateert ze dat Wout wel jaloers lijkt. Ze pakt de soeplepel uit de la. 'Dat weet ik nog niet, dat gaan we morgenmiddag bedenken. Maar woensdag staat in de agenda, dan gaan we gezellig naar de dierentuin.'

Wout tilt het blad op. 'Mooi!' zegt hij, maar het klinkt niet blij.

Ze kijkt hem wat ongemakkelijk aan.

'Leuk voor je – voor jullie!' haast hij zich toe te voegen.

Marloes knikt. 'Ik zal de soeppan meenemen.'

Als ze even later met een soepkom op een stoel plaatsneemt, komt Steve naast haar zitten. Hij kijkt naar Axel, die met Silas op schoot samen zijn cadeau uitpakt. Marloes had een kleur gekregen toen hij net de tuin in kwam lopen, binnengelaten door Kathy. Gelukkig hield hij het op een 'Gefeliciteerd allemaal' en was hij gelijk op Silas afgestapt om hem zijn cadeau te geven.

'Er is iets met die man. Hij komt me zo bekend voor.'

Marloes kauwt op een soepstengel. 'Misschien lijkt hij op iemand, een filmster of zo?'

Steves ogen vernauwen zich en hij kijkt haar even aan, alsof hij haar opmerking niet heel erg kan waarderen, waarna hij zijn blik weer op Axel richt. 'Wat is zijn achternaam ook alweer?'

'Voogd,' zegt Marloes tussen twee happen door.

Steve kijkt verstoord opzij, met een misprijzende blik op haar soepstengel.

Marloes ziet hem kijken en probeert geluidloos te kauwen, wat jammerlijk mislukt. Dan haalt ze haar schouders op en krakt ze een nieuw stukje soepstengel af. 'Ken je hem misschien vanuit je werk? Is hij misschien een crimineel die je verdedigd hebt,' oppert ze. Haar ogen worden groot. 'Of iemand die getuige is geweest tegen de maffia of zoiets, hoe heet dat ook alweer, als je beschermd wordt door de overheid? Dat je een nieuwe identiteit krijgt en zo.'

Steve negeert haar opgewonden betoog. 'Voogd, zei je toch?' vraagt hij, maar hij vergeet zijn vraag als hij Marloes aankijkt. '*You know*, je hebt echt prachtige ogen.'

Marloes kijkt hem ongemakkelijk aan en het laatste stukje soepstengel verkruimelt in haar hand. 'Heb jij eigenlijk al soep gehad? Nee, toch? Wacht, ik zal het gelijk voor je halen.'

Ze springt op en maakt zich uit de voeten. Geen geflirt vandaag!

Pas als ze die avond Silas in zijn bedje heeft gestopt, komt ze eraan toe om huis en tuin weer op orde te brengen.

Als ze klaar is, schenkt ze zichzelf een glas witte wijn in, en met het glas in de hand bekijkt ze de cadeautjes die op de eettafel liggen. Ze mijmert over de afgelopen dag. Wat had Silas genoten! De gasten waren de hele dag door langsgekomen en hadden Silas verwend met prachtige cadeaus.

En wat was Kathy blij geweest over hun uitstapje. Steve had haar veelbetekenend aangekeken toen ze weer buiten kwam. En dan zijn opmerking over haar 'mooie ogen'.

Nee, deze dag was voor Silas bedoeld, niet voor haar eigen vrijgezellenjacht. Ze grinnikt als ze zichzelf met pijl-en-boog voorstelt, speurend naar ongetrouwde mannen. Het leek er eerder op dat zijzelf achterna gejaagd werd! Vond ze dat eigenlijk wel prettig?

Ze neemt een slok wijn en gaat het rijtje van haar drie vrijgezellen af, zorgvuldig haar gevoelens onder de loep nemend.

Wout had vandaag wel jaloers geleken, en in plaats dat ze dat vleiend vond, irriteerde het haar.

Steve had haar aangekeken alsof… Ze fronst terwijl ze probeert te bedenken hoe het op haar overkwam. Alsof zij samen een manier hadden willen bedenken om een weekendje weg te kunnen met elkaar, en dat dat nu door Kathy's plannetje eindelijk gelukt was.

Ze wrijft de rimpel tussen haar wenkbrauwen met haar vingers weg. Was ze te kritisch?

En Axel… Eigenlijk had hij haar de hele tijd zo'n beetje genegeerd, geen persoonlijk contact gezocht. Pas toen hij wegging en zij met Bonnie stond te praten, had hij iets tegen haar gezegd. Ze voelde een hand om haar middel glijden, en toen ze opzij keek had hij pal naast haar gestaan. 'Ik bel je gauw,' had hij in haar oor gefluisterd, en met een vlugge kus op haar wang was hij verdwenen. Bonnie was gelukkig net afgeleid door Silas die aan haar voeten kroop, waardoor ze niet zag dat Marloes' wangen rood kleurden.

Geërgerd neemt ze een te grote slok uit haar glas, met een hoestbui als gevolg. Als ze is uitgehoest, staat ze op.

Verstandig zijn, Marloes, hij is gewoon niet geschikt!

Zuchtend brengt ze haar glas naar de keuken en ze gooit het restje weg in de gootsteen. Hij zou nog bellen, had hij gezegd. Was het handig om hem in een telefoongesprek duidelijk te maken dat het niets kon worden tussen hen?

Peinzend zet ze het glas in de vaatwasser. Als ze de vaatwasser heeft aangezet, neemt ze zich voor deze week nog bij zijn atelier langs te gaan, zodat ze hem persoonlijk kan uitleggen dat de kus een vergissing was geweest.

Zuchtend knipt ze de lampen uit. En wat voor een vergissing!

# 14

Marloes heeft de eerste twee dagen van de week gewerkt en is bezig haar administratie bij te werken op het kantoor, als Karen Atema binnen komt lopen. 'Jij ook al klaar voor vandaag?'

Marloes strekt haar vingers, stijf van het typen op haar iPad. Ze zit, nog gekleed in het Buurtzorg-uniform, met haar papieren naast zich in een van de stoelen van het zitje.

'Ja, het was een goede dag, weer mooie gesprekken gehad. Genieten is dat toch!'

Karen haalt voor hen beiden een kop koffie in het kleine keukentje. Ze haalt haar iPad tevoorschijn en gaat tegenover Marloes zitten.

'Ik heb vandaag contact opgenomen met de familie van mevrouw Voordewind.'

Marloes is direct alert. Geertje Voordewind had een paar weken geleden steunkousen aangemeten gekregen. Omdat ze die niet zonder hulp aan en uit kon krijgen, was na overleg met de familie Buurtzorg ingeschakeld, ook al wilde oma Geertje dat Jasmijn het kwam doen. Het had haar zoon en schoondochter de nodige uurtjes gekost om haar uit te leggen dat het te veel was voor haar kleindochter om elke ochtend en avond bij haar oma langs te gaan.

Het leek verder aardig goed met haar te gaan, al had Karen al eerder aangegeven het niet helemaal te vertrouwen. Er waren signalen dat ze vergeetachtiger begon te worden.

'Wat was de aanleiding?'

Karen blaast haar wangen op. 'Best heftig, vond ik. Ik kwam vanmorgen binnen om haar kousen aan te doen, en toen stond zij op het punt om in de keuken water te gaan koken voor een kopje thee.'

Marloes trekt haar wenkbrauwen op. 'Dus?'

Karen kijkt haar doordringend aan. 'Water in een plastic emmer. Op het gasfornuis!'

Marloes slaat haar hand voor haar mond en Karen knikt ernstig. 'Ik kon nog net voorkomen dat ze het gas aandraaide. Ze werd boos en vroeg wie ik was en wat ik in haar huis deed. Terwijl ik er al weken kom. Ze is wel vaker de kluts een beetje kwijt, maar dit is toch niet meer verantwoord. Dus ik heb haar schoondochter gebeld, die woont gelukkig dichtbij, en Wout Ouderaa, zodat we opname in het geriatrisch verzorgingstehuis konden regelen.'

Marloes leeft met Karen mee, het is inderdaad heftig om dit soort dingen mee te maken.

'Heeft ze het nog over Jasmijn gehad, haar kleindochter?'

Karen grimast. Onwillekeurig moet Marloes lachen om het expressieve gezicht van haar Surinaamse collega. 'Nou en of. Ze wilde niet naar het verzorgingstehuis, omdat ze beweerde dat ze bij Jasmijn in ging wonen. Simon had het haar beloofd en Jasmijn moest maar eens ophouden om zo egoïstisch te zijn.' Ze schudt haar hoofd en neemt een slok koffie. 'Ik denk dat als jouw vriendin erbij was geweest...' Ze maakt een zingend geluid. 'Dat was niet best geweest.'

Marloes knikt afwezig. Ze besluit om straks gelijk even bij Jasmijn langs te gaan.

Uit de iPad van Karen klinkt een vrolijk geluidje. Ze pakt hem van de stoel, waar ze hem tijdens haar verhaal had neergelegd.

'Even m'n inbox checken, hoor, ik heb nu toch pauze.'

Karen klikt op het toetsenbord en Marloes kijkt geboeid naar haar gezicht. Een scala aan gezichtsuitdrukkingen passeert de revue, met bijpassende geluidjes.

'Volgens mij zijn jouw mailtjes een stuk interessanter dan de mijne, als ik zo naar je kijk,' zegt Marloes droog.

Karen kijkt haar met grote, ronde ogen aan. 'O, maar dit is ook echt wat voor jou! Jij bent toch ook nog vrijgezel, single, zoals dat tegenwoordig heet?'

Marloes knikt.

Karen gaat er eens goed voor zitten. 'Iemand tipte mij dat er een nieuwe site is, speciaal voor mensen die een hbo-opleiding hebben gedaan, hoger mag natuurlijk ook. Je kunt contact maken met mensen die gelijke interesses hebben, bijvoorbeeld dezelfde hobby's, werkachtergrond, of huisdieren, je kunt het zo gek niet bedenken.'

Marloes leunt naar voren, haar ellebogen op haar knieën, en kijkt mee. 'Contact maken, als in...?'

Karen kijkt haar verbaasd aan. 'Gewoon, een datingsite. Je weet wel, relatiebemiddeling.'

Alsof het de gewoonste zaak van de wereld is. 'Zo'n leuke meid als jij, Karen, jij kunt toch mannen bij de vleet krijgen, zou je zeggen.'

Een cynische blik is haar beloning. 'Ja hoor. En waar ontmoet ik die dan? Moet ik de kroeg in duiken, tussen de studentjes? Lekker aan de bar hangen en hopen dat mijn ware jakob daar ook toevallig een cappuccino komt drinken?'

Daar zit wat in, vindt Marloes.

'Hoe kom je aan deze site, hoe heet het... RelatieWeb?'

Karen wappert met haar hand nonchalant richting de deur. 'Dat meisje van hiernaast van de fysio, die roodharige, hoe heet ze ook alweer? Die heeft hem ontdekt en ze vertelt iedereen die het maar wil horen – of niet wil horen! – hoe geweldig de site is. Je zou bijna denken dat ze er aandelen in heeft. Het leuke is...' Samenzweerderig kijkt Karen Marloes aan. '... dat je helemaal geen foto hoeft te plaatsen van jezelf. Je gaat puur af op de informatie die iemand in zijn profiel schrijft. Je kunt gewoon een sfeerplaatje uploaden. Ik heb bijvoorbeeld een schattig hondje gekozen. Aan de ene kant is het lastig dat je niet op iemands uiterlijk kunt afgaan, maar hoe vaak hoor je niet dat mensen andermans foto plaatsen?'

Marloes reageert alsof ze daar alles vanaf weet, maar in feite hoort ze dit voor het eerst. Wat gemeen om zoiets te doen!

'Je zet natuurlijk ook niet je eigen naam erbij,' Karen rolt met haar ogen bij het idee, 'maar je verzint een toepasselijke naam, een alias. De mijne is bijvoorbeeld zuster K. Kom, ik laat het je zien.'

Na een paar minuten zitten ze samen te gniffelen om de berichtjes die Karen in haar digitale brievenbus heeft zitten, zoals: *Lieve zuster K, ik hoop dat die K niet staat voor Kenau of Ka, want ik heb mijn buik een beetje vol van dominante vrouwen.*

Handig scrolt Karen door de berichten heen. 'Het meeste wat binnenkomt is niks. Maar een meisje mag toch hopen, of niet dan?'

Marloes blijft het onvoorstelbaar vinden dat een gezellig, knappe vrouw als Karen nog niemand heeft weten te vinden.

'Mijn biologische klokje begint ook te tikken, meid. Jij hebt al een prachtige zoon, daar mag je je gelukkig mee prijzen.'

'Wel een zoon, maar geen vader,' houdt Marloes haar voor, terwijl ze opstaat om haar tas in te pakken.

'Hm... maar er is volgens mij wel iemand die deze rol graag zou willen vervullen.' Karen kijkt van haar iPad naar Marloes, die haar verbaasd aankijkt. 'Toe, je hebt toch zeker wel door dat onze dokter

Wout zo'n beetje de grond aanbidt waarop jij loopt?'

'Nou eh... maar misschien wil ik wel helemaal niet aanbeden worden. Of de grond onder mijn voeten dan,' grapt Marloes, maar ze fronst als ze over haar eigen opmerking nadenkt.

Is dat hoe ze over Wout denkt? Maar hij is haar kandidaat nummer één! Betrouwbaar, veilig, ze kan erg goed met hem opschieten, en ze lachen wat af. En is het niet bijzonder hoe goed ze met hem kan praten? Peinzend zakt ze terug op haar stoel, haar tas op schoot.

Als ze terugkijkt, heeft Wout eigenlijk steeds de rol van hulpverlener gespeeld, telkens stortte ze haar hart bij hem uit. Of ze praatten over het werk, Buurtzorg, en nu het zorghotel. Eigenlijk is dat wat hen bindt. Ze is hem dankbaar voor zijn hulp, mag hem graag als collega en hij is een goede vriend. Maar verder...

'Dus je valt niet op hem?' polst Karen schijnbaar nonchalant.

Marloes kijkt haar bijna verbaasd aan.

'Nee. Ik geloof van niet.'

Marloes is druk bezig haar gedachten op een rijtje te krijgen.

'Geloof je het of weet je het?' dringt Karen aan.

Nu heeft ze Marloes' aandacht. Waarom wil Karen dat zo graag weten?

Dan gaat haar een lichtje op. 'Zeg eens... is er soms iemand die onze dokter Wout wel wat beter zou willen leren kennen?' vraagt ze nieuwsgierig.

Karen schokschoudert. 'Een meisje mag toch hopen, of niet dan?' herhaalt ze haar eigen woorden van daarnet.

Marloes glimlacht. 'Ik wéét het.'

Een verwarde blik van Karen. 'Wat?'

Marloes kijkt haar gedecideerd aan. 'Ik geloof het niet, ik weet het zeker: ik val niet op hem.'

Opnieuw is er een serie van boeiende gezichtsuitdrukkingen te zien bij Karen, waar Marloes gefascineerd naar kijkt.

'En weet je, Karen, ik ben het single zijn op zich ook best beu. En als ik de ware niet op een gewone manier vind, ga ik denk ik ook maar eens met die site aan de slag.'

Karen applaudisseert zachtjes. 'Bravo! Het is zo mooi om te zien hoe jij de afgelopen tijd bent opgebloeid, Marloes. Dat meen ik! Je bent een stuk opener geworden, spontaner. Je bent veel te leuk om je leven lang alleen te blijven. En ik trouwens ook!'

Ze schieten samen in de lach en nu applaudisseert Marloes. 'Mooie toespraak, Karen. We zijn moderne, geëmancipeerde vrouwen, die niet gaan zitten wachten tot het geluk aanklopt.'

Ze staat op en rijgt de riem van haar tas aan haar schouder. 'Ik moet rennen, ik wil voor ik naar huis ga nog even bij Jasmijn langs. Eens kijken hoe zij omgaat met het nieuws over oma Geertje.'

Karen kijkt haar collega na. Dus dokter Wout was nog niet bezet! Ze kijkt even naar de berichtjes die ze net heeft doorgelezen en haalt dan haar schouders op. Het kon geen kwaad om meerdere ijzers in het vuur te hebben, toch?

Aarzelend loopt Marloes het pad op naar de woning van Jasmijn en Simon. Ze hoopt maar dat Jasmijn thuis is, ze heeft haar bezoek niet aangekondigd.

Als Marloes aanbelt, gaat na lang wachten de voordeur met een zwaai open.

'Jij... o, Marloes...' In de deuropening staat Jasmijn met een rood, behuild gezicht.

Marloes doet een stap naar voren en steekt haar armen uit naar haar vriendin. 'Jasmijn dan toch!'

Huilend valt Jasmijn haar in de armen.

Marloes doet de voordeur achter zich dicht en neemt Jasmijn mee naar de woonkamer. 'Ga zitten, ik ga een glaasje water voor je halen. Heb je wel een zakdoek?' Een heftig gesnuif tussen de gierende uithalen door is haar antwoord. 'Nee dus, ik kom zo terug.'

Marloes haast zich naar de keuken, waar ze een glas uit de kast pakt en het met koud kraanwater vult. Op weg terug naar de woonkamer trekt ze een keukenrol van de standaard die op het aanrecht staat. Intussen denkt ze koortsachtig na over wat er aan de hand kan zijn. Is er iets met Simon, of met Willemieke?

'Zo, neem eerst maar een slokje... en hier, om je neus te snuiten. Een hele rol, genoeg voor een volksstam.'

Een waterig glimlachje is alles wat eraf kan.

Het duurt een paar minuten voor Jasmijn samenhangend kan antwoorden. 'Je had helemaal gelijk. Ik lijk wel op oma Ge-he-heertje!' Een nieuwe stortvloed van tranen. 'En ik ben heel e-he-go-hoïstisch!'

Hikkend komt het verhaal eruit. Haar moeder had gebeld om te vertellen dat oma Geertje niet langer alleen kon wonen. 'Siem was nog niet naar zijn afspraak toen ze belde, en toen ik vertelde wat mijn moeder had gezegd, zei hij dat we toch hadden afgesproken dat oma bij ons welkom was. Hij vond het prima!' Ze laat een verwilderde blik zien. 'Gelukkig zei mijn moeder toen dat het niet verantwoord was. Dat ze alleen belde om te vertellen dat oma opgenomen wordt.'

Jasmijn scheurt het stuk keukenrol in haar handen in stukjes, zonder het echt door te hebben.

'Toen ik ophing, zei Siem dat het wat hem betreft best had gemogen. Dus ik barstte uit dat ik het nooit heb gewild, dat wist hij toch? En dat ik gek word van oma Geertje en haar geklaag. Dat ik er gek van word dat Willemieke mij zo opslokt. Dat ik nog niet toe ben aan een tweede kind. Dat hij helemaal niet naar mij luistert.'

Ze kreunt en verbergt haar gezicht in haar handen. 'Ik ging maar door en door... Hij was verbijsterd. Hij keek zo... gekwetst bijna. Berustend. Toen ik klaar was, knuffelde hij me, hij stelde me weer gerust, zo lief. Oma ging immers naar een tehuis, zei hij, en Willemieke wordt vanzelf makkelijker, en we hadden nog alle tijd van de wereld voor een tweede. Ik bood hem mijn verontschuldigingen aan voor mijn uitbarsting en we maakten het weer goed.'

Marloes streelt Jasmijn opgelucht over haar rug. 'Gelukkig! Maar waarom moet je dan nu nog zo huilen, lieverd?'

Jasmijn kijkt met betraande ogen naar haar vriendin. 'Omdat ik toen moest denken aan wat jij gezegd had, na Bonnies verjaardag. Dat ik leek op oma Geertje, dat ik net zo erg klaagde als zij. Ik vroeg hem of hij dat ook vond.'

Nieuwe tranen biggelen over haar wangen. 'Ik verwachtte dat hij me nu weer gerust zou stellen. Of het lachend zou ontkennen. Maar dat deed hij niet!' Haar stem klinkt verstikt. 'Hij haalde z'n schouders op en zei: "Nou je het zegt... je zou wel wat positiever kunnen zijn. Soms lijkt het wel alsof er niks goed is." En toen zei hij iets over werk, gaf me een kus op m'n kruin en weg was hij!' Jasmijn gebaart alsof Simon in de lucht is opgelost.

Als de deurbel gaat, springt Marloes op om open te doen. Hopelijk is het iemand die kan helpen, die weet wat te zeggen in deze crisissituatie.

Aniek, haar vriendin en de overbuurvrouw van Jasmijn, staat met een paar tijdschriften in haar hand op de stoep. 'Hey, Marloes, ik zag je auto al staan. Ik kom... Wat is er?'

Marloes trekt haar naar binnen en legt haar in een paar zinnen de situatie uit. 'Ze wilde wekenlang niet met mij praten om wat ik gezegd had,' besluit ze haar verhaal. 'En nu moet oma Geertje het huis uit en is de boel geëscaleerd.'

Aniek volgt haar naar binnen en gaat naast Jasmijn op de bank zitten, die inmiddels verdoofd voor zich uit staart. 'Waar is Willemieke, Jasmijn?'

Verdwaasd kijkt Jasmijn haar aan. 'Wat...? O, ze logeert bij Siems ouders, ze gingen met haar op stap vandaag. Gelukkig, dan hoeft ze niet mee te maken hoe het huwelijk van haar ouders uit elkaar klapt.' Haar woorden hebben een nieuwe huilbui tot gevolg.

Marloes zucht, ze vindt het moeilijk om met zoveel drama om te gaan.

'Komkom, Jasmijn.' Aniek probeert haar te sussen. 'Zo'n vaart zal het toch niet lopen? Wat is er nu in feite gebeurd? Jullie hadden ruzie, hebben het weer goed gemaakt, en daarna is Siem gewoon naar zijn werk gegaan, dus...'

Jasmijn valt haar heftig in de rede: 'En hij heeft ook nog gezegd dat ik op oma Geertje lijk!'

Marloes wil geen olie op het vuur gooien, maar kan het niet laten om Jasmijn toch heel duidelijk te zeggen waar het op staat. 'Maar welbeschouwd, Jasmijn, wás je toch ook aan het klagen op dat moment, of niet?'

Jasmijn knikt onwillig.

Marloes vervolgt haar verhaal. 'Naar mijn idee – maar als ik het mis heb moet je het zeggen – heb je alles veel te lang voor Simon opgekropt. Zijn reactie op je moeders telefoontje was voor jou de druppel die de emmer deed overlopen, en daardoor heb je alles over hem uitgestort wat je niet bevalt. Iets wat je eigenlijk al eerder met hem had moeten bespreken, in plaats van alleen maar tegen anderen te klagen over dat híj oma wel in huis wil, dat híj een tweede kind wil, en weet ik wat nog meer. Maar in plaats van óver hem te praten, moet je tégen hem praten, Jasmijn. Vertel hem wat jij denkt, wat jij wilt.'

Marloes heeft het gevoel dat het niet overkomt wat ze wil zeggen en ze kijkt Aniek hulpzoekend aan.

Aniek knikt. 'Weet je, Jasmijn, Marloes heeft gelijk. Alles draait om communicatie. Soms denken we te weten wat de ander denkt, of denken we dat de ander wel weet wat wij denken. Maar niemand kan gedachten lezen.'

Marloes knikt haar bemoedigend toe, waardoor Aniek haar verhaal vervolgt, terwijl ze over haar eindelijk zichtbaar gegroeide buik wrijft.

'Je weet hoe het ging tussen Huub en mij, toen hij erachter kwam dat ik zwanger was. Hij werd zo kwaad! Hij wilde geen kinderen meer, dat had hij me duidelijk verteld toen we een relatie kregen, en of ik dat niet meer wist? Natuurlijk wist ik dat wel, maar aangezien wij er nooit meer over spraken, dacht ik...' ze heft haar wijsvinger op om haar woorden kracht bij te zetten, 'dácht ik dat hij er net zo over dacht als ik.'

Jasmijn snuft en snuit haar neus in een stuk keukenrol. Ze neemt een slok water terwijl ze naar Aniek luistert.

'Ik werd ziek en daarvan schrok hij heel erg. Maar het heeft weken geduurd voordat hij erover kon praten. Toen ik me weer beter begon te voelen, ben ik zelfs een paar keer mee geweest naar zijn therapeut, om er samen over te leren praten. Maar het is goed gekomen hoor, Huub is nu – voorzichtig – blij met het kindje.'

Marloes heeft de afgelopen tijd kleine beetjes van het proces meegekregen en is vol bewondering voor haar vriendin. Zo knap dat ze ondanks alle tegenslag positief is gebleven, en gevochten heeft voor zowel haar man als haar nog ongeboren kind. De keren dat ze elkaar gesproken hebben, ging het eigenlijk alleen maar over Anieks precaire situatie. Nu ze hoort hoe wijs Aniek reageert, heeft ze er spijt van dat ze niets van haar 'vrijgezellenproject' met Aniek gedeeld heeft. Ze had best wat advies kunnen gebruiken. Nog steeds heeft ze de neiging om zelf haar problemen op te lossen, zonder bij iemand te rade te gaan.

Aniek grijpt Jasmijns hand vast. 'Jij moet leren om duidelijk te maken wat je wilt en wat je vindt. En er wat aan te doen, in plaats van te klagen! Wil je geen oma's in huis? Zeg dan dat je best mee wilt helpen om een plekje in het verzorgingstehuis te regelen, maar dat het duidelijk moet zijn dat oma niet bij jullie intrekt. Punt uit! Geen oma's!'

Jasmijn knikt en snuit haar neus nog een keer.

'Dan: als jij geen nog tweede kind wilt, maak je afspraken met Simon. Dat je het per halfjaar wilt bekijken. Of dat je pas een kind wilt als Willemieke kan lopen, of voor mijn part naar school gaat.'

Marloes vult het waterglas van Jasmijn nog een keer bij.

'Wat was er nog meer?' Aniek telt op haar vingers. 'Oma, kind krijgen... O ja, je wordt gek van het thuis zitten met Willemieke. De oplossing: je gaat voor een paar dagen werken. In de B&B, of vrijwilligerswerk voor de kerk of voor Buurtzorg, wat dan ook. Willemieke is een schatje, maar ze vraagt veel aandacht, en jij hebt tijd voor jezelf nodig. Jasmijntijd. Maak een plan en overleg het met Simon. Hij kan niet verwachten dat je thuis zit en ongelukkig bent.'

Jasmijn kijkt haar dankbaar aan. 'Als je het zo samenvat, klinkt het allemaal zo eenvoudig! Ik wilde dat ik jullie eerder om raad had gevraagd. En Marloes, het spijt me zo dat ik jouw goedbedoelde opmerkingen zo verkeerd opvatte. Een goede vriendin durft te zeggen waar het op staat. Wil je me alsjeblieft vergeven?'

Ontroerd knuffelt Marloes haar. 'Gekkie, natuurlijk vergeef ik je.'

Ook Aniek wordt in de omhelzing betrokken. 'Groepsknuffel!' roept Jasmijn tussen haar beide vriendinnen in, wat hen uitgelaten doet lachen.

Marloes zet een pot thee, terwijl ze haar buurvrouw belt of Silas nog wat langer kan blijven. Gelukkig is dat geen enkel probleem.

Als ze even later alle drie met een dampende kop thee op de bank geschurkt zitten, stelt Jasmijn nog een vraag. 'Maar wat doe ik tegen dat klagen, behalve praten? Hoe zorg ik nou dat ik niet net zoals oma Geertje word? En wat als ik het zelf niet doorheb?'

Marloes heeft hier al over nagedacht.

'Weet je, het scheelt al een stuk als je van je hart geen moordkuil maakt en in oplossingen gaat denken, zoals Aniek net zei. En als dat niet kan, of als het niet werkt... Tel dan je zegeningen, blijf positief. En pas ervoor op wat je uitspreekt. Ik ben ervan overtuigd dat woorden kracht hebben. Net zoals God sprak, tijdens de schepping, en het was er. Wij zijn naar Zijn evenbeeld gemaakt, dus onze woorden hebben ook scheppingskracht. Maar we kunnen ook slechte dingen maken met onze woorden, en negativiteit om ons heen creëren.'

'En,' Aniek zwaait met haar wijsvinger, 'als wij merken dat je weer op een van je stokpaardjes bent geklommen, zullen wij je er wel tactvol op wijzen.'

Marloes grijnst. 'Ja, dan gooien we je er zo weer vanaf, wees maar niet bang!'

Ze blijven nog een poosje doorpraten, tot ze de voordeur open horen gaan en Simon naar binnen stapt. Verrast blijft hij in de deuropening van de woonkamer staan.

'Siem!' Jasmijn springt op van de bank en rent in zijn armen.

Marloes en Aniek staan op. Tijd om naar huis te gaan.

'We hebben zo'n goed gesprek gehad! Vergeef me alsjeblieft dat ik zo tekeer ben gegaan vanmorgen.'

Simon houdt zijn vrouw stevig vast. 'Mijntje toch...'

'O, en ik heb nog niets aan het eten gedaan, je zult wel van de graat vallen!'

Simon kijkt zijn vrouw liefdevol aan. 'Zal ik dan maar eens koken vanavond?'

Jasmijn neemt zijn aanbod van harte aan. 'Blijven jullie eten, meiden? Simon kookt, dus we eten Chinees.'

Simon lacht bulderend. 'Ik kan best koken, wat moeten ze nu wel niet van me denken?'

Marloes en Aniek vinden het wijzer om de beide echtelieden alleen te laten, zodat ze eens goed kunnen praten.

'Blij dat ik je terug heb,' fluistert Marloes Jasmijn in het oor als ze afscheid neemt.

'Ik zal je nooit meer buitensluiten, Marloes!'

Aniek loopt met Marloes mee naar haar auto.

'Wat een timing, Aniek, dat jij net aan de deur kwam. Zonder jouw wijze woorden was het lang niet zo goed gegaan.'

'Dat heeft zo moeten zijn, denk je ook niet? Samen vormen wij een goed team. Maar wij moeten ook nodig eens bijpraten, dame! Wanneer kun jij?'

Marloes vertelt over haar vakantieplannen met Kathy en Steve. 'We blijven maar tot maandag weg, een lang weekend dus.'

Ze spreken af voor de week na het weekendje weg. 'En laten we ook weer eens met z'n viertjes afspreken, met Jasmijn en Bonnie erbij. Ik zal hen bellen en iets opzetten. Woensdagmiddag, als je terug bent, kun je dan?'

Als Marloes wegrijdt, zwaait ze naar Aniek. Haar hart is dankbaar voor Aniek, maar ook dat het weer goed gekomen is met Jasmijn. Communicatie was een woord dat ze moest onthouden, bedacht ze. Getrouwd zijn was soms hard werken, dat bleek maar weer. Met een cynisch lachje denkt ze terug aan haar eerste huwelijk. Ze had absoluut niet willen scheiden, maar de enige taal die haar man sprak, was met zijn vuisten. Daarom is het belangrijk dat ze dit keer de juiste keuze maakt.

Zuchtend denkt ze aan haar gesprekje met Karen, eerder die dag. Over Wout, met wie de communicatie prima verloopt, maar op wie zij niet verliefd is. Ze gaat morgen nog wel met hem naar de dierentuin! Marloes bijt op haar lip. Zo gaat het wel hard met de kandidaten. De een niet geschikt, de ander zeer geschikt maar niet om verliefd op te worden... Zo bleef eigenlijk alleen Steve nog maar over.

Thuis aangekomen loopt ze met gemengde gevoelens naar het huis van haar buurvrouw. Wat vindt ze van Steve? En wat nu als hij ook niet de ware blijkt te zijn?

Ze haalt haar schouders op, terwijl ze aanbelt. Dan kan ze altijd nog die relatiesite van Karen raadplegen.

# 15

Enthousiast geblaf komt Wout tegemoet als hij de sleutel van zijn voordeur heeft omgedraaid. 'Rustig aan, Cornelis, ik ben geen inbreker.' De teckel blijft keffen en als Wout binnenkomt, springt het dier enthousiast tegen hem op. Wout knuffelt het kopje van zijn hond en pakt zijn riem van het haakje, wat het dier bijna uitzinnig maakt. 'Zo, die ommetjes met de overbuurvrouw zijn maar niks, of wel? Er gaat toch niks boven een echte wandeling met je eigen baasje, of niet dan?'

Het mooie weer van die middag is voorbij, een miezerig regenbuitje doet Wout zuchten. 'Dat kon er ook nog wel bij.'

Doorweekt komen ze een halfuur later terug. Al pratend tegen de hond maakt Wout wat te eten klaar.

Somber prikt hij even later in het opgewarmde diepvriesmaal, terwijl hij achter zijn computer zit om zijn e-mail te checken. Hij heeft geen moeite gedaan om het eten op een bordje te doen. Wat maakt het uit, niemand die het ziet.

Zuchtend legt Wout zijn vork neer. Niemand die het ziet, inderdaad. En dat zou ook nog wel even zo blijven, want met Marloes... Hij schuift zijn maaltijd opzij en leunt op zijn ellebogen op het bureau. Hij staart door het raam naar de regenachtige tuin en haalt een hand door zijn nog vochtige, lichte haar.

Het was zo leuk geweest in de dierentuin. Eindelijk alleen met Marloes. Silas was er ook bij, maar dat vond hij niet erg. Geen Axel die haar pasta voerde. Geen Steve die met haar op reis ging. Hij had genoten van het rondwandelen door het park, het gekraai van de kleine Silas, die al lekker begon te brabbelen. Voor hem onverstaanbaar, maar Marloes kon er aardig wijs uit worden. Toen ze op een terras koffie gingen drinken, was hem echter duidelijk geworden dat Marloes hem niet zag als... Hij slaat met zijn vuist op tafel, waardoor de vork uit het bakje valt.

Een ping-geluidje uit zijn computer doet hem opkijken. Sinds wanneer krijgt hij zulke geluidjes te horen? Dan herinnert hij zich de website, RelatieWeb, waarop hij onlangs – meer voor de grap – een profiel heeft aangemaakt. Dat meisje dat werkt bij de fysiotherapeut, naast Buurtzorg, had hem erop gewezen. Hij had haar lachend verteld dat zoiets niets voor hem was, maar toen hij thuiskwam had hij er toch even op gekeken. Raar, bedenkt hij nu. Ondanks zijn gevoelens voor Marloes had hij zich toch aangemeld. Had hij misschien onbewust al die tijd al wel aangevoeld dat ze niet voor elkaar bestemd waren?

Met een paar muisklikken logt hij in. 'Dokter S,' mompelt hij al typend. De S van single. 'Of van sukkel,' bromt hij mismoedig.

Hij montert wat op als hij ziet dat hij een flink aantal berichtjes heeft. Misschien dat Marloes hem niet wil, maar klaarblijkelijk ligt hij verder nog wel goed in de markt.

Hij leest alle berichtjes, maar sommige klikt hij gelijk na het lezen weg, omdat ze hem niet aanspreken. Maar er blijft er eentje over die hem intrigeert: een dame die ook in de zorg werkt. Haar geestige manier van schrijven doet hem glimlachen. Zal hij reageren? Wout wikt en weegt, maar hij besluit dat hij niets te verliezen heeft. Hij gaat er eens goed voor zitten en stuurt haar gelijk een antwoord terug. Even nalezen op typefouten, dan klikt hij met een ferm gebaar op 'verzenden'.

Tevreden leunt hij achterover.

'Koffie!' Marloes loopt met een dienblad haar woonkamer binnen, waar Jasmijn op de bank zit. Haar vriendin had onaangekondigd op de stoep gestaan onder een paraplu, met een grote bos bloemen.

'Als je geen tijd hebt, ga ik gelijk weer weg, maar ik wilde je bedanken voor... nou ja, voor alles! Ik zag deze prachtige bos staan en wilde hem eerst voor mezelf kopen, maar toen dacht ik aan jou. Ik heb er ook al een bij Aniek langsgebracht.'

Marloes had haar bezwaren weggewimpeld. 'Ben je mal, voor jou heb ik altijd tijd, en wat een prachtige bloemen! Dat had toch niet gehoeven?'

Jasmijn was gestopt met het uitschudden van de paraplu en had haar handen weer uitgestoken naar het boeket. 'Nou, in dat geval, geef dan maar weer mee.'

Maar Marloes had zich lachend van haar afgekeerd. 'Niks ervan, eens gegeven, blijft gegeven.'

'Lekker, Marloes. Er gaat niets boven een bakje echte vers gezette koffie. Wij hebben sinds kort zo'n machine die zelf bonen maalt.

Ik ben nog steeds aan het sleutelen met de instellingen, meer water, meer bonen. Siem heeft al aardig wat bakjes dapper weggedronken die eigenlijk niet te pruimen waren.'

Marloes glimlacht. 'Hoe gaat met jou, Jasmijn? En tussen jou en Simon?'

Openhartig vertelt Jasmijn over het goede gesprek dat ze met Siem gehad heeft, nadat Aniek en Marloes waren weggegaan.

'Ik merk dat ik het lastig vind om aan te geven wat ik wil,' besluit ze haar verhaal. 'Ik kan heel goed zeggen wat ik niet wil, maar om nou te kunnen zeggen wat dan wél...'

Marloes houdt haar hand op. 'Over willen gesproken: wil je nog koffie, of liever wat fris?'

Jasmijn grijnst. 'Laten we maar met de eenvoudige keuzes in het leven beginnen. Inderdaad, fris graag.'

Marloes schenkt een paar glazen sap in en schudt wat chips in een schaaltje.

Jasmijn babbelt over haar bezoekje dat ze vandaag bracht aan oma Geertje in het verzorgingstehuis. 'Best naar, ze kan daar de deur niet uit, er zit een code op de toegangsdeur. Ze snapt ook niet waarom ze daar nou heen moest. Aan de ene kant is het heel verdrietig, als je bedenkt wat mensen die daar zitten zijn kwijtgeraakt, aan geheugen maar ook aan bewegingsvrijheid. Aan de andere kant moest ik ook wel weer lachen. We zaten in de gemeenschappelijke zitkamer en ik hoorde hoe een verzorgster vroeg aan een oude dame: "Hoe oud bent u, mevrouw Landman, weet u dat?" Waarop die oude dame fel antwoordde: "Ik ben tachtig jaar, en nog steeds maagd!"'

Ze proesten het uit. Als ze zijn uitgelachen, erkent Marloes dat het erg grappig is, maar tegelijkertijd ook erg schrijnend.

'Ik heb je zo'n poos niet gezien, Marloes. Hoe is het met het zorghotel? Ik hoor van Huub en Aniek natuurlijk van alles, maar ik ben ook benieuwd naar jouw verhalen. Zo ben ik mateloos gefascineerd door die geheime geldschieter. Ik bedoel maar, samen met de baron tilt hij toch maar mooi eventjes dat hele project van de grond. Wie zou het zijn, enig idee?'

Dat heeft Marloes zich ook al afgevraagd. 'Ik kan niemand bedenken, Jasmijn. Je zou het toch wel aan iemand merken als hij zoveel geld heeft? Waarschijnlijk komt hij hier niet eens vandaan.'

Jasmijn kauwt nadenkend op een chipje. 'Maar waarom wil hij dan anoniem blijven?'

Peinzend houdt Marloes haar hoofd schuin. 'Tja, daar zeg je wat. Dat zou betekenen dat we hem wel moeten kennen.'

Jasmijn leunt naar voren en zegt op geheimzinnige toon: 'Weet je wat ik weleens gedacht heb? Dat jouw nieuwe schoonfamilie erachter zit. Niet meteen lachen: rond de tijd dat zij in het dorp arriveerden, kwam Huub opeens met die geheimzinnige financierder op de proppen.'

'Is dat zo? Ik kan me niet meer precies herinneren wanneer ik Huub er voor het eerst over hoorde. Het idee! Ik bedoel, ze zijn weliswaar niet onbemiddeld, maar of zij zo veel geld hebben...' Marloes schudt haar hoofd. 'En daarbij heeft Steve het er zo vaak over dat hij teruggaat naar Amerika.'

Jasmijn is echter op dreef. 'Maar Kathy niet!' Ze wijst opgewonden naar Marloes. 'Heb jij toen, je weet wel, net voor ons meningsverschil,' ze wappert ongeduldig met haar hand, 'heb jij toen niet gezegd dat Kathy weleens dingen zei waardoor je dacht dat ze zou willen blijven?'

Langzaam knikt Marloes. Dat klopte.

Jasmijn knikt met een veelbetekenende blik met haar mee. 'Ik zou mijn ogen en oren maar eens goed openhouden, Marloes.'

'Wow,' zegt Marloes, die zich achterover laat vallen in de orenstoel. 'Je had wel detective kunnen worden, Jasmijn.'

Gelijk veert Jasmijn overeind. 'Dat is het! Mijn nieuwe carrière! Dat ik daar nou niet eerder aan gedacht heb.'

'Zal Simon leuk vinden. Hoewel, het kan ook van pas komen. Als hij een opdracht krijgt van een louche persoon, kun jij hem zo natrekken.'

Jasmijn fantaseert er lustig op los. 'Ja, handig. Laatst was ik bij de fysio, je weet wel, naast Buurtzorg. Sinds Willemieke heb ik wat last van rugklachten, vandaar. Dat meisje daar, die roodharige, vertelde dat ze zo enthousiast is over een datingsite.'

Marloes zet grote ogen op. 'Daar vertelde Karen me pas over, ze had haar daar ook al heen weten te krijgen.'

Jasmijn grinnikt. 'Lachen! Maar stel je voor dat je met iemand afspreekt, en je wilt weten of het niet stiekem een seriemoordenaar is, dan laat je die persoon door een detective – mij dus – natrekken.'

Marloes loopt lachend naar de keuken om een pak sap te halen.

Jasmijn roept haar na. 'Over relatiebemiddeling gesproken, Marloes, hoe staat het met jouw vrijgezellen? Net voor diezelfde ruzie had ik jou drie kandidaten aangeboden, weet je nog? Kandidaat nummer één...' Haar stem galmt weer als een quizmaster.

Met het pak sap in haar hand loopt Marloes terug de kamer in. 'Nou, daar zijn wat ontwikkelingen.'

Nu is het Jasmijns beurt om grote ogen op te zetten. 'En dat houd je allemaal voor jezelf? Vertel!'

Marloes vertelt en Jasmijn luistert ademloos. 'Dus als ik het goed begrijp, is dokter Wout vandaag definitief afgevallen? Hoe heb je dat netjes gebracht? Of niet zo netjes, dat kan natuurlijk ook. Dat hij je wilde kussen en jij hem een mep in zijn gezicht verkocht en hem voor bruut uitmaakte.'

Marloes schiet in de lach bij het idee. 'Heb je weleens een carrière als schrijfster overwogen?'

Jasmijn knikt blij. 'Jawel, ik heb met Bonnie samen dat boek over oma gedaan, weet je nog wel? *Oma's bevrijding*. We vonden oma Miekes schrijfsels op zolder en hebben dat toen uitgetypt. Maar zelf een roman schrijven lijkt me ook wel wat. Iets over piraten en ontvoerde jonkvrouwen. Over piraten gesproken, hoe is het met Axel? Nee, wacht, eerst Wout afmaken. Het verhaal dan, niet de man!'

Marloes luistert geamuseerd naar Jasmijns geratel. 'Wat heb ik jou gemist!'

Een berouwvolle blik van Jasmijn. 'Ik jou ook.'

Marloes zucht en doet haar ogen even dicht. 'We hadden het hartstikke leuk in de dierentuin met Silas, maar omdat ik eigenlijk al voor mezelf had uitgemaakt dat hij niet mijn ware jakob is, voelde het heel... verkeerd. Ik bedoel, we leken wel een gezinnetje! Ik heb echt geprobeerd of ik niet meer voor hem voelde dan vriendschap. Maar er moet toch wel iets van aantrekkingskracht zijn, toch?'

'En vandaag?' Jasmijn zit op het puntje van haar stoel.

'Op een gegeven moment gingen we op het terrasje zitten, op zo'n picknickbank. Wout ging naast me zitten en terwijl we koffiedronken, rekte hij zich uit en liet hij zijn arm achter mij op de leuning rusten.'

Jasmijn kreunt en Marloes vervolgt met een pijnlijk lachje: 'Ja, ik weet het, net zo'n scène uit de film. Schooljongen in de bioscoop met het meisje op wie hij verliefd is...'

'En toen?'

Marloes kijkt somber. 'Toen ben ik hem uitgebreid gaan bedanken voor zijn hulp, zijn luisterende oor. Hoe hij mij heeft geholpen om alles op een rijtje te zetten voor mezelf, na alles wat ik heb meegemaakt en wat er gebeurde met Kathy en Steve. En dat is ook zo, hij heeft me heel goede adviezen gegeven. Dat is misschien ook wel een deel van het probleem, dat ik hem meer als hulpverlener zie dan als iets anders.'

Daar kan Jasmijn in komen.

'Dus ik heb gezegd: "Ik heb nooit een broer gehad, daarom ben ik zo blij dat ik jou nu heb." Ik was blij met mijn zonnebril, maar ook dat hij de zijne ophad. Hij glimlachte, maar het was echt een soort verkrampt glimlachje.'

Jasmijn zit zo in het verhaal dat ze haar mond vertrekt.

'Ja, zoiets! En toen klopte hij me op mijn rug en mompelde iets van "graag gedaan", en toen ging hij nog een kop koffie voor ons halen.'

Puffend valt Jasmijn achterover. 'Dat is *killing*, een knappe vrouw die je als broer ziet. Arme Wout.'

Marloes kijkt schuldig. 'Maar ik kon hem toch moeilijk aan het lijntje houden?'

Jasmijn wappert met haar hand. 'Nee, je hebt het goed gedaan. En Axel, hoe zit het met Axel?'

Marloes vertelt over haar verlanglijstje, waar haar ware jakob aan moet voldoen. 'En dan moet ik concluderen dat hij gewoon niet betrouwbaar genoeg is. Wat nou als hij na een halfjaar inderdaad op Omies oude motor springt en verdwijnt voor een paar maanden? Of voorgoed? Dat trek ik niet.'

'En Steve is dan een stuk betrouwbaarder, of niet?'

Marloes knikt. 'Goede baan, zorgzaam, accepteert Silas, aantrekkelijk...'

Jasmijn kijkt haar ondeugend aan. 'O ja?'

Marloes bloost alweer. 'Nou ja, pas, toen hij die thermostaat bij me installeerde... Net voor ik weg moest, heeft hij me gekust. Gewoon, een simpele kus,' haast ze zich om het toe te lichten.

'Geen enkele kus is simpel, Marloes,' doet Jasmijn wereldwijs.

'Het probleem is dat ik een soort déjà vu had, omdat hij zo op Thomas lijkt. En toen hij me kuste… Ik weet gewoon niet of ik op dat moment iets voor hém voelde, of dat ik aan Thomas dacht. Snap je?'

Jasmijn knikt bedachtzaam. 'Dat moet je wel helder zien te krijgen. Hij kan moeilijk meeliften op de golf van… van… Nou ja, van wat het dan ook maar is. Misschien moet ik toch maar geen schrijfster worden. Gelukkig ga je met hem op stap binnenkort, vrijdag toch al? Dat vertelde Aniek daarstraks, het familie-uitje naar Groningen.'

'Hij is wel de enige die overblijft van jouw droomdrietal, anders moet ik ook maar aan de site van jouw fysio,' sombert Marloes.

'Geen piraat voor jou dus, weet je het zeker?' vist Jasmijn. 'Hoe zit het met de aantrekkingskracht bij Axel? Per slot van rekening moet een meisje heel wat kikkers kussen voordat ze de prins vindt, zoals het spreekwoord zegt. Misschien moet je hem eens kussen!'

Nu wordt Marloes niet een beetje rood, maar zo rood dat ze haar handen voor haar gezicht slaat.

'O!' Jasmijn klapt in haar handen. 'Je hebt hem al gekust!'

Schoorvoetend vertelt Marloes over het etentje bij de Italiaan en de kus die daarna volgde.

Jasmijn pakt het laatste chipje uit het schaaltje. Al kauwend kijkt ze Marloes bedachtzaam aan.

'Weet je, Marloes, eigenlijk ben jij heel analytisch te werk gegaan met deze drie kandidaten. Je hebt een wensenlijstje gemaakt en bent voortdurend bezig deze mannen daaraan af te meten.'

Marloes knikt, daar kwam het eigenlijk wel op neer.

'Maar liefde laat zich niet leiden door een lijstje. Als er nu geen bepaalde klik is, geen chemie – en dan bedoel ik niet alleen lichamelijk, hoewel dat ook meetelt – dan kan het over tien of twintig jaar wel lastig worden om te bedenken waarom jullie ook alweer voor elkaar gekozen hebben. Maakt hij je aan het lachen? Kun je jezelf bij hem zijn? Durf je hem alles te vertellen? Word je blij als je hem ziet? Kun je niet wachten om bij hem te zijn?'

Marloes kijkt gefrustreerd. Het is ongemerkt donker geworden buiten en ze knipt een paar schemerlampen aan, waardoor de kamer warm verlicht wordt. Ze ijsbeert heen en weer. 'Dat alles had ik bij

Wout zeker niet, dat is gemakkelijk. En bij Steve, ik moet er nog achter komen of ik überhaupt wat voor hem voel, of dat het een soort Thomassausje is wat ik over hem heen gegoten heb. Maar Axel...' Ze ploft weer op haar stoel neer en schudt haar hoofd. 'Ik kan niet op hem bouwen, Jasmijn. Hij is een kunstenaar. Hij maakt prachtige dingen, maar doet er niets mee. Het klinkt alsof hij van plan is om voor altijd bij Maurits en Bonnie te blijven wonen. Waar leeft hij van? En hij wil niet in het bestuur van het zorghotel, wat Huub hem heeft aangeboden, hij wil alleen maar wat cursussen opzetten. Maar als je hoort wat een goede vragen hij stelt en met welke ideeën hij komt tijdens een vergadering...'

Jasmijn probeert mee te denken. 'Maar zou hij niet voor jou willen veranderen? Als hij weet hoe belangrijk jij het vindt dat hij een baan heeft, of in elk geval wat ambitie toont...'

Marloes schudt haar hoofd. 'Je moet een man niet willen veranderen, zeggen ze dat niet in elk tijdschrift? Hij moet het niet voor mij doen.'

Jasmijn komt bij haar op de leuning van de orenstoel zitten. 'Meisje toch... Het valt ook allemaal niet mee.'

Marloes leunt tegen haar aan terwijl Jasmijn een arm om haar heen slaat.

'Ga eerst maar eens uitvinden hoe het met Steve gaat. Wie weet... als hij ontdaan is van het Thomassausje...' Jasmijn plant een kus boven op haar hoofd en staat dan op. 'Ik moet helaas gaan, ik heb Siem beloofd dat ik het niet al te laat zou maken.'

Ze lopen samen naar de gang. Bij de deur pakt Jasmijn haar paraplu en keert ze zich om naar haar vriendin. 'Bel je me als je me nodig hebt, of als je even uit wilt huilen, of wilt gillen, voor mijn part?'

Marloes belooft het. Als ze Jasmijn uitzwaait, snuift ze de zoete avondlucht op die door de regen van daarstraks teweeg is gebracht. Bijna zomer, langzaam komt de hele natuur tot bloei. Ze kijkt naar de plek waar ze pas met Axel stond.

Ze sluit haar ogen en schudt haar hoofd. Jasmijn kon haar nog meer vertellen, maar ze móést wel verstandig zijn en analytisch te werk gaan. Al was het alleen maar voor Silas' welzijn.

Als ze haar voordeur sluit en het kettinkje erop doet, heeft ze het gevoel dat ze niet alleen haar huis beveiligt, maar ook haar hart. Op slot en vergrendeld, zodat ongewenste indringers niet binnen kunnen komen.

Vrijdagochtend loopt Marloes het kantoor van Buurtzorg binnen, waar Karen aan de telefoon zit. Ze rondt net een gesprekje af en zwaait naar Marloes. 'Koffie?'

'Nee, dank je, ik kom alleen even een pak koffie brengen. Het duurt nog een paar dagen voor de bestelling weer binnenkomt en ik zag dinsdag dat de koffie bijna op was.'

Karen laat dankbare geluiden horen.

'Fijn dat je met me wilt ruilen, Karen, voor maandag, bedoel ik.'

Karen knipoogt. 'Ik werk graag mee aan een romantisch uitje.'

Marloes rolt met haar ogen. De nabijheid van de expressieve Karen lijkt dit soort blikken uit te lokken, en ze wordt beloond met een schaterlach van haar collega.

'Je leert het al, meisje. Maar zal ik je eens wat vertellen? Ik heb een blind date!'

Marloes kijkt haar verbaasd aan. 'Via die site? Nee maar! Met wie?'

Karen lacht en kijkt haar samenzweerderig aan. 'Dokter S noemt hij zich, zijn echte naam weet ik nog niet. Hij laat er geen gras over groeien! Woensdagavond hadden we voor het eerst contact, en het klikte zo goed dat we sindsdien eigenlijk de hele dag door berichtjes naar elkaar sturen. Dus we gaan vanavond naar die leuke Italiaan in de stad. Ben jij daar al eens geweest?'

Marloes kucht even. 'Ja. Heel leuk, romantisch ook, erg geschikt voor een eerste date.'

Karen knikt verheugd. 'Dat dacht ik al. Ik hoop zo dat het geen engerd is. Je weet natuurlijk alleen maar over zo iemand wat hij je zelf verteld heeft, of geschreven dan, in dit geval.'

Marloes loopt naar de deur. 'Ik ken nog wel iemand die hem voor je na kan trekken. Een soort beginnende detective.'

Karen lacht haar uit. 'Nog meer goede tips?' vraagt ze droog.

Marloes blijft even op de drempel staan. 'Probeer de pasta, die is erg lekker!'

In de auto blijft ze even stil achter het stuur zitten, voor ze de auto start. Het moest toch ook niet gekker worden. De herinnering aan het etentje met Axel bracht haar daarnet even totaal van haar stuk. Ze sluit haar ogen en ziet zijn glinsterende ogen voor zich, terwijl hij haar een hapje pasta voerde. Ze slaat met een gebalde vuist op het stuur. Dit moet stoppen, ze moet die man uit haar systeem, uit haar denken krijgen!

In gedachten ziet ze een lijstje voor zich waar drie namen op staan. Door de naam van Wout staat al een streep. Alleen Axel en Steve zijn over. Tijd om ook een streep door de naam van Axel te halen.

Ze heeft nog even de tijd voor ze naar Groningen vertrekken. Resoluut start ze haar auto en ze koerst richting pastorie. Dit gaat ze hier en nu beëindigen.

# 16

Eenmaal bij de pastorie aangekomen, is ze zo strijdvaardig niet meer. Ze blijft in haar auto zitten en tuurt naar de woning. Als ze geen beweging ontwaart, stapt ze uit. Haar tas laat ze in de auto liggen en gewapend met haar sleutelbos, die ze stijf in haar hand geklemd houdt, loopt ze naar het pad dat langs de pastorie leidt.

Ze trekt haar witte bloes recht en probeert of de sleutels in haar broekzak passen. De spijkerstof geeft niet mee, dus houdt ze de bos maar vast.

Als ze dichter bij de werkplaats van Axel komt, worden haar passen trager, zodat haar teenslippers geen geluid meer maken. Ze kijkt om zich heen en geniet ondanks zichzelf van de rust die er heerst in de pastorietuin. Ze hoort alleen wat vogeltjes fluiten en de wind door de jonge blaadjes aan de bomen ruisen. En nog een geluid dat ze niet helemaal thuis kan brengen.

De deur van de werkplaats staat open, en ze heeft het volle zicht op Axel die om een stuk hout – nee, een beeld – heen loopt met een stuk schuurpapier in zijn hand. Dat verklaart het geluid dat ze hoorde.

Ze slikt moeilijk en probeert moed te verzamelen.

Dan kijkt Axel op, alsof ze ongemerkt toch een geluidje heeft gemaakt, en hij kijkt haar recht aan.

Ze verwenst het harde en snelle kloppen van haar hart als ze zijn mondhoek traag omhoog ziet kruipen. Hij gooit het schuurpapier op de grond en veegt zijn handen af aan zijn knielange, kaki broek. Die man zag er beter uit dan goed voor hem was, bedenkt Marloes gefrustreerd.

'Je bent gekomen.'

Marloes glimlacht kort terug en schraapt haar keel. 'Ja, je zei toch dat ik maar eens langs moest komen?' Meer kan ze even niet uitbrengen.

'Heb je de kleine man ook bij je?' informeert Axel, terwijl hij achter haar kijkt, alsof Silas opeens tevoorschijn kan springen.

Marloes schudt haar hoofd. 'Kathy past even op hem. We gaan zo weg samen.'

Axel knikt. 'Ah, da's waar, het familieweekend in Groningen.' Het blijft even stil.

Dan maakt Axel een uitnodigend gebaar, waarop Marloes aarzelend naar binnen loopt. Het is een grote ruimte waar het daglicht binnenkomt via een paar smalle ramen, boven aan de wanden van de schuur. Het lijkt bijna schemerig, en er dwarrelt stof in de lichtbundels die naar binnen vallen.

Om zich een houding te geven kijkt ze om zich heen. Aan het plafond hangt een grote lamp en er staat een aantal beelden op een grote tafel. Marloes loopt ernaartoe en bekijkt de beelden vol bewondering.

'Heb jij deze allemaal gemaakt?' Het zijn abstracte vormen, stuk voor stuk uniek. Je zou ze in een tuin kunnen zetten, maar in een woonkamer zouden ze ook zeker niet misstaan. 'Welke is voor het zorgcentrum?'

Axel wijst naar het beeld op de sokkel, waar hij nog mee bezig is. 'Ik begin vaak met een idee, ik wilde eigenlijk iets maken met een hand en een voet. In de trant van "elkaar tot hand en voet zijn", voor elkaar zorgen, zoiets. Maar dit is wat eruit gekomen is.'

Marloes bestudeert het beeld en vergeet even waar ze voor gekomen is. 'Hoe haal je dit in vredesnaam uit een stuk hout? Die omhoog staande vormen... het lijken bijna wel vleugels. Als je het zo ziet, is het net een engel.'

Zijn blik rust op het beeld. 'Daar heeft het wel wat van weg, inderdaad... Typisch...' Hij schudt zijn hoofd.

Hij kijkt haar peinzend aan, maar Marloes is verdiept in het beeld en merkt het niet.

Ze wil het beeld aanraken, maar trekt op het laatste moment haar hand terug alsof ze schrikt van haar eigen vermetelheid.

'Raak maar aan hoor, het is niet zo breekbaar.'

Marloes laat haar vingers langs het hout glijden. Ze voelt waar het glad is en waar het wat ruwer wordt, omdat hij daar nog niet met het schuurpapier overheen gegaan is.

'Het is prachtig. En de andere beelden ook. Je zou echt een tentoonstelling moeten houden.'

Deze opmerking brengt haar weer terug tot de werkelijkheid. Ze was immers gekomen om een streep door zijn naam te kunnen zetten. Ze slikt moeilijk en laat het beeld los terwijl ze met haar andere hand hard in de sleutelbos knijpt.

Axel kijkt naar haar grote, groene ogen en loopt om het beeld heen naar haar toe. Als ze hem dichterbij ziet komen, loopt ze achteruit, zodat de afstand tussen hen niet kleiner wordt.

'Je bent toch niet bang voor me?' klinkt het plagend.

Marloes uit een beverig lachje, terwijl ze zich naar de kant van de deur beweegt. 'Bang?'

Ze vermant zich, maar ondanks dat blijft ze telkens als hij een stap naar voren zet, een stap naar achteren doen. 'Niet bang. Ik...' Ze bonst met haar rug tegen de wand. Ze kijkt naar rechts, waar de deuropening zich bevindt, maar voor ze zich kan bewegen heeft Axel zijn linkerarm naast haar hoofd gezet.

'Je wilde iets zeggen, geloof ik?'

Zijn nabijheid beneemt haar de adem. Marloes kijkt beneden, van de – natuurlijk versleten – slippers die hij draagt naar haar eigen voeten. Ze registreert haar roze gelakte teennagels die fel afsteken tegen de zwarte teenslippers. Flip-flops heten die dingen tegenwoordig, bedacht ze heel onlogisch. Waarom ook alweer? O ja, om het geluid dat ze bij het lopen maken, dat klinkt als flip-flop. Waarom eigenlijk geen flop-flop? Of...

'Marloes?' Zijn vragende stem onderbreekt haar gedachtestroom. Ze kijkt omhoog, maar laat haar blik gelijk weer naar beneden dwalen.

'Ik kwam om te zeggen dat wij... dat die kus van laatst... een vergissing was.' Het komt er stotend uit.

'O ja?'

Door zijn nonchalante toon vat ze moed. Ze moet zich ook niet zo aanstellen, hij was vast niet zo onder de indruk geweest van die kus als zij.

'Ja, en het spijt me dat... Ik wil niet dat je denkt dat ik het serieus neem, ik bedoel, ik wil heus geen relatie met je of zo.'

Axel zet nu ook zijn rechterarm tegen de wand, aan de andere kant van haar hoofd, wat zijn lichaam behoorlijk dicht bij het hare brengt. 'Is dat zo?'

'Voor Silas moet ik verstandig zijn, de juiste keuzes maken. En uit eten gaan met iemand terwijl het niets betekent... Dat was een vergissing. Dus het lijkt me niet verstandig om nog een keer samen uit te gaan, waar je het pas over had.'

'En wat is dan wel verstandig, als je een relatie aangaat?'

Verbeeldt ze het zich nou, of klinkt zijn stem wat dreigend? Ze moet vechten tegen de aandrang om zich in zijn armen te storten. Zijn gespierde armen aan weerskanten van haar hoofd leiden haar verschrikkelijk af.

'Voor Silas is een stabiele thuisbasis belangrijk. Ouders die er voor hem zijn, financiële zekerheid...' Haar stem hapert, omdat Axel met een vinger over haar wang streelt, op dezelfde manier als waarop zij daarnet het beeld streelde.

'En ik pas niet in dat plaatje.'

'Nee!' Ze is opgelucht dat hij het begrijpt. 'Ik moet ervan op aan kunnen dat iemand blijft, Silas accepteert en zijn taak als ouder serieus neemt, met mij samen zorg wil dragen...'

Zijn vinger stopt als hij bij haar kin is aangeland.

'En je vindt niet dat wij juist heel goed bij elkaar passen?'

Ze kijkt hem hulpeloos aan, terwijl hij zijn hoofd dichter bij het hare brengt. 'Elkaar goed... aanvullen?' Ze slikt moeilijk en als ze antwoordt, is haar stem niet meer dan een fluistering. 'Nee...' Ze sluit haar ogen. 'Het is niet... verstandig.' Ze is zich intens bewust van zijn lichaamswarmte. Hij ruikt naar hout en zeep.

Zijn wang glijdt over de hare, ruw tegen haar zachte huid. 'Sommige dingen moet je niet met je verstand beredeneren,' komt zijn stem hees bij haar oor, 'maar met je hart.'

Ze huivert en schudt haar hoofd. 'Ik...'

Hij komt te dichtbij. Ze legt haar hand tegen zijn borst om hem op veilige afstand te houden. Maar als ze zijn hart voelt kloppen onder haar hand, is ze afgeleid. Zijn hart... wat zegt haar hart?

Ze ziet haar hand op zijn borst liggen en onwillekeurig gaan haar vingers strelend over de stof heen, genietend van de harde ondergrond.

Axel buigt zijn hoofd iets en kijkt naar haar hand, waarna zijn blik zich donker in de hare boort. Haar andere hand knijpt hard in de sleutelbos.

Marloes kan geen enkele gedachte meer formuleren. Ze kan hem alleen nog maar aankijken. En als zijn blik naar haar mond glijdt en hij zich doelbewust naar haar toe buigt, kan ze alleen nog maar haar ogen sluiten en diep zuchten.

Haar zucht wordt gesmoord door zijn kus en gaat over in een hulpeloos geluidje als ze zich overgeeft. Zijn handen gaan strelend over haar rug terwijl zijn mond zich te goed doet aan de hare. Eindeloos, vragend, proevend. Haar hand gaat als vanzelf omhoog langs zijn warme hals, en blijft genietend rusten op zijn stoppelige wang.

Axel begraaft een hand in haar haar en ondersteunt haar hoofd als hij zijn kus verdiept.

Marloes raakt elk besef van tijd kwijt. Ze voelt alleen nog maar zijn lichaam tegen het hare, zijn mond die de hare verslindt, terwijl zij zich niet onbetuigd laat. Haar adem komt hortend als hij met zijn mond haar kaaklijn verkent en zijn lippen naar haar hals afdwalen.

'Meisje toch... Hoe kan dit nou een vergissing zijn?'

Haar ogen vliegen open en ze realiseert zich wat ze aan het doen is.

'Nee!'

Ze rukt zich los uit zijn armen en leunt verwilderd met een hand tegen de wand aan. Bevend houdt ze de achterkant van haar hand tegen haar mond aan. Ze is vol afschuw over haar eigen gedrag.

Als Axel begint te praten, is zijn stem nog steeds hees. 'Je hebt mijn vraag nog niet beantwoord, Marloes. Wat zegt je hart?'

Ze knijpt haar ogen stijf dicht en schudt haar hoofd. 'Nee, Silas...'

Ruw onderbreekt hij haar. 'Snap je dan niet dat wat goed is voor jou, ook goed is voor Silas? Dat als zijn moeder voor zichzelf kiest, ze een betere moeder kan zijn dan wanneer ze een verstandelijke keuze maakt voor een partner?'

Als ze naar hem opkijkt, ziet ze hoe hij met zijn handen door zijn haar woelt, gefrustreerd. Met een intense blik kijkt hij haar aan, waardoor haar ogen volschieten met tranen. 'Marloes, ik...'

Ze heft haar hand op en kijkt hem verdrietig aan. 'Nee, het is echt een vergissing. Het spijt me!' En voor hij nog wat kan zeggen, loopt ze de schuur uit.

Axel volgt haar naar buiten. Hij ziet hoe ze wegrent over het tuinpad. Ze struikelt even, maar loopt door, zonder om te kijken. Weg van hem. Woedend slaat hij met zijn vuist tegen de wand. Hij loopt haar na op het pad, maar ze is al bij haar auto. 'Marloes, wacht!'

Maar Marloes wacht niet. Vlug stapt ze in en voor hij haar kan bereiken, rijdt ze al weg. Als hij bij de straat komt, ziet hij haar auto nog net om de hoek verdwijnen.

Besluiteloos staat hij bij het hek. Dan draait hij zich om en loopt terug naar de schuur.

'Je hebt het er zelf naar gemaakt, vriend. Wie wil er nou een vent met zo'n waardeloos verhaal? Geen wonder dat ze je niet ziet zitten.' Hij wrijft met een hand over zijn nek. Hij had zo gehoopt dat ze voor hem zou kiezen, ondanks dat hij geen 'geschikte partij' was. Maar ze had het niet aangedurfd. Kon hij haar dat kwalijk nemen? Nee. Gezien haar voorgeschiedenis zeker niet. Maar als hij haar alles vertelde, zou ze dan niet net zoals de anderen reageren?

Hij stopt als hij halverwege iets op het pad ziet liggen. Hij raapt het op en ziet tot zijn verbazing dat het een van haar zwarte slippers is. Met het schoeisel in zijn hand draait hij zich om naar de weg, alsof hij haar daar nog kan zien.

'Assepoester is haar muiltje verloren.' Hij slaat zachtjes met de slipper in zijn geopende hand terwijl hij nadenkt.

Op de een of andere manier geeft het hem hoop. Hij gelooft niet in sprookjes, maar wel in tweede kansen. En dit schoentje – al is het allesbehalve een glazen muiltje – doet hem hopen dat het nog niet te laat is.

Grijnzend loopt hij met de slipper in zijn hand terug naar zijn atelier. Werk aan de winkel.

'O, daar ben je dan, Marloes. Alles gelukt wat je nog wilde doen?'

Kathy staat in de keuken van Marloes' huis nog wat spulletjes voor Silas in te pakken. 'Kijk toch eens naar buiten. Silas is in de tuin, zie je hoe goed hij begint te lopen?'

Marloes heeft moeite om te doen alsof er niets aan de hand is. Haar overhaaste aftocht uit de pastorietuin, maar vooral wat daaraan voorafging, heeft haar behoorlijk van haar stuk gebracht. Wat moest Bonnie wel niet denken, of Maurits, als ze in hun tuin een zwarte slipper aantroffen?

In de auto had ze grote moeite moeten doen om niet in tranen uit te barsten. Je hebt het juiste gedaan, Marloes, hield haar verstandige ik haar voor. Je kunt het je niet veroorloven om als alleenstaande moeder maar wat aan te rommelen met iemand van wie je weet dat hij niet geschikt is. Je moet verstandig zijn!

Toen ze in het achteruitkijkspiegeltje een blik van zichzelf opving, had ze het hardop gezegd: 'Verstandig, Marloes. Je hebt het goed gedaan!'

Na nog een steelse blik had ze luidruchtig gesnoven. 'O ja? En vertel me dan eens, waarom doet het dan zo ontzettend zeer?'

Door het keukenraam ziet ze Silas in de tuin rondkrummelen. Hij loopt wat wankele pasjes, struikelt, en valt in het gras. Maar hij is niet voor één gat te vangen, hij kruipt naar een tuinstoel en terwijl hij zich daaraan vasthoudt, hijst hij zichzelf overeind.

De vrouwen lachen vertederd. 'Hij moet goede schoentjes hebben, Marloes. Die kunnen we van het weekend wel gaan kopen. Als jij het ook leuk vindt?'

Marloes vindt het roerend hoe Kathy haar best doet om zich niet op te dringen. 'Tuurlijk. Jij hebt per slot van rekening meer ervaring in dat soort dingen dan ik.'

'Al zijn de kinderschoenen tegenwoordig een stuk beter dan vroeger, dus dat is bijna niet te vergelijken. Ik weet nog hoe Thomas zo aan het rondstappen was. Net zo'n volhoudertje als Silas.'

Marloes knikt afwezig, terwijl ze de informatie opslaat.

'En Steve dan, hoe was hij als klein kind?'

Kathy kijkt peinzend. 'Steve is altijd meer *daddy's little boy* geweest, papa's kleine jongen. Thomas trok meer naar mij toe. Ook toen hij groter was. Het maakte hem niet uit of zijn vrienden – of vriendinnen, later – erbij waren of niet, ik kreeg altijd een knuffel van hem of een kus op m'n voorhoofd.'

Kathy's hand gaat naar haar gezicht, alsof ze de afdruk van zijn kus wil aanraken, maar ze laat halverwege haar hand weer zakken.

'Nee, Steve was al jong heel zelfstandig. Hij ging met z'n vader uit vissen in het weekend, of kamperen. Thomas speelde liever met z'n vriendjes. Het was best een teleurstelling voor mijn man dat geen van beide jongens in de zaak wilde, maar hij was beretrots op zijn jongens toen ze gingen studeren. Steve had het erg moeilijk met het overlijden van zijn vader. Hij trok zich terug, en het leek alsof hij het mij kwalijk nam dat ik mij liet troosten door Thomas, door vrienden. Dat ik verderging met leven.'

Marloes luistert gefascineerd naar deze verhalen over de familie van haar zoon. 'Konden ze eigenlijk goed met elkaar overweg,

Steve en Thomas?'

Kathy houdt haar hoofd scheef als ze nadenkt. 'Aanvankelijk wel. Maar toen ze tieners waren... Er was ooit iets met een meisje dat ze allebei leuk vonden. En Thomas heeft toen verkering met haar gekregen. Sindsdien is hun relatie nooit meer zo geworden als voorheen. Niet dat ze ruzie hadden, dat absoluut niet. Maar de hartelijkheid leek gewoon weg.' Kathy kijkt alsof ze uit een droom wakker wordt. 'Hoor mij nou toch, ik lijk wel een oud vrouwtje dat wegzakt in het verleden. Heb jij je koffertje klaar, Marloes, en dat van Silas? Zet het anders maar vast in de gang, dan kan Steve het zo in de auto zetten.'

Er klinkt een claxon. 'O, daar zul je hem al hebben. Ga maar gauw alles pakken!' Kathy gaat geagiteerd met een doekje over het aanrecht.

Marloes kijkt verbaasd. 'Maak je niet druk, Kathy, desnoods vertrekken we een kwartiertje later.'

'Ik wil Steve niet onnodig laten wachten. Moet jij die flip-flops nog aandoen, Marloes? Waar heb je de andere?'

Marloes kijkt naar de ene slipper in haar hand, die ze uit heeft gedaan toen ze uit de auto stapte. Ze wil een verklaring geven, maar haar mond gaat open en sluit zich weer, zonder dat er een geluid uit komt. Ze kijkt Kathy aan. 'O, die... ging stuk.' Opgelucht dat ze iets heeft bedacht glimlacht ze. 'Ja, zomaar! En toen... heb ik hem gelijk maar in de container gegooid.' Nu wijst ze met de slipper naar de voortuin, waar de container staat, weggewerkt onder een afdakje.

Kathy kijkt verbaasd. 'Dan had je deze toch ook wel gelijk weg kunnen gooien, of niet?'

Marloes kijkt haar met grote ogen aan. 'Ja.' Ze lacht hardop. 'Dat ik daar niet aan gedacht heb, ik ga het gelijk doen.' Ze loopt naar de gang, waar ze door het raampje van de voordeur Steve ziet aankomen. Net voor hij aanbelt trekt ze de deur open.

'*Good morning, miss Sunshine*. *Ready*?' Ben je er klaar voor?

Handig biedt ze hem haar wang aan wanneer hij zijn hoofd bij het hare brengt. Twee kussende mannen op één dag is meer dan ze aankan. 'Bijna, nog even schoenen aantrekken en m'n koffer van boven halen.'

Eenmaal op de trap merkt ze dat ze de slipper nog steeds in haar hand heeft. Ze mikt hem in haar slaapkamer onder in de kledingkast en trekt een paar vlotte schoentjes met sleehak tevoorschijn. 'Jullie hebben geluk, jullie mogen mee vandaag.'

'Praat jij altijd in jezelf?' informeert Steve vanuit de deuropening.

Als gestoken draait ze zich om naar hem, zich herinnerend hoe Axel dezelfde woorden uitsprak, staand in de deuropening van het kasteel dat geen kasteel is.

Ze lacht haperend. 'Jij niet dan?'

Steve kijkt haar bevreemd aan en fronst. 'Nee.'

Marloes weet zich even geen houding te geven. 'O, oké.'

Steve loopt naar binnen, wat Marloes een ongemakkelijk gevoel geeft. Hij kijkt rond in de kleine slaapkamer, naar het klassieke kersenhouten bed dat nog uit haar ouderlijk huis komt, met de bijpassende kledingkast. Hij knikt naar het voeteneind van het bed, waar haar koffer al klaarstaat. 'Kan ik deze meennemen naar beneden? En heeft Silas nog een koffer?'

Marloes schudt haar hoofd. 'Alles zit hierin voor ons tweetjes.'

Steve glimlacht naar haar, en om zich een houding te geven leunt ze tegen het hoge voeteneinde aan om haar schoenen aan te doen.

'Een mooie vrouw in een mooie slaapkamer,' zegt hij, terwijl hij zich bukt om de koffer op te tillen, waardoor zijn hoofd zo dicht bij het hare komt dat ze een vleugje aftershave opvangt.

Ze trekt vlug het bandje van de tweede schoen om haar hiel en loopt naar de kastdeur om deze dicht te doen.

'En dat op zo'n mooie dag,' zegt ze monter. 'Zullen we?'

Even kijkt Steve haar strak aan.

'Naar beneden?' voegt ze behulpzaam toe en hij knikt snel.

'Natuurlijk.'

De bed and breakfast die ze hebben gereserveerd, is alles wat ze ervan verwachtten. De ruime kamers zijn prachtig ingericht, en komen met een eigen voordeur uit op een binnenplein van de voormalige boerderij. Kathy jubelt over de oude klinkertjes, de waterput en alles wat het gebouw karakteristiek maakt.

Zoals afgesproken staat er in de kamer van Marloes een campingbedje voor Silas.

Zodra ze geïnstalleerd zijn, gaan ze een rondritje maken. Kathy heeft een route uitgestippeld zodat ze langs alle bekende plaatsen kunnen rijden die zij zich nog herinnert. Silas valt onderweg in slaap in zijn kinderzitje, een knuistje naast zijn hoofd. Het valt voor Kathy niet mee om dingen in haar oude woonplaats terug te vinden, zo veel is er veranderd. Nieuwbouwwijken, winkels die van naam veranderd zijn of zelfs niet meer bestaan, ze kijkt haar ogen uit. Als ze uiteindelijk langs een restaurant rijden in het centrum, slaakt ze een zucht van verlichting.

'Eindelijk iets bekends! Dit restaurant bestond vroeger ook al. Hier hebben we gevierd dat ik mijn middelbareschooldiploma haalde.'

Ze besluiten er een hapje te gaan eten. De slaperige Silas krijgt een mooie kinderstoel, en binnen de kortste keren is Kathy in gesprek met de ober.

'En wanneer is dan die oude school afgebroken? Ik zag dat er opeens allemaal huizen staan.'

De ober zet zijn lege dienblad tegen zijn heup en voorziet Kathy graag van alle informatie. Marloes luistert glimlachend en voert Silas een stukje brood uit het mandje dat de ober hun gebracht heeft. Omdat hij de bestelling van hun drankjes via een apparaatje heeft ingetoetst, komt iemand ze al brengen terwijl hij er nog staat.

Steve bestudeert de menukaart.

'Je moeder geniet wel, hè? Zegt het jou nou ook nog wat?' vraagt Marloes.

Hij haalt zijn schouders op. 'Weet je, ik ben hier nooit eerder geweest. Ik heb natuurlijk niet dezelfde emotie erbij als mijn moeder. Mijn geboorteplek ligt in Amerika. Seattle is echt mijn stad. Ik wil je graag meenemen en je alles laten zien. Op een mooie dag zoals deze zouden we kunnen gaan zeilen op het meer.'

Door een paar handige vragen te stellen krijgt Marloes hem aan het praten en hij vertelt geanimeerd over de plaats waar hij woont.

Als de ober weer verder moet, keert Kathy zich stralend naar hen toe. 'Zo leuk om te horen allemaal. Vergeef me, dit moet voor jullie erg saai zijn.'

Marloes pakt haar hand. 'Ben je mal, ik kan me zo voorstellen hoe bijzonder dit moet zijn voor jou.'

Steve knikt. 'Nog nieuwe dingen aan de weet gekomen?'

Kathy wil al enthousiast vertellen, als hij haar onderbreekt. 'Misschien moeten we eerst ons eten bestellen, dan kunnen ze daar vast mee beginnen.'

Kathy knikt hem toe. 'Heel efficiënt van je, Steve.'

Marloes bekijkt de wisselwerking tussen moeder en zoon geïnteresseerd. Per slot van rekening is Steve de enige die nog over is op haar vrijgezellenlijstje en is het handig als ze hem wat beter leert kennen. Ze kijkt langs de rand van haar menu steels naar hem en ziet hoe hij een rimpel tussen zijn wenkbrauwen krijgt terwijl hij de kaart bestudeert.

'Dit vind jij volgens mij lekker, moeder, waarom neem je dat niet?'

Kathy kijkt naar wat hij aanwijst en legt haar eigen kaart weg. 'Bestel jij maar wat, jongen, ik vind alles goed.'

'Weet jij het al, Marloes?' vraagt Steve.

Marloes klapt haar kaart dicht voordat hij haar aanwijzingen kan geven. 'Ik ga voor de biefstuksalade.'

Steve kijkt of hij dat terug kan vinden op de kaart. 'Die is wel koud, wil je niet liever wat warms? Waarom neem je niet de steak?'

Marloes schudt haar hoofd, geamuseerd bedenkend dat hij alles toch wel graag voor zowel zijn moeder als haar wil bedisselen. 'Nee hoor, ik ben dol op salades,' doet ze luchtig.

Ze keert zich naar Silas. 'En jij, kleine man, wel wakker blijven, hoor! Dit is je eerste keer in een echt restaurant. Zullen we voor jou eens een pannenkoek bestellen?'

Als ze later terugkomen in de bed and breakfast gaan ze gelijk naar hun kamers.

'Dat doet de frisse lucht op het platteland,' beweert Kathy. 'Daardoor word je veel eerder slaperig en ga je vroeger naar bed.'

Ondanks dat ze het heel gezellig vond, is Marloes blij dat ze de deur achter Silas en haarzelf dicht kan doen. 'Tijd voor jou om te badderen, Silas!'

# 17

Het weekend vliegt voorbij. Zaterdags doen ze de stad Groningen aan, en wordt het ophalen van herinneringen gecombineerd met winkelen. Silas is niet alleen een paar stevige schoentjes rijker, door zijn trotse oma aangeschaft, maar ook een paar grijze gympjes met een witte ster op de zijkant, die Marloes niet kon laten staan.

Ze hadden overwogen om zondagmorgen naar de kerk te gaan waar Kathy vroeger heen ging, maar Marloes zag het niet zo zitten om Silas bij een vreemde crèche te brengen. Dus hadden ze uitgebreid gebruncht, voordat ze op bezoek gingen bij de neef en nicht.

Op de terugweg concluderen ze dat het bezoek gezellig was, maar ook niet meer dan dat. 'Ik ben te lang weggeweest,' zucht Kathy, 'er is niet die vertrouwdheid die je kunt hebben met familie. Dan maakt het niet uit hoeveel tijd er tussen zit, je praat weer verder alsof je elkaar gisteren gezien hebt.' Ze zucht opnieuw als ze achteroverleunt tegen de hoofdsteun van de auto.

'Het is niet gezellig, maar ik wil eigenlijk vanavond vroeg naar bed. Weet je wat, jongens? Als ik nou eens met Silas eet, hij krijgt zijn potje en ik heb nog wel wat fruit en crackers bij me, dat is voor mij meer dan genoeg. We zetten zijn campingbedje in mijn kamer neer, en dan gaan jullie lekker samen uit eten.'

Steve kijkt in de achteruitkijkspiegel naar Marloes, die op de achterbank naast Silas zit.

Marloes kijkt terug, en denkt aan haar lijstje: een streep door Wouts naam, een streep door...

'Ik vind het prima, als Steve het tenminste ook leuk vindt?'

Steve knikt, maar ze kan niet zien of hij glimlacht of niet. Zijn ogen knijpen een beetje samen, dus ze denkt van wel. Zijn stem klinkt in elk geval tevreden. '*Good idea*!'

Marloes trekt een sokje van Silas wat hoger op en strikt de veter van zijn nieuwe schoenen opnieuw. Het wordt tijd dat zij een besluit gaat nemen: wil ze een relatie beginnen met Steve, die zo overduidelijk belangstelling voor haar heeft? Is hij haar ware jakob?

Ze denkt aan Karen en haar website en glimlacht. Ze is zo benieuwd hoe Karens blind date verlopen is. Of dat nou echt zou werken, iemand op die manier ontmoeten? Ze kijkt naar haar zoon. Als het allemaal niet lukte, bleef ze gewoon alleen, met Silas.

De auto draait het erf op en de ondergaande zon schijnt in haar gezicht. Marloes glimlacht en sluit haar ogen voor het felle licht, terwijl haar hart naar God uitgaat. 'Ik weet het, Heer, nooit meer echt alleen.'

Een paar uur later rijden Steve en Marloes in het donker over dezelfde weg terug naar de bed and breakfast. Ze rijden in stilte, waardoor Marloes kan nadenken over het verloop van de avond.

Tot haar schrik had Steve gekozen voor een Italiaans restaurant, waardoor ze gelijk herinnerd werd aan het etentje met Axel. Maar ze had zichzelf voorgehouden dat ze toch moeilijk nooit meer bij een Italiaans restaurant kon gaan eten om maar niet aan hem herinnerd te worden.

Toch kon ze het niet nalaten om de avond te vergelijken met de avond met Axel. Haar hart deed pijn wanneer ze aan hem dacht. Zijn lachende ogen, zijn kwinkslagen, zijn handen die...

Terwijl de avond vorderde, had Marloes besloten heel eerlijk tegen zichzelf te zijn. Ze kon inmiddels Steve zien zonder de hele tijd aan Thomas te denken, dus dat maakte haar beeld al veel objectiever. Wat vond ze van Steve?

Volgens haar lijstje was hij geschikt, zelfs zeer geschikt, want hij voldeed aan alle punten. Zo had hij niet alleen een baan, hij had zelfs een eigen bedrijf. Daarbij was hij onderhoudend en intelligent, en hij behandelde haar als een prinses. Hij kon goed voor Silas en haar zorgen, dat had hij wel laten zien door een financiële regeling te treffen voor hen beiden. Hij zag er goed uit, en klaarblijkelijk was zij was niet de enige die dat vond. Hun serveerster van die avond richtte continu het woord tot Steve, Marloes bijna volkomen negerend.

Terwijl de auto voortglijdt op het landweggetje glimlacht Marloes als ze terugdenkt aan het moment waarop de waarheid haar opeens zo helder voor ogen had gestaan.

Het was gebeurd op het moment dat ze zich gerealiseerd had dat ze het eigenlijk helemaal niet erg vond dat de serveerster Steve bijna opvrat, maar juist heel amusant. Koortsachtig probeerde ze op dat moment haar gedachten op een rijtje te krijgen.

Het amuseerde haar, maar het maakte haar absoluut niet... jaloers.

Ze had haar glas met een klap op tafel gezet toen deze gedachte in haar opkwam. Steve had zijn wenkbrauwen opgetrokken en had gevraagd of ze in orde was. Ze had zich geëxcuseerd en was naar het toilet gegaan. Daar was ze op de dichte deksel gaan zitten om na te denken.

Ze was niet jaloers. Dus klaarblijkelijk deed Steve haar niet genoeg om anderen bij hem vandaan te willen houden. Al was de serveerster bij hem op schoot gaan zitten om hem hartstochtelijk te kussen, dan nog had het haar volkomen koud gelaten.

Als ze nu toch eerlijk was, hoe was dat geweest als het niet Steve was geweest, maar Axel? Ze probeerde dezelfde serveerster bij Axel op schoot te denken, en was verbijsterd over wat ze toen voelde.

'Ik had haar ogen uitgekrabd!' had ze verbijsterd gefluisterd. 'Ik had mijn wijnglas over haar uitgegoten!'

Ze was het hokje uit gegaan en liep heen en weer langs de rij wastafels, om beter te kunnen nadenken. Wat betekende dit? Ze leunde met haar handen op een wastafel en bekeek zichzelf. In haar groene ogen weerspiegelde de geschoktheid die ze vanbinnen voelde. 'Ik ben verliefd op Axel,' fluisterde ze tegen haar spiegelbeeld.

Haar andere ik keek haar zo mogelijk nog geschokter aan.

'Dat klopt, wen er maar aan!' zei ze met een beginnende glimlach. 'Ik ben verliefd op Axel!'

Haar verstandige ik protesteerde direct. Hij is niet geschikt! Hij heeft niet eens een baan, hij wíl niet eens een baan! Hij teert op de zak van zijn broer! Hij draagt versleten spijkerbroeken en hij...

Ze had de kraan opengedraaid om de kritische geluiden te overstemmen. 'Dat weet ik allemaal. Maar denk eens aan de woorden van Jasmijn: hij maakt me aan het lachen. En ik wil graag bij hem zijn. En ik kan mezelf bij hem zijn. En... ik wil hem gewoon zoals hij is!'

Haar verstandige ik had er het zwijgen toegedaan, na deze overtuigende toespraak.

Ze had de kraan weer dichtgedraaid en was teruggelopen naar hun tafeltje.

'Ah, ik miste je al!' Galant had Steve haar stoel weer aangeschoven. 'Je wilt zeker geen toetje?' had hij gevraagd.

Marloes had liefjes geglimlacht. 'Wat is nou een Italiaanse maaltijd zonder toetje?' En tegen de wachtende serveerster: 'Ik wil graag de tiramisu.'

Steve had koffie besteld en haar peinzend aangekeken. 'Weet je dat er in Amerika ook al een afdeling opgestart gaat worden van Buurtzorg?'

Marloes had geknikt. 'Dat klopt, in Minnesota zijn ze bezig, hoorde ik. En in New York hebben ze ook al belangstelling voor het concept. Geweldig, hè?'

De tiramisu en de koffie arriveerden, maar Steve had dit keer geen oog voor de serveerster, die na het korte 'dank je wel' van Marloes afdroop. Marloes glimlachte erom en pakte haar dessertlepel. Niet jaloers, zong het binnen in haar, tot Steve weer begon te praten.

'In Seattle zou het ook vast goed lopen, denk ik.'

De eerste hap tiramisu bleef halverwege het schaaltje en haar mond hangen, en gleed bijna van de lepel af toen ze Steve vragend aankeek.

'Zou dat niet wat voor jou zijn, Marloes, om Buurtzorg in Seattle op te komen zetten?'

Hij had in zijn koffie geroerd en het ting-ting-geluidje van het lepeltje dat het kopje raakte, leek in haar hoofd te weergalmen. 'Ik zal toch gauw weer een keer terug moeten naar de zaak. Er zijn een paar dingen die ik niet van hieruit kan doen. En mijn moeder zal toch ook haar leventje daar weer op willen pakken, vroeger of later. Silas is nu nog klein en kan nog overal wennen.'

Marloes vond het jammer dat ze voor dit toetje had gekozen, ze had er dringend behoefte aan om op iets hards te kunnen kauwen.

'Maar we hebben hier ons leven opgebouwd, Silas en ik. Ik heb een leuke baan, en een nog leukere ernaast, het zorghotel.'

Steve had haar hand gepakt. 'Maar stel je eens voor hoe leuk het zou zijn om iets nieuws op te zetten in Amerika.'

Ze had haar hand teruggetrokken om een hapje van haar toetje te nemen. 'En ik zou mijn vriendinnen missen, alle mensen met wie ik een band heb opgebouwd. Dat zou ik dan allemaal zomaar aan de kant zetten.'

Steve had een slok van zijn koffie genomen, en zei toen: 'Marloes, zeg eens eerlijk, hoe vaak zie je je vriendinnen nou? Iedereen is toch druk?'

Marloes zwaaide met haar lepeltje naar hem. 'Dat klopt, we hebben toevallig net afgesproken om elkaar wat vaker te zien. Aanstaande woensdagmiddag is zelfs de eerstvolgende keer dat we met z'n viertjes gaan theedrinken. Jasmijn stuurde een berichtje dat we bij Bonnie in de pastorie een high tea gaan houden.' Het idee dat ze dan misschien Axel wel zou zien, gaf haar vlinders in haar buik.

Steve bleef nog even doorgaan, maar toen hij zag dat Marloes niet echt popelde om te emigreren, liet hij het onderwerp varen. 'Maar beloof me dat je er de komende tijd serieus over nadenkt.'

Marloes verdrong de neiging om met haar ogen te draaien – begreep die man het woord 'nee' niet? – en zei luchtig dat ze dat best wilde doen, maar dat ze het idee niet veel kans gaf.

'Hapje?' vroeg ze aan Steve, hem haar lepel uitnodigend voorhoudend.

Met een vies gezicht maakte hij een afwerend gebaar. 'Te klef voor mij,' had hij gezegd.

Zelfs het ritje naar huis in de auto deed haar aan de avond met Axel denken. Alleen waar er toen een gemakkelijke stilte tussen hen was geweest, was de stilte tussen Steve en haar anders, beladen bijna.

Als de auto de oprit van de bed and breakfast opdraait, gaapt Marloes. 'Sorry, maar ik ben echt moe.'

Steve glimlacht. Ze lopen het pleintje op naar hun kamers en bij haar voordeur aangekomen, pakt Marloes haar sleutel uit haar handtas. 'Bedankt voor de leuke avond, Steve.' Ze probeert de sleutel in het slot te krijgen, maar als het niet lukt pakt Steve de sleutel van haar over. Even later zwaait de deur open.

'Dank je wel.'

Ze wil naar binnen gaan, maar zijn hand op haar arm houdt haar tegen. Ze kijkt hem vragend aan. Steves hand glijdt naar beneden, tot hij haar pols vasthoudt. Langzaam trekt hij haar dichter naar zich toe.

'Je ziet er zo mooi uit vanavond.'

Marloes lacht ongemakkelijk. 'O, dit is het jurkje van de opening, dan komt het toch nog eens van pas.'

Steve laat zijn ogen over de blauwe stof glijden. 'Jurken staan je heel mooi. Pas zag ik je voor me in een ander soort jurk, een witte...' Zijn stem klinkt dromerig, wat Marloes verontrust. Misschien had ze toch nog duidelijker moeten zijn vanavond.

Vanavond was er wat haar betreft duidelijk een streep door de naam van Steve op haar lijstje gekomen. Ze had zichzelf al die tijd voor de gek gehouden, het was al die tijd Axel geweest. Alleen had haar verstand geroepen dat hij niet geschikt was. Maar daar kwamen ze wel uit. Zij werkte immers ook, en van de toelage van Kathy en Steve konden ze vast wel een poos leven. Als hij nu af en toe een kunstwerk kon verkopen…

'Steve…'

Zijn vinger op haar mond legt haar het zwijgen op. 'Ik weet dat ik niet de enige ben die jou leuk vindt. Je bent ook zo'n mooie vrouw. Maar ik wil wel de enige zijn die met jou voor het altaar staat.' En voor ze wat kan zeggen, stapt hij haar kamer binnen en trekt hij haar aan haar pols naar zich toe. Ze struikelt over de drempel en valt tegen hem aan.

'O, Marloes,' klinkt het schor, en voor ze weet wat er gebeurt, sluit zijn mond zich begerig over de hare. Haar protesten worden door hem als aanmoediging opgevat, en hij draait zich al kussend met haar om en begint met haar naar het bed te lopen. Zijn handen glijden over haar lichaam. 'Ik wil jou ook, *darling*,' zegt hij hijgend en zijn mond daalt af naar beneden.

'Stop!' weet Marloes uit te brengen. 'Niet…'

Hij lacht hees. 'Nee, ik stop niet, wees maar niet bang.'

Ze voelt het bed tegen haar knieholtes stoten, en omdat hij nog steeds doorloopt, valt ze met een hulpeloos kreetje achterover op het bed. Bliksemsnel laat Steve zijn lichaam over het hare heen vallen, waardoor ze dieper in de matras wegzakt en de lucht uit haar longen wordt geperst. Zijn mond bedekt gelijk de hare weer, haar uitroep smorend, en het voelt alsof ze verslonden wordt.

Tot haar ontzetting glijdt zijn vrije hand over haar been omhoog, onder haar rok. Ze rukt met moeite haar mond los van de zijne. 'Steve!'

Hij lacht kort. '*I know, darling…*'

Wanhopig probeert ze zich los te trekken. 'Dit wil ik niet, je moet stoppen!'

Zijn hand blijft roerloos op haar been liggen. 'Wat?' Hij heeft moeite om te horen wat ze zegt.

'Ga van me af, ik wil dit niet!'

Hij ligt heel stil. 'Waarom niet? We zijn zo goed samen, we passen bij elkaar! Jij gaat met mij mee naar Seattle, daar kun je ook werken als je dat wilt. Je bent net als mijn moeder, je moet een baantje ernaast hebben, *fine*. Ik vind het best als je wat bezigheid hebt.' Hij brengt zijn hand nu naar haar middel, laat hem omhoog glijden. 'En Silas lijkt op mij, iedereen zal denken dat hij mijn zoon is. Ik zal goed voor je zorgen, meisje. Maak je nou maar niet zo druk.' Zijn mond glijdt kussend langs de halsopening van haar jurk, wat haar doet huiveren van afkeer.

Hij vat het anders op. 'Zie je nou wel, jij vindt het ook fijn. Je hebt je ook aan mijn broer gegeven, *darling*. Nu is het mijn beurt!'

Afschuw maakt zich van haar meester. 'Nee, ik ga niet met je mee. Ik walg van je, laat me los!'

Ze weet zich onder hem vandaan te worstelen en duwt hem van zich af. Hijgend staat ze naast het bed.

Steve komt overeind en gaat op de rand van het bed zitten, zijn hoofd gebogen terwijl hij met zijn armen op zijn knieën leunt.

'Wow. Heb ik me daar even vergist.'

Marloes is furieus. 'Hoe kun je zulke walgelijke dingen zeggen over Thomas? En alsof jij nu het recht hebt om daarom...' Ze struikelt over haar woorden.

Ze beent naar de nog openstaande deur. 'Ga alsjeblieft weg! Ik wil je niet meer zien!'

Buiten klinken voetstappen. 'Is alles in orde, Marloes?' De bezorgde stem van Kathy doet haar de tranen in de ogen springen en ze slaat haar handen voor haar mond.

'Meisje, wat is er?' Kathy slaat haar arm om Marloes heen, en als ze de kamer in kijkt, ziet ze Steve op het bed zitten. De blik die hij zijn moeder toewerpt is hard.

Kathy eist een verklaring. 'Wat is hier aan de hand? Waar ben je mee bezig, Steve?'

Steve kijkt verontwaardigd naar Kathy. 'Waar bemoeit u zich eigenlijk mee?' Al pratend is hij opgestaan en beent hij naar hen toe. 'Dit is iets tussen Marloes en mij.'

Zijn moeder streelt de trillende Marloes over haar rug, maar Steve blijft doorrazen. '*You see*? Het is net als vroeger, toen kreeg ik ook overal de schuld van. Thomas was altijd uw lievelingetje, hij kon niks fout doen. Altijd kreeg ik maar de schuld.'

Zijn moeder protesteert. 'Waar slaat dat nou weer op? Wat heeft dit te maken met hoe jij Marloes behandelt? Het arme kind staat te trillen als een rietje!'

Intussen leidt ze Marloes naar een stoel, zodat ze kan gaan zitten. Steve staat met zijn handen in zijn zij in de deuropening, hij wilde weglopen maar draait zich nu weer om.

'Zij!' zegt hij, naar Marloes wijzend. 'Ik leg de hele wereld aan haar voeten, en zij wijst me af! Terwijl ze alles aan Thomas heeft gegeven...'

Zijn moeder gaat tussen hem en Marloes in staan. 'Niet te geloven! Gaat het daar nog steeds om, dat je probeert te krijgen wat je broer had? Je broer is nota bene dood! Wat wil je bewijzen? Dat jij de beste bent, de knapste? Je hebt echt een probleem, Steve, hier moet je hulp voor gaan zoeken!'

Minachtend kijkt Steve zijn moeder aan. '*Yeah, right*. Hulp zoeken. Ik ben toch niet gek!'

Zijn moeder recht haar rug en kijkt hem met boze ogen aan. 'Jij bent mijn zoon, Steve, en ik vertel jou dat jij een probleem hebt. Ik weiger toe te kijken hoe jij jezelf de afgrond in helpt.' Ze sluit haar ogen als ze bedenkt dat ze haar jongste zoon ook aan een afgrond verloren is, maar dan een echte.

Steve hoort het ook en bindt in. '*Mom...*'

Kathy steekt haar hand op en wacht tot ze haar stem weer onder controle heeft.

'Ik wil dat jij nu Marloes je verontschuldigingen aanbiedt, omdat je jezelf aan haar hebt proberen op te dringen en vreselijke dingen hebt gezegd. En daarna ga je een ticket boeken om deze week nog terug naar Amerika te vliegen. Morgenochtend neem jij een taxi terug naar het dorp en daar maak je je klaar om te vertrekken. Marloes en ik gaan met de auto terug. Ik zie je daar wel weer, in de bed and breakfast. Tot die tijd wil ik dat je Marloes met rust laat.'

Steve ziet dat zijn moeder het serieus meent en knikt. '*Fine*, als u het zo wilt spelen.'

Hij keert zich naar Marloes, die met haar armen om zichzelf heen geslagen, weggedoken zit in een stoel. Als ze haar hoofd van hem afkeert, lijkt hij pas te beseffen wat het effect van zijn toenaderingspoging op haar geweest is. Hij gaat op zijn hurken bij haar zitten. 'Ik...' Hij kijkt naar de grond, zoekt naar woorden. 'Marloes, het spijt me. Ik dacht dat...' Hij zucht. 'Ik wilde je niet kwetsen. Eerst dacht ik dat jij dit ook wilde en daarna... opeens werd het me zwart voor de ogen.'

Marloes veegt een traan weg en kijkt hem zwijgend aan.

'Ik dacht dat jij mij ook wel zag zitten, maar nu blijkt van niet.' Vorsend kijkt hij haar aan. 'Vanaf het moment dat ik je leerde kennen, vind ik je bijzonder. In het begin dacht ik nog een kans te maken, maar de laatste tijd had ik het gevoel dat ik je aan het verliezen was.'

Marloes kijkt hem fel aan. 'Je kunt niet iemand verliezen die nooit van jou geweest is!'

Steve haalt zijn schouders op. 'Het is de kunstenaar, of niet? Ik heb gezien hoe je naar hem kijkt.' Hoofdschuddend kijkt hij haar aan. 'Maar iets klopt er niet aan die gast. Ik kom er nog wel achter. Als er iets is wat hij verbergt, krijg ik het boven tafel.' Hij gaat weer staan en trekt zijn manchetten recht. 'Het spijt me dat ik de signalen verkeerd begrepen heb, maar als je je mocht bedenken en toch mee zou willen naar Seattle...'

Marloes kijkt hem ijzig aan. 'Ik wil nu alleen maar dat je weggaat. En eigenlijk... eigenlijk wil ik je gewoon een hele poos niet meer zien.'

Hij knikt, en na een korte blik op zijn moeder verlaat hij de kamer.

Kathy kijkt hem na en sluit dan de deur achter hem. Langzaam loopt ze naar Marloes toe. 'O meisje, wat spijt me dit verschrikkelijk. Mijn zoons zijn er beiden in geslaagd om jou pijn te doen.'

Marloes staat op en slaat haar armen om Kathy heen. 'Het is al goed, Kathy. Hij heeft me geen pijn gedaan, meer... geschokt.' Ze kijkt naar het bed. 'Jij hebt een extra bed in je kamer staan, mag ik vannacht bij jou slapen?'

In de kamer ernaast ligt Silas heerlijk te slapen in het campingbedje dat in de woonkamer staat. Marloes neemt een lange, hete douche, terwijl Kathy nog wat spulletjes voor haar uit haar kamer haalt.

Als Marloes in haar pyjama de badkamer uit komt, staat Kathy klaar met een kopje thee. 'Zo, ik heb het bed voor je opengeslagen.'

Marloes kruipt onder het dekbed en drinkt dankbaar van de thee.

Als ze ziet hoe ongelukkig Kathy kijkt, pakt ze de oudere vrouw bij haar hand. 'Het is niet jouw schuld, Kathy.'

Kathy schudt haar hoofd en gaat op de bedrand zitten. 'Nee, maar toch... Steve was nooit een makkelijk kind. Altijd jaloers op Thomas. Ik hoop echt dat hij hulp gaat zoeken, het is een complex voor hem geworden, lijkt het wel.'

Als ze uiteindelijk gaan slapen, knipt Kathy het schemerlampje uit.

Slaperig zegt Marloes: 'Dank je wel, Kathy. Mijn eigen moeder leeft niet meer, maar jij bent meer moeder voor me dan zij ooit geweest is.'

Kathy veegt een traan weg in het donker. 'Dank je wel, lieverd, ik beschouw jou ook als mijn dochter, dat mag je best weten.'

Na een slaperig welterusten uit het andere bed ligt Kathy nog lang na te denken over haar zoon. Uiteindelijk sluit ze haar ogen en vouwt ze haar handen. 'Heer, ik geef hem opnieuw aan U. In Uw handen is hij het beste af. Leer hem Uw wegen, o Heer, genees hem. En help Marloes om deze avond te vergeten.'

Dan komt ook voor Kathy de slaap, eindelijk.

De volgende morgen staat Steve voor dag en dauw op. Hij heeft een taxi besteld, en als er op de deur wordt geklopt, staat hij met zijn koffer klaar. Terwijl de chauffeur zijn koffer meeneemt, hoort Steve aan een ping-geluidje dat hij een berichtje op zijn mobiele telefoon krijgt. Het is van Joe, een van zijn werknemers. Op kantoor hebben ze regelmatig achtergrondinformatie nodig van verschillende mensen, of het nu om getuigen of verdachten gaat. Daarvoor heeft hij Joe. Joe is in staat de best verborgen geheimen te ontsluieren. Daarom heeft Steve hem gevraagd om eens wat inlichtingen in te winnen over Axel Voogd. Op het feestje van Silas heeft hij stiekem een foto van Axel genomen, terwijl deze met Silas aan het spelen was.

Joe stuurt hem nu een berichtje dat hij in zijn mailbox een dossier over Axel Voogd kan vinden. Eenmaal in de taxi gezeten, leest Steve met stijgende verbazing alle informatie die Joe heeft weten te verzamelen. Als hij klaar is, leunt hij achterover en kijkt hij nietsziend naar buiten. Wat kan hij hiermee doen? Wat wil hij hiermee doen? Krijgt hij Marloes ermee terug? Nee. Maar op de een of andere manier doet Axel hem aan zijn broer denken, Thomas. Thomas kreeg altijd het meisje.

Zou het meisje hem, Axel, in dit geval nog wel willen, als ze hoorde dat hij tegen haar gelogen had? Dat hij zijn ware identiteit voor haar verborgen had gehouden? En als ze wist van het andere meisje? Hij kijkt nog eens naar de foto's die Joe als bijlage heeft bijgevoegd.

Joe was naar New York gevlogen en had zijn oor te luisteren gelegd op de juiste plekken. Uiteindelijk was hij terechtgekomen bij een kunstgalerie. Daar werd hij door een langbenige, hoogblonde jongedame van allerhande informatie voorzien. Maar ook stelde zij hém de nodige vragen: of Joe haar kon vertellen waar haar boyfriend uithing? Hij had haar verlaten en was uit New York weggegaan, zonder te zeggen waarheen. Dat kon Joe zeker, maar hij wilde eerst toestemming van zijn baas, of dat wel de bedoeling was. Hij had het voormalige fotomodel, Susan, verteld dat hij binnenkort terug zou komen, zodra hij meer wist. Had Steve hiermee voldoende informatie? En wat mocht hij loslaten aan het fotomodel?

Steve nam een besluit. Hij moest dringend een paar telefoontjes plegen.

# 18

Als Marloes wakker wordt, is het bed van Kathy leeg. Het duurt even voordat ze zich weer herinnert wat er de vorige avond gebeurd is. Tot haar verbazing is medelijden het gevoel dat overheerst. Medelijden met Steve, omdat hij zo met zichzelf in de knoop zit. Altijd jaloers op zijn jongere broer, terwijl hijzelf zo veel in zijn mars heeft. Natuurlijk had hij zich niet aan haar mogen opdringen. Maar gelukkig was hij nog voor rede vatbaar geweest.

Ze hoort de kamerdeur opengaan en Kathy's stem klinkt gedempt door de dichte slaapkamerdeur heen.

'Zet hier maar neer, dank je wel. Och kijk, de kleine jongen wordt ook wakker. Nee, we hebben alles, hoor, dank je wel en tot straks.'

Als de deur weer dichtgaat, waagt Marloes zich de slaapkamer uit. Kathy bukt zich net om Silas uit zijn bedje te tillen.

'Lieverd, hoe is het met je? Lekker geslapen?'

Marloes loopt naar haar toe en slaat de armen om zowel haar schoonmoeder als Silas heen. Ze glimlacht. 'Het gaat goed met me, Kathy, ondanks gisteren, maak je geen zorgen.'

Even later zitten ze met z'n drietjes aan het ontbijt. Kathy heeft gevraagd of ze het ontbijt op hun kamer mochten gebruiken en dat was geen enkel probleem. Kathy is dankbaar als ze naar haar schoondochter en haar kleinzoon kijkt. Het mag dan wel geen officiële familieband zijn, maar door de gebeurtenis van gisteren zijn ze nog dichter tot elkaar gekomen. En Steve... Ze begrijpt haar eigen zoon gewoon niet. Vastberaden veegt ze haar mond af met een servetje. Hij gaat nu terug naar Amerika, deze week nog. Ze vraagt zich af of zij haar oude leventje daar ook weer op moet pakken. Maar als ze naar de lieve glimlach van Marloes kijkt en de guitige blik van Silas ziet, beseft ze dat ze hen niet meer kan missen. Ze zijn zo'n belangrijk onderdeel van haar leven geworden! En dankzij hen ervaart ze een vreugde die ze lange tijd niet gevoeld heeft. Daarbij heeft ze een paar vriendschappen opgedaan in het dorp, zoals ze die ook nog niet eerder gekend heeft. Vooral Marijke – Omie, zoals Marloes haar noemt – is haar dierbaar geworden.

Ze schenkt de koffiekopjes nog eens vol en bedenkt dat het tijd wordt dat ze eens gaat solliciteren naar een baantje. Als oppas bij

Marloes, of misschien kan ze wel in het zorghotel aan de slag. Ze zal de man van Aniek, Huub Looijenga, eens benaderen.

Marloes keuvelt gezellig tegen Silas. 'Lekker dooreten, mannetje, want straks gaan we weer naar huis.'

En Kathy knikt instemmend. Dat klopt: ze gaan naar huis!

Ze knopen er nog een middagje winkelen aan vast. Marloes heeft haar blauwe jurk zonder pardon in de container bij de bed and breakfast gegooid. Er kleven niet langer prettige herinneringen aan. Maar omdat ze toch wat meer jurkjes wil gaan dragen van de zomer, gaat ze met Kathy op jurkenjacht, zoals ze het lachend noemen. Als ze op een gegeven moment een modieus, groen jurkje vindt dat precies bij haar ogen kleurt, is ze helemaal tevreden.

Ze zijn blij als ze na een paar uur winkelen op een terrasje aan een net vrijgekomen tafeltje kunnen plaatsnemen. Terwijl ze haar pijnlijke kuiten masseert, bedenkt Marloes dat schoentjes met sleehakken niet echt geschikt zijn voor zo'n winkelmarathon.

Als hun bestelling is gekomen, kijkt Kathy aarzelend naar Marloes. Marloes, die net een slok van haar cappuccino wil nemen, onderschept haar blik. 'Wat is er?'

Kathy besluit de stoute schoenen aan te trekken. 'Wat zou je ervan vinden als ik niet naar Amerika terug zou gaan, maar hier zou blijven?' In haar zenuwen ratelt ze verder, bang dat Marloes onaangenaam verrast is. 'Ik zou hier een baantje kunnen zoeken, misschien bij het zorghotel, of ergens als vrijwilliger. Ik hoef niet per se inkomen te genereren, dankzij Paul, *bless his soul*. En...'

Marloes onderbreekt haar lachend. 'Ja! Houd maar op met de argumenten, want ik zou het geweldig vinden!'

Kathy kijkt haar hoopvol aan. 'Echt waar?'

Haar schoondochter staat op en knuffelt haar. 'Ik houd van je, Kathy.' Ze ploft weer neer. 'En ik ben blij dat je in ons leven bent gekomen.'

Weer schiet het door Marloes' hoofd heen dat ze haar oud-collegaatje Mariska eigenlijk zou moeten bedanken. Natuurlijk niet voor het feit dat ze Thomas bij haar vandaan gedreven heeft, maar wel voor haar aandeel in het ontmoeten van Kathy.

Bij het tweede kopje cappuccino maken ze plannen voor de toekomst. Kathy besluit dat ze zelfstandige woonruimte gaat zoeken in het dorp en ook op jacht gaat naar een baantje. 'En ik wil een autotje hebben, dan kan ik overal naartoe rijden.'

Marloes lacht dat Omie het al eens tegen haar gezegd heeft, dat ze dacht dat Kathy misschien wel zou willen blijven. 'Er is iets met het dorp, waardoor mensen die er tijdelijk willen zijn, toch blijven hangen. Jasmijn en Bonnie, Aniek, Omie, ik natuurlijk net zo goed, al kwam ik voor een baan, en nu jij.'

Kathy knikt vergenoegd. 'Het is een hele rij mensen, als je het zo bekijkt. En vergeet Axel niet, de kunstenaar die bij zijn broer de dominee woont, die is hier ook niet meer weg te slaan.'

Marloes verslikt zich in haar koffie bij het horen van zijn naam.

Behulpzaam klopt Kathy haar op de rug, tot het hoesten minder wordt.

'Tjonge,' plaagt ze, 'komt dat nou omdat ik de naam van die jongeman laat vallen, of...?'

Marloes lacht haar opmerking weg en verandert snel van onderwerp. Ze is er nog niet aan toe om haar net ontdekte verliefdheid voor Axel te bespreken. Eerst maar eens zelf bedenken wat ze ermee gaat doen!

Ze komen die avond laat thuis, en de volgende dag is het weer een gewone werkdag voor Marloes. Ze geniet van de korte bezoekjes die ze brengt aan haar vaste cliënten. Wonden worden schoongemaakt, verbanden verwisseld en voor ze het weet is de dag alweer voorbij.

Lichtvoetig loopt ze van haar auto naar het zorgcentrum. Maar als ze de hal binnenkomt, blijft ze opeens stokstijf staan. Midden in de open ruimte staat een granieten sokkel, met daarop het kunstwerk dat voor het weekend nog in Axels atelier stond. Ze loopt erheen en streelt voorzichtig het hout dat nu overal glad is.

'Mooi hè?' Een heldere stem doet haar opschrikken. 'Haha, slecht geweten?' vraagt de roodharige fysiotherapeute, die naast Buurtzorg werkt.

Marloes weet nog steeds haar naam niet. Petra? Jolanda? Het was iets met een 'a' op het einde, meende ze. Iedereen had het ook altijd over 'de fysio', bedenkt ze geamuseerd, dat hielp ook niet om het te kunnen onthouden.

'Zoiets,' reageert Marloes luchtig.

'Het is gemaakt door die broer van de dominee, Axel nog-wat. Het heeft wel iets van een engel weg, vind je niet? Wel toepasselijk.'

Als Marloes haar niet-begrijpend aankijkt, kijkt de fysio op haar beurt naar Marloes alsof zij niet al te slim is. 'Dominee... engel?'

Nu snapt Marloes wat ze bedoelt. 'Als je het zo bekijkt.'

Even valt er een stilte. Opeens inhaleert de fysio scherp, alsof er iets heel ergs gebeurt, waardoor Marloes opnieuw schrikt.

'O! Heb je het al gehoord?'

Marloes kijkt verwilderd. 'Wat?'

'Nee dus,' concludeert de fysio tevreden. 'Had ik jou al verteld over die site? Voor relatiebemiddeling, RelatieWeb?'

Marloes zegt ervan gehoord te hebben, via Karen.

'Karen,' zegt de fysio veelbetekenend, 'over haar gaat het! Karen had namelijk een date, een blind date, geregeld via de site.'

Dat weet Marloes al.

'Maar weet je ook met wie?'

De samenzweerderige toon begint Marloes onderhand behoorlijk tegen te staan.

'Nee, want dan zou het geen blind date meer zijn geweest, toch?'

De fysio knikt.

Marloes is er inmiddels klaar mee. 'Weet je wat, ik ga even kijken of Karen er is, dan kan ze me alles zelf vertellen.'

De fysio ziet de gelegenheid om een smeuïge roddel door te geven aan haar neus voorbijgaan en gooit het antwoord eruit. 'Het was dokter Wout.'

Marloes, die inmiddels is doorgelopen, draait zich verbaasd om.

De fysio is vreselijk benieuwd naar de reactie van Marloes, want ze heeft lange tijd gedacht dat het weleens wat zou kunnen worden tussen de knappe dokter en deze Buurtzorg-dame. Maar nu Marloes zich heeft omgedraaid, ziet ze tot haar teleurstelling dat Marloes een brede glimlach op haar gezicht heeft.

'Het is niet waar!'

De fysio haast zich haar te verzekeren dat het wel degelijk waar is, en Marloes loopt grinnikend weg.

Peinzend kijkt de fysio haar na. Klaarblijkelijk heeft ze het mis gehad met haar vermoeden. Dat was even een lelijke streep door de rekening, als je bedacht hoeveel mensen ze al van haar vermoeden op de hoogte had gebracht. Gelukkig kan ze nu wel overal vertellen dat dokter Wout met zuster Karen ging!

Als Marloes haar hoofd om de hoek van de deur steekt, ziet ze Karen aan het bureau zitten, dromerig voor zich uit starend.

'Zuster K!' roept Marloes. 'Dus het was Wout?'

Karen kijkt haar verbluft aan. 'Je weet het al?'

Marloes gebaart met haar hoofd richting de deur. 'De fysio. Hoe heet ze eigenlijk? Ik vergeet telkens haar naam.'

Karen fronst nadenkend, maar Marloes wuift ongeduldig met haar hand. 'Maakt ook niet uit. Jouw date, ik wil alles horen over jouw date.'

En Karen vertelt. Over hoe ze heel zenuwachtig zat te wachten aan een tafeltje, veel te vroeg. 'Hij was bijna weggegaan toen hij me zag. Niet om mij, maar omdat het hem niet zo handig leek iets te beginnen met iemand die hij van zo dichtbij kent. Maar het bleek dat we zo veel gemeen hebben...' Karen straalt, maar trekt een zedige gezichtsuitdrukking. 'Dus we hebben besloten het rustig aan te doen.'

Marloes kijkt heel neutraal. 'Aha. Dus geen afscheidszoen?'

Karen valt lachend uit haar rol. 'Jawel! En hij kan er wat van!' Ze kijkt Marloes verschrikt aan.

Marloes stelt haar gerust. 'Wij zijn nooit tot kussen gekomen, Karen.'

Opgelucht haalt Karen adem. 'Dat zou wel heel raar geweest zijn.'

Nadat Karen alles verteld heeft, slagen ze er toch nog in wat te werken.

Als ze naar huis gaan, knuffelt Marloes Karen nog eens. 'En houd me op de hoogte, Karen. Ik vind het erg leuk voor jullie beiden, volgens mij passen jullie erg goed bij elkaar.'

Karen grijnst breed. 'Nu jij nog, Marloes. O, je wordt rood, wat betekent dat? Ik wilde je al aanraden om toch maar eens op die site te gaan kijken, maar als ik jou zo zie...'

Marloes legt haar handen op haar gloeiende wangen. 'Er valt nog niets te vertellen, maar zodra dat wel het geval is, hoor je het gelijk.'

Met de gulle lach van Karen nog naklinkend in haar oren, rijdt Marloes naar huis.

’s Avonds zit Marloes in haar woonkamer met een kop koffie in de orenstoel. De tuindeur staat nog open en laat heerlijke, zomerse geuren binnen. Ze neemt kleine slokjes van de koffie, terwijl ze nadenkt over hoe het nu verder moet. Ze heeft weliswaar aan zichzelf toegegeven verliefd te zijn op Axel, maar heeft geen idee wat haar volgende stap wordt.

In feite heeft ze hem voor het weekend laten weten dat er geen toekomst voor hen beiden mogelijk was. Als ze zich de kus herinnert die daarna volgde, springt ze op uit haar stoel.

De koffie klotst bijna over het randje van haar mok heen, maar Marloes merkt het niet. Ze zet de mok op tafel neer en met haar armen om zichzelf heen geslagen ijsbeert ze door de kamer. Wat kan ze zeggen? ‘Zeg, even over die vergissing. Eigenlijk heb ík me vergist, de vergissing was geen vergissing.’ Ze komt er niet uit.

Dan herinnert ze zich dat ze morgen met haar vriendinnen een high tea heeft, in de pastorie. Opgelucht ploft ze op haar stoel neer. Ze zou niet langer proberen om het alleen op te lossen, ze zou hun om advies vragen! Deze vrouwen waren allemaal aan de man gekomen, dus zij konden haar vast wel helpen.

Morgen, stelt ze zichzelf gerust. Morgen komt de oplossing!

‘Daar is Jasmijn, nu zijn we compleet.’

In de grote woonkamer van de pastorie zit de rest van het vriendinnengroepje al klaar. Bonnie heeft een ronde eettafel die nu beladen is met allemaal lekkere hapjes. Er is een thermoskan met koffie en een met thee, voor elk wat wils. Mooie bordjes en servetjes maken het plaatje compleet.

‘Hier, knul,’ zegt Bonnie tegen Silas, die lekker op de grond zit te spelen. ‘Voor jou heeft tante Bonnie lekkere soepstengels gehaald.’

Silas neemt de soepstengel bedaard in ontvangst en gaat door met zijn spel.

Jasmijn komt binnen gedarteld met Willemieke op de arm. ‘Lieve schatten, wat ben ik blij jullie te zien. Onze eerste high tea, wat een geweldig goed idee!’

Willemieke wordt bij Silas neergezet en krijgt ook een soepstengel van tante Bonnie.

Enthousiaste kreten en begroetingen vliegen over en weer, en

Bonnie noodt de dames om hun bordjes vol te laden met lekkers. Als ze even later in de zithoek zijn neergestreken, wordt eerst Anieks buik uitgebreid bewonderd en iedereen wil weten hoe ze zich voelt.

Marloes was erg zenuwachtig geweest toen ze naar de voordeur van de pastorie liep. Maar omdat ze Axels auto niet zag staan, kalmeerde ze wat.

'Marloes, ik begreep dat Steve weer teruggaat naar Amerika. Betekent dit dat Kathy ook weggaat?' vraagt Bonnie nieuwsgierig.

Marloes heeft tegen Kathy gezegd dat ze het voorval met Steve aan niemand zal vertellen, waar Kathy haar erg dankbaar voor is. Dus vertelt ze alleen dat Kathy zal blijven en op zoek gaat naar woonruimte.

Aniek heeft een kennis die voor een paar jaar naar het buitenland gaat voor zijn werk en zijn huis wil verhuren. 'Volgens mij vertrekt hij over een week of zes. Ik zal hem straks wel bellen en vragen of Kathy het zou mogen huren. Wacht, ik stuur mezelf even een mailtje ter herinnering, door de zwangerschap ben ik zo vergeetachtig!'

Als Aniek haar mobiel tevoorschijn pakt, vliegt Jasmijn op. 'O, jullie hebben mijn nieuwste speeltje nog niet gezien. Ik heb nu ook een smartphone!'

De hele groep schiet in de lach. 'Nu hoor je er ook bij, Jasmijn,' plaagt Bonnie haar nichtje.

'Ja, jullie kunnen wel lachen, maar ik geniet er erg van! Internetten, m'n mail lezen, het weerbericht bekijken, chatten, het is eindeloos. Ik kan niet alleen foto's, maar ook filmpjes maken. Ik heb Willemieke er al wel duizend keer op staan.'

Jasmijn moet even zoeken, maar even later laat ze een arsenaal aan leuke foto's zien.

Als Marloes voor de zoveelste keer naar buiten kijkt, onderschept Bonnie haar blik. Ze stoot Jasmijn aan en fluistert: 'Fotomomentje!' terwijl ze naar Marloes wijst

Jasmijn aarzelt geen moment en richt haar mobieltje op Marloes. Het toestel maakt het geluid van een echte fotocamera, waardoor Marloes opschrikt.

'Wat keek je dromerig, Marloes?' Aniek prikt haar in haar zij.

Ook Jasmijn doet een duit in het zakje. 'Ja, Marloes, waarom die smachtende blikken naar buiten? Verwacht je soms iemand?'

Marloes' wangen branden. 'O, ik ben ook altijd zo doorzichtig.'

Bonnie denkt wel te weten wat haar bezighoudt. 'Is het soms... Axel?' vraagt ze voorzichtig.

Jasmijn leunt voorover. 'En je moet ook nog vertellen van het weekend, en je lijstje met vrijgezellen.'

De anderen rusten niet voordat Marloes uitgebreid over haar project verteld heeft. En ook de laatste ontwikkeling, het etentje met Steve, wordt uitgebreid besproken.

Bonnie schenkt nog een keer koffie en thee in.

'Nog een soepstengel, jongens?' vraagt ze de kleinste bezoekers, die met een stapel blokken aan het spelen zijn. Silas heeft zijn normale, rustgevende invloed op Willemieke en ze bijten eensgezind in hun lekkernij, wat Jasmijn doet opspringen.

'Kijk nou hoe schattig, zoals ze samen aan het spelen zijn. Even vastleggen voor later, leuk als ze met elkaar gaan trouwen, Marloes. O wacht, het is een filmpje geworden in plaats van een foto. Nou ja, maakt ook niet uit. Zwaai eens naar mama, Willemieke.'

Ongeduldige geluiden vanuit de zithoek. 'Jasmijn!'

'Jaja, ik kom al, niet zo ongeduldig, schatten. Ik ben nog niet zo handig met dat ding. Zo!'

Jasmijn ploft weer op de bank en legt haar telefoon voor zich op tafel neer. 'Maar Axel was toch niet geschikt, Marloes?' informeert ze belangstellend.

Marloes zucht diep. 'Dat heb ik inderdaad gezegd. Maar toen ik daar met Steve zat, en die serveerster zo met hem zat te flirten, merkte ik dat het me niets deed. Toen ik me echter voorstelde dat Axel daar tegenover me zat, en zij zo tegen hém deed...' Marloes schudt ongelovig haar hoofd. 'Ik was in staat haar de ogen uit te krabben! En op dat moment ben ik rechtstreeks naar het toilet gevlucht.'

Hilariteit onder de dames. Jasmijn klapt uitgelaten in haar handen.

Marloes moet ook lachen. 'En daar moest ik toen denken aan wat jij pas tegen me zei, Jasmijn.'

Iedereen kijkt haar vragend aan.

'Jasmijn vroeg mij of ik het niet te veel analyseerde en de vragen die jij me stelde...' Ze bijt op haar lip. 'Ik moest ze allemaal met ja beantwoorden: ja, hij maakt me aan het lachen, ja, ik wil graag bij hem zijn, ja, ik kan mezelf zijn bij hem, ja... ik ben gewoon verliefd!'

De oh- en ah-geluidjes van haar vriendinnen maken dat haar lach zich nog meer verbreedt. 'Werkelijk, ik was zo analytisch bezig. Ik keek naar wat verstandig was, naar wat goed voor Silas was. En ik weet dat Axel geen baan heeft, en dat hij hier maar gewoon woont zonder verdere plannen te hebben.'

Bonnie opent haar mond om wat te zeggen, maar aarzelt en klemt dan haar lippen vast op elkaar.

'Maar dat maakt allemaal niet uit, want als we echt van elkaar houden,' Marloes bloost diep bij deze woorden, 'dan moeten we het toch een kans geven?'

Jasmijn en Marloes kijken elkaar over de salontafel glimlachend aan.

'Ik ben trots op je, Marloes,' roept Jasmijn. 'En hoe ga je het hem nou vertellen?'

Marloes zucht diep. 'Dat is nu mijn grote dilemma. Ik heb hem vrijdagochtend in feite verteld dat het nooit wat kan worden tussen ons. Dat het een vergissing was om met hem uit te gaan en hem te kussen.'

'Kussen?' Haar vriendinnen herhalen het woord gillend.

'Ja, we hebben gekust,' geeft Marloes lachend toe.

'En... kan hij een beetje fatsoenlijk kussen?' plaagt Jasmijn.

Marloes bloost en kijkt dwepend omhoog. 'Hemels!'

Ze praten nu allemaal door elkaar heen.

Aniek maant om stilte. 'Dus hij denkt nu dat jij hem niet ziet zitten,' vat ze het probleem samen.

Marloes spreidt haar handen. 'Precies. En hoe kan ik hem nu vertellen, nog geen week later, dat ik er anders over denk? Ik heb echt jullie advies nodig, meiden.'

'Kun je hem niet uitnodigen om bij je thuis te komen eten?' oppert Bonnie. 'De liefde van de man gaat immers door de maag?'

'Of vragen of hij je komt helpen met iets in huis, wat gerepareerd moet worden? Je kunt best iets voor het goede doel kapotmaken, de kraan of zo,' komt Jasmijn behulpzaam.

De deurbel onderbreekt hun wilde plannen.

Bonnie loopt naar de gang, en de dames vullen hun bordjes nog een keer bij. Ze horen stemmen, voetstappen en het geluid van deuren die open- en dichtgaan.

Als Bonnie de kamer even later weer binnenkomt, kijken haar vriendinnen verrast naar haar witte gezicht.

'Gaat het wel, Bonnie?' vraagt Jasmijn aan haar nichtje.

Bonnie kijkt geagiteerd de kring rond. 'Ik moet jullie wat vertellen. Beter dat jullie het van mij horen, dan dat jullie het binnenkort in de krant lezen.'

Jasmijn pakt Willemieke, die is gaan jengelen, van de grond en neemt haar op schoot. Marloes kijkt naar Silas, maar die vermaakt zich nog prima door met een boekje op de grond te timmeren.

Naar woorden zoekend begint Bonnie: 'Ik heb de mensen die net aanbelden in de studeerkamer van Maurits gezet. Hoe ze erachter gekomen zijn...' Hoofdschuddend klemt ze haar handen tussen haar knieën en smekend kijkt ze haar vriendinnen aan. 'Ik mocht niks vertellen, neem het mij alsjeblieft niet kwalijk, ik had het beloofd!'

Marloes kan haar ogen niet van Bonnie afhouden.

'Het heeft te maken met Axel. Axel is... niet wie iedereen denkt dat hij is.' Nu kijkt Bonnie Marloes met een verontschuldigende blik rechtstreeks aan. 'Jullie weten dat hij langere tijd in Amerika heeft gewoond. Iedereen denkt dat hij maar wat rondtrok en reisde. Maar in feite heeft hij daar naam gemaakt als kunstenaar. Hij schilderde in die tijd, en niet onverdienstelijk. Hij had grote tentoonstellingen in alle vooraanstaande galerieën. Hij is... je zou kunnen zeggen dat hij...' Bonnie zucht diep. 'Hij is beroemd!' Het komt er verontschuldigend uit.

'Nee...' steunt Marloes.

Nu ze eenmaal aan het vertellen is, struikelt Bonnie bijna over haar woorden in de haast om het hele verhaal uit de doeken te doen.

'Hij heeft zijn naam wat verengelst, Voogd is Guardian als je het vertaalt, dus hij noemde zich Alexander Guardian. Zijn tentoonstelling met als thema beschermengelen, Guardian Angels, is de hele wereld overgegaan. Het gaat er in Amerika wat anders aan toe dan hier, ze pakken het gelijk groots aan. Een bekende zangeres kocht een van zijn schilderijen en daardoor is hij ook in een paar talkshows geweest. In Nederland wist men niet eens dat hij geen Amerikaan was. Hij heeft zijn identiteit altijd goed beschermd. Toen Maurits en ik gingen trouwen, kwam hij hierheen vanuit New York. Hij was een wrak, geestelijk gezien dan. Dat milieu waar hij in verkeerde, was niet goed voor hem. Hij had geen inspiratie meer, zijn relatie was uit...'

Jasmijn vindt het wel interessant. 'Dus al die tijd hadden wij een beroemdheid om ons heen? Hoe hebben ze nu ontdekt waar hij is? En wie zijn de mensen die in de studeerkamer zitten?'

'Zijn manager, ik ben zijn naam even kwijt. En een vrouw, zijn assistente, denk ik. Strak mantelpakje, hoge hakken, benen die doorlopen tot onder haar kin.' Bonnie kijkt somber bij de beschrijving en haalt haar schouders op. 'Klaarblijkelijk hebben ze een tip gekregen van iemand.'

Marloes voelt het bloed uit haar gezicht wegtrekken.

'Steve,' fluistert ze ontzet. 'Hij was het.'

Haar vriendinnen kijken haar niet-begrijpend aan.

'Hij zei van 't weekend dat hij Axel niet vertrouwde, dat er iets niet klopte en dat hij ging uitzoeken wat.'

Jasmijn wrijft Marloes over haar rug. 'Maar weet je, Marloes, nu is Axel opeens wel een stuk "geschikter" geworden.' Ze maakt met haar vingers aanhalingstekens in de lucht bij dat woord. 'Hij is beroemd, dus hij heeft waarschijnlijk een goed inkomen, of niet?' Vragend kijkt ze naar Bonnie.

Bonnie knikt. 'En dat is nog niet het hele verhaal: hij is ook de geheime weldoener die het zorghotel sponsort.'

Vol afschuw kijkt Marloes haar aan. Ze kreunt en buigt zich voorover, haar gezicht in haar handen verstopt.

'Maar als ik hem nú zeg dat ik verliefd op hem ben... dan zal hij nooit geloven dat ik voor hem heb gekozen voordat dit allemaal gebeurde! Hij zal denken dat ik hem nu pas zie zitten.'

Bedrukt kijkt iedereen elkaar aan.

'Wat nu?' durft Aniek te vragen.

Vanuit de gang horen ze opeens stemmen, getik van hakken op de plavuizen en het opengaan van de voordeur. Bonnie staat op om te gaan kijken wat er aan de hand is, maar als ze langs het raam loopt, houdt ze stil.

'Dat is de auto van Axel, hij is thuis!'

Gealarmeerd lopen ze naar het raam, en ze zien nog net hoe de vrouw in het mantelpakje naar hem toe rent en hem halverwege het tuinpad om zijn nek valt.

# 19

Ademloos kijken ze toe. Marloes hapt naar adem als ze de innige omhelzing ziet.

'Nou, Mantelpakje laat er geen gras over groeien!' is het sombere commentaar van Jasmijn.

De kamerdeur gaat open. '*Hello, ladies*!'

Als verdoofd hoort Marloes hoe Bonnie met de manager praat in het Engels. Ze zegt boos dat zij hun gevraagd had om in de studeerkamer te wachten, zodat zij Axel kon voorbereiden op hun komst. De manager, een oudere man met grijzende slapen in een duur uitziend pak, zegt sussend dat ze het Susan maar niet kwalijk moest nemen, ze had immers haar verloofde zo lang niet gezien!

Jasmijn en Aniek kijken ontzet naar Marloes.

'Ik moet even gaan zitten,' fluistert Marloes met een vreugdeloos glimlachje naar haar vriendinnen.

Inmiddels komen Axel en Mantelpakje de woning binnen. '*I missed you so much*!' Ik heb je zo gemist. De lage stem van de knappe vrouw galmt ademloos door de hal.

Bonnie dirigeert hen allemaal de studeerkamer in om hen uit de buurt van haar vriendinnen te houden. De manager neemt Mantelpakje – Susan – bij haar arm en praat dringend tegen haar terwijl ze op de bank in Maurits' werkkamer plaatsnemen.

'Hoe zijn ze het in vredesnaam te weten gekomen?' vraagt Axel zacht aan Bonnie.

Bonnie dempt haar stem. 'We denken dat Steve Gates er iets mee te maken had.'

'Wat, Steve Gates? Waarom? En wie zijn "we"?'

Bonnie wijst naar de kamer. 'De meiden. Jasmijn, Aniek en... Marloes. We hadden een high tea. Marloes vertelde dat Steve je ergens van kende en je na wilde trekken. Klaarblijkelijk heeft hij dat ook gedaan.'

Axel haalt ongeduldig zijn hand door zijn haar. 'Weet ze...'

Bonnie knikt. 'Ik heb het verteld. Ik bedacht dat Steve misschien niet alleen je manager, maar ook de media op de hoogte heeft gesteld.'

Vluchtig kijkt hij naar de Amerikaanse bezoekers. Als Susan hem een stralende glimlach toewerpt, kijkt hij weer naar Bonnie. 'Ik had met Max, mijn manager, wel telefonisch contact al die tijd, maar hij wist niet waar ik was. Nu hij helemaal uit Amerika is komen vliegen, neem ik aan dat hij weer met me aan de slag wil.'

Bonnie kijkt hem bezorgd aan. 'Wat doen we nu?'

'Dingen komen hierdoor wel in een stroomversnelling. Ik zal wel even met hem praten.'

Bonnie knijpt hem bemoedigend in zijn arm en loopt naar de woonkamer om hem wat privacy te geven.

Marloes kijkt witjes op. Ze heeft Silas op schoot, die uit een beker drinkt.

'Ik moet Maurits waarschuwen.' Met de telefoon in de hand loopt Bonnie naar de keuken.

'Marloes, je moet met Axel praten,' probeert Jasmijn haar vriendin te overtuigen. 'Dit verandert misschien de situatie, maar het hoeft toch niet het einde te betekenen?'

Dan gaat de kamerdeur weer open en staat Axel op de drempel.

'Ik heb jullie het een en ander uit te leggen,' zegt hij, maar zijn blik is op Marloes gericht, die strak naar de salontafel kijkt.

Aniek mompelt iets over 'Bonnie helpen' en loopt naar de keuken. Jasmijn doet net alsof ze haar veelbetekenende blik niet ziet en leunt doodgemoedereerd tegen de vensterbank, met Willemieke op haar heup.

Axel negeert haar. 'De man in de studeerkamer is Max, mijn manager. Bonnie heeft je alles verteld, begreep ik.'

Marloes lijkt meer geïnteresseerd in de schoteltjes die op de salontafel staan, met daarop half opgegeten petitfours en chocolaatjes.

'Hij wil dat ik met hem meega. Hij heeft plannen voor een tentoonstelling in Amsterdam. Hij heeft aan een paar touwtjes getrokken en wil eind van de maand de opening voor elkaar hebben.'

Axel gaat op de stoel zitten die haaks op de bank staat waar Marloes op zit.

Marloes kijkt hem nu aan. Haar ogen glijden over zijn halflange haar dat over de kraag van zijn zwarte leren jasje heen valt. De kaaklijn die opbolt van de spanning, zijn knalblauwe ogen…

Hij leunt met zijn onderarmen op zijn bovenbenen, zijn handen gevouwen, terwijl hij zijn woorden zorgvuldig kiest.

'Je vertelde me dat het niks kon worden tussen ons, dat het niet... verstandig was. Maar toen ik je kuste...'

Marloes sluit haar ogen en leunt tegen Silas aan, die knaagt op het mondstuk van zijn tuitbeker.

Jasmijn begint nu toch wel het gevoel te krijgen dat ze te veel is. 'Ik zal even kijken...' Zonder haar zin af te maken loopt ze met Willemieke de gang op, waarna ze de deur zorgvuldig achter zich sluit.

Marloes bijt op haar lip. Hij zou haar nooit geloven. Altijd zou hij denken dat zijn roem en – klaarblijkelijk – zijn rijkdom haar over de streep hadden getrokken. Vroeger of later zou hij gaan twijfelen aan de oprechtheid van haar liefde. Ze moest hem laten gaan.

Axel buigt zich dringend naar haar toe.

'Marloes, Max wacht op mijn antwoord, maar ik heb hem gezegd dat ik eerst wilde praten. Met jou. De laatste keer dat ik je sprak, wist je nog niet dat ik...' Hij verschuift ongemakkelijk, zoekt naar woorden.

'Je wilt iemand die een stabiele basis kan bieden voor Silas. Ik heb de middelen om voor jullie beiden te zorgen. Zoals ik in New York leefde, die persoon ben ik niet meer. Maar ik ben ook niet de lapzwans voor wie iedereen in het dorp me houdt. De beelden die je gezien hebt, wilde ik uiteindelijk tentoonstellen, ook al zei ik van niet. Ook ben ik bij het zorghotel betrokken.'

Marloes schudt haar hoofd.

Axel ziet het en vernauwt zijn ogen, hij probeert het te begrijpen. 'Je kust me alsof je van me houdt, ik ben niet langer een onverstandige keuze als partner, maar je kijkt alsof... Zeg me, Marloes, wat moet ik Max als antwoord geven?'

Silas is klaar met zijn beker en wil van haar schoot af, dus zet Marloes hem op de grond neer. Ze strijkt haar gebloemde rokje glad en gaat staan. Axel volgt haar voorbeeld.

Marloes kijkt hem aan, haar ogen brandend door de ingehouden tranen.

'Het kan niets worden tussen ons...' Haar stem hapert. Wat kan ze als argument aanvoeren om hem te overtuigen?

Ze begrijpt volkomen waarom hij heeft verzwegen wie hij is. Hij had genoeg van mensen – vooral vrouwen – die iets van hem wilden om wie hij was, de succesvolle kunstenaar. Maar juist het feit dat hij zich anders voorgedaan heeft, grijpt ze nu met beide handen aan.

'Je hebt tegen me gelogen!' brengt ze verstikt uit.

Axel zet gefrustreerd zijn handen in zijn zij en kijkt naar de grond. 'Het spijt me dat ik tegen je gelogen heb. Dingen weggelaten heb. Ik wilde alleen zeker weten dat je om mij gaf, en niet om...' Hij kijkt haar onderzoekend aan. 'Maar het hoeft toch niet tussen ons in te blijven staan?'

Marloes haalt kort haar schouders op. 'Het spijt me. Het gaat niet werken.' Ze haalt diep adem. 'Het gaat om vertrouwen.'

Hij knikt berustend en lacht vreugdeloos. 'Dus ik heb het verknald.' Hij draait zich om en haalt zijn hand door zijn haar.

Silas trekt aan zijn broekspijp en Axel keert zich naar hem toe. 'Hé, kleine man.' Hij tilt hem op en kust hem op zijn krullerige haar, terwijl hij Marloes aankijkt. Haar hart doet pijn als ze haar zoon in zijn armen ziet. Voorzichtig zet hij Silas terug op de vloer.

Marloes pakt haar schoudertas van de bank en stopt Silas' bekertje erin. 'We moeten gaan.'

Als ze zich omdraait, staat Axel zo dichtbij dat ze bijna tegen hem aanbotst. Haar handen klemmen zich om het hengsel van de tas en haar hart gaat tekeer, terwijl ze als bevroren blijft staan.

Zwijgend staren ze elkaar aan. Zijn hand glijdt over haar wang en zijn duim streelt de zachte huid. Marloes laat haar blik over zijn gezicht glijden. Misschien was dit wel de laatste keer dat ze hem zag.

'Moet het echt een afscheid zijn, Marloes?' Hij klinkt gepijnigd.

Heel langzaam komen hun gezichten dichter bij elkaar, Marloes kan niet zeggen of zij nu beweegt of dat hij dat doet. Ze lijken wel magneten die tot elkaar aangetrokken worden, en ze blijven elkaar aankijken tot hun lippen elkaar raken, tergend langzaam. Ze is zich intens bewust van de sensatie die zijn mond op de hare teweegbrengt, het vuur dat zich in haar buik verspreidt. Ze sluit haar ogen als in overgave.

Axel spreidt zijn vingers, en ook zijn andere hand glijdt om haar gezicht heen. Hij kust haar wanhopig, verlangend, en ze moet vechten om zich niet compleet te laten gaan. Langzaam tilt hij zijn hoofd op, en als zijn blauwe ogen haar vragend aankijken, weet Marloes een waterig glimlachje op te brengen.

'Pas goed op jezelf,' fluistert ze triest.

Als ze naar achteren stapt, gaat de kamerdeur weer open.

'*Alexander, are you ready*?' Ben je klaar?

Axel kijkt naar Marloes, zijn mond een strakke streep. '*I guess so*.' Ik denk het.

Abrupt draait hij zich om en hij loopt langs de man heen naar de voordeur.

De grijsharige man haast zich achter hem aan. '*Are you sure*?' Weet je het zeker?

'*Guys, wait for me*!' De lage, verwijtende stem van Susan roept dat ze op haar moeten wachten.

Als de voordeur met een klap dichtslaat, gaat er een schokje door Marloes heen.

Jasmijn komt binnen en slaat een arm om haar heen. 'Wat heb je gezegd?'

Marloes maakt een geluid dat overgaat in een droge snik. 'Ik kon het hem niet vertellen. Hoe geloofwaardig zou ik zijn geweest? Ik heb hem laten gaan...'

Bonnie en Aniek komen de keuken uit. 'Maurits komt eraan, is het goed gegaan?'

Jasmijn schudt haar hoofd. 'Hij weet het niet.'

Jasmijn geeft Willemieke over aan Bonnie en houdt Marloes stevig vast. 'Maar wij kunnen je getuige zijn, Marloes. We kunnen toch tegen hem zeggen dat jij het ons vertelde, voordat zijn manager en die bimbo op de stoep stonden?'

Marloes' stem klinkt gesmoord. 'Zou jij het geloven? Van mijn beste vriendinnen?'

Aniek geeft toe dat het niet erg geloofwaardig is. 'Maar nu laat je de liefde van je leven lopen!'

Marloes kijkt haar vriendinnen berustend aan. 'Beter zo, dan dat hij voor altijd zou denken dat iemand niet van hem kan houden zonder zijn rijkdom en roem. En dat ik zo oppervlakkig ben dat ik hem nu pas geschikt vind. Dat is geen basis voor een relatie.'

Dan maakt Marloes zich los en ze loopt naar Silas toe. Hij steekt zijn armpjes naar haar uit en ze tilt hem op. 'Kom, jochie, we gaan naar huis.'

Verbaasd merkt Marloes dat het leven van alledag gewoon doorgaat, ook al heeft zij het gevoel dat alles is ingestort. Ze houdt iedereen die mee wil leven op een afstand en heeft de automatische piloot aangezet als het op werken aankomt. Voor Silas weet ze zich ook groot te houden. Pas als ze 's nachts in bed ligt, geeft ze zich over aan haar verdriet.

Om de sleur te doorbreken gaat ze met Silas een dagje uitwaaien aan zee. Ze genieten beiden met volle teugen. Maar als ze aan het einde van een dag vol zon en gezelligheid met haar zoon op de arm naar de prachtige zonsondergang kijkt, realiseert Marloes zich dat ze deze dag weliswaar ontsnapt is aan de medelijdende blikken van haar vriendinnen, maar dat er geen ontkomen is aan de pijn die ze in haar hart met zich meedraagt.

De weken rijgen zich aaneen. Op een avond, als Silas ligt lekker te slapen, zakt Marloes op haar orenstoel neer voor de tv. Kathy had voorgesteld om op de koffie te komen, maar onder het mom vroeg te willen gaan slapen, heeft ze haar afgewimpeld.

Ze is moe van de gedachten die door haar hoofd malen, de verwijten die ze zichzelf maakt. Haar gebed is telkens hetzelfde: 'Heb ik de juiste beslissing genomen, Heer?'

Het taalspelletje waar ze naar kijkt, kan haar niet boeien, dus zapt ze door naar het volgende kanaal.

Op dat moment gaat de telefoon. Ze kijkt op het schermpje en ziet dat het Jasmijn is. Alweer! Jasmijn heeft die dag al een paar keer gebeld. Marloes overweegt serieus om deze keer niet op te nemen. Maar als ze bedenkt dat Jasmijn dan waarschijnlijk binnen vijf minuten op de stoep staat, zet ze zuchtend het geluid van de tv zachter en neemt op.

Verschrikt houdt ze het toestel van haar oor af als Jasmijn gelijk begint te gillen. 'Marloes, die talkshow op vier. Staat je tv aan? Zap naar vier, het volgende onderwerp gaat over Axel!'

Van schrik laat Marloes de afstandsbediening vallen. Ze graait om zich heen in de zitting van de orenstoel om hem weer te pakken.

Ze klikt door naar het juiste kanaal, waar net een item wordt afgerond.

'Nu begint het, ze kondigden het net aan!' roept Jasmijn aan de andere kant van de lijn.

Marloes ziet een paar mannen aan een tafel zitten die op montere toon met elkaar zitten te praten.

'Maar vertel eens, Amsterdam, de kunsthoofdstad van Nederland; er is een heleboel gaande komend weekend.'

De andere man knikt enthousiast. 'Dat klopt. Want de verdwenen kunstenaar, Alexander Guardian, is weer boven water! Hij is langere tijd ondergedoken geweest, zou ik haast zeggen. Niemand wist waar hij zich bevond.'

Er volgt een hele verhandeling over zijn werk, heel zijn doopceel wordt gelicht, en afbeeldingen van verschillende schilderijen worden getoond. Verbazing alom over het feit dat hij een Nederlander blijkt te zijn. En dat hij zo'n anderhalf jaar onvindbaar was, heeft zijn populariteit eerder goed dan kwaad gedaan. Het blijft een geheim waar hij al die tijd geweest is. De suggestie dat hij in een afkickkliniek zou hebben gezeten, wordt van de hand gewezen, hij heeft volgens insiders nooit drugs gebruikt.

Opeens flitst er een foto van Axel in beeld. Hij draagt een smoking die hem adembenemend goed staat, en aan zijn arm hangt een blonde vrouw in een diep uitgesneden avondjapon. Marloes herkent onmiddellijk Mantelpakje, of liever gezegd, Susan.

'De Barbiepop!' briest Jasmijn.

Marloes geeft haar somber gelijk. Naast zo'n diva zinkt zij, Marloes, toch helemaal in het niet?

Er wordt wat gespeculeerd over de relatie tussen de kunstenaar en het voormalige fotomodel. Dan worden er beelden getoond van de galerie in Amsterdam waar de tentoonstelling plaats gaat vinden. Er hangen niet alleen schilderijen, maar er staan ook beelden van Axel tentoongesteld. Tot Marloes' grote schrik komt opeens Axel zelf ook in beeld.

Hij beantwoordt kalm de vragen van de enthousiaste reporter. Hij draagt een donkergrijze, moderne blazer over een T-shirt, maar Marloes is blij te zien dat hij nog steeds een versleten spijkerbroek draagt.

'Natuurlijk laten we niet alles zien, daar moeten mensen maar voor naar de tentoonstelling komen. Maar dit kunstwerk is wel heel bijzonder. Het lijkt in niets op uw andere werk. Bent u na het schilderen en beeldhouwen weer een nieuwe richting ingeslagen?'

Ze staan bij een granieten sokkel waar aan de bovenzijde een metalen pin uitsteekt, waarop een zwart voorwerp prijkt. De camera draait eromheen en Marloes' adem stokt als ze ziet wat het is.

'Jasmijn, dat is mijn slipper! Mijn flip-flop! Die ben ik kwijtgeraakt in Bonnies tuin, toen ik hem vertelde dat het niets kon worden!'

Ademloos luisteren ze naar het gesprek.

'Het heet *Modern Cinderella*, moderne Assepoester.' Axel glimlacht vaag. 'In het sprookje is de prins op zoek naar het meisje dat hem heeft betoverd. Hij wil alleen degene wier voet in het schoentje past. Ze lijkt... onvindbaar, onbereikbaar, maar hij blijft hopen op geluk.'

Een brede glimlach kruipt om Marloes' mond.

De mannen in de studio kijken nog steeds professioneel geamuseerd. 'Excentrieker dan ooit, of niet?'

'Nou en of. De opening is morgenavond, mis het niet!'

Marloes schakelt het geluid uit en Jasmijn gilt opgewonden in de telefoon. 'Marloes, je bent gek dat je hem hebt laten gaan! Die man houdt van je! Wat kan het jou nou schelen hoe je hem krijgt?'

Marloes knikt. 'Ik moet erheen...' fluistert ze voor zich heen. En dan, vastberaden, tegen Jasmijn: 'Je hebt gelijk! Ik bel Kathy of ze kan oppassen morgenavond. Wil jij met me mee naar een tentoonstelling, Jasmijn?'

'Kom op, Marloes, nu niet terugkrabbelen.'

Jasmijn staat met Marloes voor de deur van de chique galerie waar de tentoonstelling plaatsvindt. Ze zijn expres wat later op de avond gegaan, zodat ze wat minder zouden opvallen. Bonnie en Maurits zijn er al vanaf het begin, om ook de officiële opening bij te wonen. Jasmijn heeft hen bezworen niets tegen Axel te zeggen over het voorgenomen bezoek van Marloes en haarzelf.

Marloes kijkt nerveus naar binnen en sluit haar ogen, terwijl ze voor zich uit prevelt wat sinds de avond ervoor haar gebed is: 'Hoe het ook loopt, laat Uw wil geschieden.'

Ze heeft haar nieuwe groene jurk aangetrokken die haar volgens Jasmijn meer dan beeldig staat.

Eenmaal binnen worden ze welkom geheten door een kelner in smoking, die hun een glas champagne aanbiedt. Ze lopen de hal door en komen in een enorme ruimte waarin met behulp van witte, verplaatsbare wanden verschillende hoeken gecreëerd zijn.

Nerveus strijkt Marloes de wijde rok van haar jurk glad en ze neemt een slok champagne. Ze lopen langzaam met de stroom mee langs de verschillende schilderijen en beelden, en Marloes' bewondering voor het talent van Axel groeit met de minuut.

'Ik weet helemaal niet wat je hoort te zeggen,' mompelt Jasmijn, 'maar ik vind het gewoon prachtig!'

Marloes kan alleen maar knikken.

'Laten we op zoek gaan naar je slipper.' Jasmijn trekt haar mee. Onderweg in de auto heeft Jasmijn geopperd of het geen goed idee zou zijn om te beginnen bij het kunstwerk *Modern Cinderella*. 'Daarna gaan we op zoek naar Axel.'

Marloes was zo zenuwachtig dat ze blij was dat Jasmijn met een plan kwam.

Jasmijn leidt haar door een gangetje heen dat hen naar een kleinere zaal brengt. Marloes merkt niet dat Jasmijn wat achterblijft, en als ze om een witte wand heen loopt, ziet ze opeens de sokkel met daarop de slipper.

'Daar is-ie!' fluistert ze. Ze loopt er langzaam naartoe. Ze zet haar champagneglas aan de voet van de sokkel neer en buigt naar voren om de slipper van dichtbij te kunnen bekijken.

Opeens klinkt er een stem, waardoor ze opschrikt. 'Het spijt me, dit kunstwerk is niet te koop.'

Marloes schopt bijna het champagneglas omver en draait zich om.

In de smalle opening staat Axel, gekleed in een smoking. In het echt ziet hij er nog adembenemender uit dan op de foto, hij lijkt bijna een vreemde. Hij kijkt haar aan met een schittering in zijn ogen die ze niet kan plaatsen, en hij slentert iets dichterbij, met zijn handen in zijn zakken.

Nerveus strijkt Marloes over haar rok. 'Ik zag het op tv. En ik hoorde wat je zei... over Assepoester en de prins.' Ze ergert zich aan het feit dat ze zo ademloos klinkt en schraapt haar keel.

Waarom helpt hij haar nou niet? 'Ik... je zei dat de prins op zoek was naar degene die het schoentje past. Ik moet je iets uitleggen, waarom ik je liet gaan.'

Zijn blik is ondoorgrondelijk. 'Is dat zo?' vraagt hij neutraal, waardoor ze nog zenuwachtiger wordt.

Opeens denkt ze aan Susan, die de afgelopen weken vast niet van zijn zijde is geweken en hier ergens rond moet lopen in een oogverblindend gewaad. Ze voelt zich ineenschrompelen vanbinnen. Wat had ze gedacht? Natuurlijk had hij haar niet bedoeld, hij had haar allang afgeschreven. Hij gebruikte alles ter inspiratie, verwerkte dat in een kunstwerk. Deze Assepoester paste niet in het wereldje van haar prins. Ze moest weg, voor ze zichzelf compleet belachelijk zou maken.

'Laat maar, ik moet gaan.' Ze wil langs hem heen lopen, maar hij pakt haar snel bij haar arm.

'Loop je nu wéér weg?'

Haar ademhaling komt onregelmatig en ze ontwijkt zijn blik.

'Zonder afscheid te nemen?' Hij trekt haar zachtjes dichterbij.

'Axel, toe...'

Axel legt zijn voorhoofd tegen het hare. Marloes doet haar uiterste best om niet in tranen uit te barsten.

'Maar ik wil helemaal geen afscheid van je nemen...' fluistert hij, terwijl hij haar in zijn armen neemt. 'Ik wil je zelfs nooit meer laten gaan!'

Marloes' hoofd vliegt omhoog. 'Maar...'

Axel glimlacht. 'Je bent zo dapper dat je naar me toe wilde komen. Terwijl je nog niet eens wist van het filmpje dat Jasmijn vanochtend op haar mobiel vond, en dat ze toen naar mij stuurde.'

Niet-begrijpend staart ze hem aan.

Hij steekt zijn hand in zijn binnenzak en haalt zijn mobiele telefoon tevoorschijn. Behendig tikt hij met een hand op het scherm. 'De foto die Jasmijn wilde maken werd een filmpje, maar ze was vergeten de opname uit te zetten. Luister maar.'

Marloes snapt er niets van.

Hij houdt zijn hoofd dicht bij het hare, het telefoontoestel tussen hen in.

Het beeld is donker, maar ze hoort heel duidelijk de stem van Jasmijn, en daarna luid en duidelijk die van haarzelf. 'Ja, hij maakt me aan het lachen...' Ze bloost als hij haar met een opgetrokken wenkbrauw aankijkt, wanneer haar stem even later verkondigt: 'Ik ben gewoon verliefd!'

Axel laat zijn wang langs de hare glijden en lacht zachtjes in haar oor, waardoor ze een huivering niet kan onderdrukken.

Jasmijn, die op wacht staat aan het begin van het gangetje, heeft haar oren gespitst en glimlacht als ze het geluid van de opname hoort. Ze hoopt maar dat Marloes het haar vergeeft dat zij, met hulp van Simon, het filmpje naar Axel heeft doorgestuurd. Ze had Simon wat foto's willen laten zien van zijn dochter, en vervolgens had hij de opname ontdekt.

Met grote ogen had ze haar man aangekeken: 'Ik heb het telefoonnummer van Axel nodig!'

Het telefoongesprek met Axel had geleid tot de ontmoeting bij het beeld.

'Sommige mensen hebben echt een beschermengel nodig,' mompelt ze, vriendelijk lachend naar een ouder echtpaar. 'Hier eindigt de tentoonstelling, die kant op, alstublieft!'

Al luisterend heeft Axel zijn arm om Marloes' middel heen laten glijden. Ze leunt tegen hem aan, tot de woorden van Bonnie te horen zijn. 'Ik moet jullie wat vertellen. Beter dat jullie het van mij horen, dan dat jullie het binnenkort in de krant lezen.'

Axel stopt de telefoon weer weg en trekt Marloes dichter tegen zich aan. 'De rest van het verhaal ken je. En ik nu ook. En hierdoor begrijp ik eindelijk waarom jij me wegstuurde.'

Marloes laat haar gezicht rusten tussen de revers van zijn jasje, waar ze zijn snel kloppende hart voelt. Diepe vreugde en dankbaarheid beginnen haar te doorstromen.

'Dus ik wilde even iets verifiëren...' Zijn stem klinkt nieuwsgierig. 'Ik meende namelijk ook iets te horen over een... hemelse ervaring?'

Marloes bloost diep als ze zich herinnert hoe ze zijn kus had omschreven. *Hemels!*

Ze kijkt op naar de man van wie ze zo veel is gaan houden, en haar stem klinkt twijfelend.

'Tja... het is alweer even geleden. Dus ik kan het me eigenlijk niet meer zo goed herinneren. En daarbij ben ik toen gekust door ene Axel. Maar... wie ben jij eigenlijk?'

Zijn suggestieve blik doet haar hart sneller kloppen. 'Ik zal me even voorstellen, mijn naam is Alexander. Alexander Guardian.'

'Zeg,' Jasmijn steekt ongeduldig haar hoofd om het hoekje, 'wordt er nog gekust vandaag of hoe zit dat? Ik kan de mensen niet eeuwig bij jullie vandaan houden, hoor!'

Axel trekt zonder iets te zeggen de slipper van de sokkel en smijt die richting Jasmijn, die net op tijd bukt.

'Rustig maar, ik ga alweer!' moppert ze, maar ze kijkt verheugd als ze ziet dat Marloes in Axels armen ligt.

Marloes trekt haar wenkbrauwen op. 'Je hebt zojuist een kunstwerk gemold. Mag dat wel?' Axels glimlach beneemt haar de adem.

'Die slipper is overbodig geworden, ik heb mijn Assepoester nu toch gevonden?'

Met een glimlach trekt ze zijn hoofd naar zich toe, en als hun lippen elkaar vinden, glijden haar armen als vanzelf om zijn nek.

Achter Jasmijn is een groepje mensen komen staan, die getuige zijn van de hartstochtelijke omhelzing.

'Dit is niet het kunstwerk uit het foldertje, volgens mij,' zegt iemand geamuseerd, 'hoe zou dit kunstwerk heten?'

Jasmijn kijkt spijtig. 'Er is een ongelukje gebeurd met het originele kunstwerk, meneer. Maar hoe dit heet? Ik denk: *En ze leefden nog lang en gelukkig*.'

Een oudere dame zucht verrukt. 'Wat hemels!'

Jasmijn grinnikt, terwijl ze naar het kussende stel kijkt. 'Ja, misschien is dat nog wel een betere naam!'